ASOCIACION
PAC
Pablo Antonio Cuadra

N
860.092
W581 White, Steven F.
El mundo más que humano en la poesía
de Pablo Antonio Cuadra : un estudio ecocrítico
y tres entrevistas a PAC / Steven F. White. --
2a ed. aumentada y rev. -- Managua :
Asociación Pablo Antonio Cuadra, 2009
258 p.

ISBN : 978-99924-835-4-1

1. CUADRA, PABLO ANTONIO, 1912-2000-
CRITICA E INTERPRETACION 2. ANALISIS
LITERARIO 3. POESIA NICARAGÜENSE-SIGLO XX

Primera Edición (2002)
Segunda Edición aumentada y revisada (2009)

Director de colección:
Pedro Xavier Solís Cuadra

Diagramación y Revisión:
Osler Velásquez Cerda

IMPRESO EN NICARAGUA

IMPRIME: MULTI IMPRESOS NICARAGÜENSES

EL MUNDO MÁS QUE HUMANO EN LA POESÍA DE PABLO ANTONIO CUADRA:

UN ESTUDIO ECOCRÍTICO

y TRES ENTREVISTAS A PAC
SEGUNDA EDICIÓN AUMENTADA Y REVISADA

Steven F. White

A la memoria de Pablo Antonio Cuadra (1912 - 2002)

El Dador de lo Verde...
Aquel que nos acompaña
El Antiguo Secreto
El Cielo de la tierra
Aquel por quien se vive...
estaba
mirando hacia el camino
y me esperaba.

"Letanía náhuatl"

PAC

ÍNDICE

INTRODUCCIÓN / INTERSTICIOS VERDES

¿HA habido un poeta más consciente en su obra de la biodiversidad y la riqueza ecológica de un lugar donde le ha tocado vivir que Pablo Antonio Cuadra? A lo largo de toda su vida, Cuadra, que falleció a los 89 años en 2002, ha demostrado una rara y aguda sensibilidad en torno al medio ambiente de su país natal Nicaragua. Gran conocedor del paisaje visible con sus volcanes, montañas, selvas, sabanas, lagos, islas, ríos, y costas, Cuadra también ha sabido revelar los secretos de otro paisaje, invisible pero historiado y animado por la memoria colectiva de un pueblo en la forma de folklore y cantos populares y también mitos de origen indígena. Cuadra es de un país con una ubicación privilegiada:

> *Nicaragua* — afirma el poeta — *geológicamente, es el centro de enlace y el puente entre las dos masas continentales. En Nicaragua se encuentran y traslapan las dos floras y las dos faunas, del Norte y del Sur. Y siguiendo a la naturaleza es también el lugar de encuentro de las culturas que ascendieron del sur con lenguas y culturas de origen preincaico, chibchas, amazónicas, y de las que descendieron del norte de origen tolteca, nahuatl, maya, etc.* (Cuadra 1988b 37)

Por eso, el presente libro *El mundo más que humano en la poesía de Pablo Antonio Cuadra: un estudio ecocrítico* adopta el modelo teórico de la ecocrítica como una herramienta perfectamente adecuada para analizar la obra de este gran poeta nicaragüense. Definido por Cheryll Glotfelty y Harold Fromm en su antología pionera *The Ecocriticism Reader: Landmarks in Literary Ecology* (1996), la ecocrítica "es el estudio de la relación entre la literatura y el medio ambiente físico". Aseveran, además, que el sitio (*place*) debe considerarse una nueva categoría crítica tan importante como, por ejemplo, la etnicidad, las clases sociales y el género (Glotfelty y Fromm xviii). Como discurso teórico, sirve como intermedio entre lo humano y lo más que humano, demostrando cómo la cultura humana se vincula con el mundo físico, afectándolo y, a la vez, siendo afectada por él (Glotfelty y Fromm xix). De acuerdo con este acercamiento que se centra en la tierra al hablar de la literatura, hay otros estudios claves que me han servido para orientar esta lectura de la poesía pabloantoniana: *The Spell of the Sensuous: Perception and Language in a More-Than-Human World* (1997) de David Abram, *The Song of the Earth* (2000) de Jonathan Bate, *The Environmental Imagination: Thoreau, Nature Writing and the Formation of American Culture* (1995) y *Writing for an Endangered World: Literature, Culture and Environment in the U.S. and Beyond* (2001) de Lawrence Buell, y *Mapping the Invisible Landscape: Folklore, Writing and the Sense of Place* (1993) de Kent C. Ryden. Pertenecen a los estudios que acabo de mencionar los siguientes términos que utilizo con cierta frecuencia en *El mundo más que humano en la poesía de Pablo Antonio Cuadra: un estudio ecocrítico*: el ecocentrismo, la ecopoética, el mundo más que humano, el paisaje invisible, y el vínculo con un lugar específico (*place-connectedness*). Hay también dos conceptos imprescindibles que explican la afectividad entre los seres humanos, la tierra, y la biota viva: *la topofilia* de Yi-Fu Tuan y *la biofilia*, una hipótesis polémica presentada por Edward O. Wilson y Stephen R. Kellert. El enfoque basado en la ecología cultural del estudio ejemplar de William R. Fowler, Jr. *The Cultural Evolution of Ancient Nahua Civilizations: The Pipil-Nicarao of Central America* (1989) ha sido un aporte importante en la metodología de mi trabajo sobre la poesía de Cuadra que depende de un conocimiento del medio ambiente natural de Centroamérica, y también de la etnobotánica y la etnozoología de los Pipil-Nicarao. Reconozco la presencia abrumadora y tal vez sobrecargada de fuentes secundarias en inglés, pero espero que el aparato crítico que adopto y modifico para *El mundo más que humano en la poesía de Pablo Antonio Cuadra: un estudio ecocrítico* no se considere como aún otro modelo teórico importado de la academia norteamericana y europea, lleno de una jerigonza de poca utilidad. En todo caso, la teoría en este estudio que sirve como principio organizador no se encuentra de ninguna manera demasiado apartada de los acercamientos críticos a la poesía de Cuadra de autores tan perspicaces como Jorge Eduardo Arellano, José Emilio Balladares, Jean-Louis Felz, Gloria Guardia de Alfaro, Conny Palacios, Pedro Xavier Solís, Carlos Tünnerman Bernheim, Alvaro Urtecho, Eduardo

Zepeda-Henríquez, y otros. Al contrario, sigo (agradecido) los aportes de los estudios anteriores sobre la obra de este poeta tan importante, queriendo, lógicamente, abrir a la vez nuevas posibilidades críticas, porque es mi deseo más ferviente que la ecocrítica como una manera de leer el mundo se aplique no sólo a la poesía de Cuadra sino también a las obras literarias idóneas de otros autores del continente americano y del resto del mundo. Considerando la crisis actual en torno al medio ambiente y el cambio climático, pues, tiene mucho sentido. Muchos biólogos calculan, por ejemplo, que antes del año 2050, el 30% de las hasta 15 millones de especies que habitan el planeta se extinguirán por causa de las actividades humanas (Véase Spotts). Ojalá que este estudio, entonces, sirva para abrir un diálogo más amplio para combatir lo que podría llamarse el analfabetismo ecológico.

Aunque el presente estudio abarca toda la obra poética de Cuadra, algunos libros del poeta se prestan más al análisis ecocrítico. Por eso, los seis capítulos tratan *Poemas nicaragüenses*, *Libro de horas* (entendido a base de la edición venezolana de 1997 que incluye *Libro de horas*, *La ronda del año*, y otra poesía religiosa), *El jaguar y la luna*, *Cantos de Cifar y del mar dulce*, *Siete árboles contra el atardecer*, *El nicán-náuat*, y *El indio y el violín*. En esta misma introducción intentaré hablar brevemente sobre otros poemarios de Cuadra que habría que destacar para entender mejor los capítulos que siguen. Las obras que servirán en mis comentarios iniciales como una serie de intersticios verdes incluyen *Canciones de pájaro y señora*, *Cuaderno del sur*, *Canto temporal*, *Poemas con un crepúsculo a cuestas*, *Epigramas*, *Esos rostros que asoman en la multitud/Apocalipsis con figuras*, *Exilios*, y *Poemas/Memorias*.

Según David Abram, "la escritura, tal como el lenguaje humano, se engendra no sólo en la comunidad humana sino entre la comunidad humana y el paisaje animado: nace del intercambio y contacto entre el mundo humano y más que humano" (Abram 95). Esta idea explica el profundo vínculo entre Cuadra, el medio ambiente que habita y los poemarios que escribe, porque libros como *Poemas nicaragüenses* y *Siete árboles contra el atardecer* bien podrían considerarse regalos terrenales[1], y *Cantos de Cifar y del mar dulce* como un obsequio de un lago que le ha servido a Cuadra (según me dijo en una entrevista) como uno de sus "musos principales" y que le destraumatizó después del terremoto de 1972 con "su

---

1. Véase White 1992 58-59 sobre la relación entre Jules Supervielle, Cuadra y los paisajes de Uruguay y Nicaragua.

oleaje como un canto materno" (White 1994 96). Lo que se lee en la obra de Cuadra es una especie de caligrafía de tierra y agua. Jonathan Bate dice algo que también ilumina la poesía de Cuadra: "la ecopoética propone que nos aferremos a la posibilidad de que algunos hitos textuales (*textmarks*) que se llaman poemas puedan devolvernos a la memoria una idea que pertenece a los conocimientos antiguos de la humanidad: que sin los hitos terrenales (*landmarks*) estamos perdidos" (Bate 175). Es más, como asevera Kent C. Ryden, el paisaje de un lugar cumple una función *catalítica* para la memoria (Ryden 39). Veremos a lo largo de los seis subsiguientes capítulos cómo Cuadra afirma la relación entre la experiencia humana y un sitio específico ya que, en las palabras de Lawrence Buell, "cada cuerpo ocupa un espacio físico con límites definidos" (Buell 1995 279).

Se ve claramente que, desde el primer momento, Cuadra ha intentado crear un mapa ecopoético que le permite definir una conciencia de espacio. Por ser su primer libro y una obra que establece un panorama de estrategias literarias que se van a manifestar más tarde en sus libros posteriores, *Canciones de pájaro y señora* merece nuestra atención especial. Cuadra, siguiendo hasta cierto punto el modelo de Neruda en sus *Veinte poemas de amor*, quiere transformar el cuerpo de la mujer en paisaje femenino como en "*Noche de ciego*" de 1928, entre los primeros poemas que conservó el poeta:

> *¿Quién tocó tu cuello, quién,*
> *de nieve que no conozco?*
> *Recorro en tu terso rostro*
> *la geografía del bien.* (Cuadra 1983 20)

El poeta se encuentra en plena búsqueda geográfica, procurando definir los parámetros del amor, de la patria, y, después, del amor patrio, o sea, "¡Amor nicaragüense!" (Cuadra 1983 117), como dice Cuadra al final de "Introducción a la tierra prometida".

Uno de los *master tropes* europeos de Hispanoamérica es el de una tierra virgen, el terreno caracterizado en términos femeninos que, más adelante, se puede penetrar, labrar y controlar.[2] La castidad en este contexto

---

2. Véase Krech 99. En *The Ecological Indian: Myth and History* , el autor critica la metáfora de la tierra virgen por razones históricas y propone el término "tierra enviudada" porque los colonizadores europeos ocupaban un "paraíso" que fue, sobre todo, "un artefacto de la demografía y la epidemiología".

existe como una especie de pre-contacto, un preludio que se inicia sujeto a la mirada de un principio masculino que se acerca. Algún impulso parecido subyace el poema "Novia del bosque" de 1930:

Selva niña virginal
tan completamente ilesa
que entreteje la maleza
en un verde velo nupcial.
¡Verla! ¡Oculta y florestal!
Coronas van fabricando
aves en vuelo, cantando.
Perfume herboso olfatea
el amante...y silabea
tu verde amor vegetal.
(Cuadra 1983 25)

En *Canciones de pájaro y señora*, Cuadra logra establecer otros habitantes de su paisaje al escribir poemas en que los animales hablan en fábulas, algunos al estilo de buenos vanguardistas chinfónicos como en "Historia del alacrán y la luna":

— *¡Lola,*
gorda como bola!
— *¡no camines sola!*
(Cuadra 1983 32)

Aparecen en *Canciones de pájaro y señora* también cuatro "Animales construidos con palabras", una estrategia poética que surgirá de nuevo con un mayor sentido etnozoológico en *El jaguar y la luna*.

El primer libro de Cuadra incluye además la "Balada del poponjoche", poema basado en una leyenda indígena que procura explicar el origen de los frutos grandes y morenos de este árbol que tienen la forma de senos. Lo importante que hay que destacar es la relación entre árboles específicos y la memoria humana (y cómo se conserva en términos lingüísticos y comunitarios), lo cual será una preocupación constante en *Siete árboles contra el atardecer*. Es más, Cuadra escribe con esta balada un personaje-poema, adoptando como máscara la voz de una mujer indígena transformada en poponjoche que crece a la orilla del Gran Lago y de los ríos, sitio tradicional no sólo de los encuentros amorosos consentidos sino de las violaciones también:

Si fui muchacha no sé; pero recuerdo
que me estrechaban a solas en la hierba.
Rudos brazos recuerdo junto al río
¡ay, junto al río!
donde luego, cansados, se asomaban
para mirar mis senos en el agua.
(Cuadra 1983 46)

"Nonantzin", otro personaje-poema que data tal vez de 1934, es una bellísima traducción libre del poeta, rey, y filósofo azteca Netzahualcoyotl que demuestra el interés de Cuadra en la antigua herencia indígena que formará una parte íntegra de su poesía posterior, sobre todo en *El jaguar y la luna*:

Amada, si yo muriera
entiérrame en la cocina
bajo el fogón.

Al palmotear la tortilla
me llamará a su manera
tu corazón.

Mas si alguien, amor, se empeña
en conocer tu pesar
dile que es verde la leña
y hace llorar.
(Cuadra 1983 53)

Se atisba en *Canciones de pájaro y señora* el esfuerzo de Cuadra de fijar distintos puntos geográficos en su mapa ecopoético de Nicaragua, el comienzo de un proyecto que realiza en el borrador de *Poemas nicaragüenses* publicado en 1934 y luego revisado y cambiado muchas veces hasta alcanzar una edición definitiva sesenta años después en 1994 (como veremos más detalladamente en el próximo capítulo). Me refiero, por ejemplo, a "Carta del joven mosquito a su novia" en que el yo indígena que funciona como hablante lírico fundamenta la presencia de la Costa Atlántica en la psique del poeta que florecerá más tarde en "El Negro".

Otro poema temprano, "Caballos", cuyas coordenadas espaciales y temporales son de Acoyapa en 1935, es un texto muy logrado que destaca la importancia de las llanuras como región biótica en Nicaragua. El poema es una buena introducción a los jinetes-Centauros, de origen dariano, que aparecen en "Julio: el boyero" de *La ronda del año*, "El Jenísero" de *Siete árboles contra el atardecer*, y "La Isla de los Centauros" en *Exilios*. La gran diferencia entre estos dos textos de una mayor madurez poética y "Caballos" es que los animales se asocian no con la comunicación sino con la ausencia de una memoria colectiva:

¡Caballos!
¡Caballos lejanos
en la llanura...
Suena en mi pecho
su tambor amargo
bajo la luna!

¡Caballos!
galopan olvidos
en la sabana.
¡Amor llorado,
cuántos caminos
borran los años!
(Cuadra 1983 79)

Los "Primeros Cantos Nacionales", que pertenecen a una sección de *Canciones de pájaro y señora* y que más tarde, en 1994, se integran a *Poemas nicaragüenses*, demuestran cómo Cuadra concibe la relación entre la "comunidad imaginada" (para usar el término de Benedict Andersen) de un libro ligado al nacionalismo y una zona ecológica que rechaza fronteras políticas de este tipo. El poema "Ars poética" describe muy bien la estrategia ecocéntrica que adoptará Cuadra en libros posteriores de una carga indígena potente, sobre todo en las antífonas de *La ronda del año*:

Debemos de cantar
como canta el gurrión al azahar:
encontrar la poesía del día, la del martes y del lunes,
la del jarro, la hamaca y el jicote,
el pipián, el chayote,
el trago y el jornal;
el nombre y el lugar que tienen las estrellas,
las diversas señales que pinta el horizonte,

las hierbas y las flores que crecen en el monte
y aquellas que soñamos si queremos soñar.
(Cuadra 1983 88)

En *Cuaderno del sur: poemas viajeros*, que se constituye de textos que son posteriores a *Poemas nicaragüenses*, se nota cómo se disminuye la fuerza geográfica en la poesía de Cuadra cuando escribe sobre lugares donde está de paso y que no conoce bien, como es el caso con estos poemas escritos en 1934-35 cuando Cuadra viajó con su padre a Sudamérica. En dos poemas de esta breve colección que estuvo prácticamente inédita hasta 1982, el poeta crea una conciencia lingüística indígena (semejante a una invocación nerudiana) a través de elementos naturales:

Voces quíchuas — chibchas — nazcas
escritas en los aires
Poemas anteriores
Papeles ¡oh nubes!
lenguas
muertas de América
¡Volved a mi canto!
(Cuadra 1984a 22)

Esta cordillera es una oración de Dios cuya sintaxis
solo fue conocida por los misteriosos aymaras
(Cuadra 1984a 23)

En todo caso, aunque aparece como un poeta terrenal (y a veces navegante) en este poemario, la fuerza poética de Cuadra es mayor cuando tiene los dos pies firmemente plantados en suelo nicaragüense.

Cuadra abandona la poesía por casi una década [mencionaremos la importancia de los cuatro libros de ensayos *Hacia la cruz del sur* (1938), *Breviario imperial* (1940), *Promisión de México y otros ensayos* (1945) y *Entre la cruz y la espada: (mapa de ensayos para el redescubrimiento de América)* (1946) que se publicaron durante este período en el capítulo sobre *Libro de horas*] y cuando intenta recuperarla en *Canto temporal*, ese río de angustia que desemboca en *Libro de horas*, pierde su brújula ecopoética hasta llegar al canto VI, un terreno biótico perfectamente reconocible que le sirve al poeta como refugio sagrado:

Necesitamos agacharnos como los campesinos a la tierra
doblar el cuerpo para tocar como los campesinos a la tierra,
adorar al Señor con esta inclinación como los campesinos de la
tierra...
¡Era cuando los árboles!
Recordemos la columna del níspero silvestre,
del mango, del malinche,
su espontánea vegetal arquitectura
rematando en sus racimos maduros capiteles!...
Consideremos el poema del cortés florecido,
la desnudez del caoba tendido como las indias sin tálamo,
el verde enardecido de los platanares banderilleantes.
(Cuadra 1984a 50)

Este canto es imprescindible en la reformulación de la poética ecocéntrica iniciada y apreciada en "Introducción a la tierra prometida" de *Poemas nicaragüenses* y su prolongación postergada en "Himno nacional" de *Libro de horas* en que el país mismo "cuenta, de dos en dos, sus árboles" y "va historiando sus flores" (Cuadra 1984a 79). Pero el reencuentro intenso con Cristo que el poeta describe en estos libros produce una tensión entre un antropocentrismo ligado, precisamente, al cristianismo y un ecocentrismo que se asocia con la espiritualidad indígena, lo cual resulta en un contradiscurso ecocéntrico que analizaremos con cuidado en el capítulo sobre *Libro de horas*. Esta etapa refleja la idea de Lawrence Buell cuando afirma que "la cristiandad separó [a la humanidad] aún más [de] la deidad de la tierra al espiritualizar la imagen central utópica de una tierra prometida material" (Buell 1995 183), porque Cuadra mismo se propone la meta en *Libro de horas* de fusionar "el espíritu y la forma de los libros de horas medievales y la poesía y los cantos de los códices indios precolombinos" (Cuadra 1984a 63).

Es importante recordar que la edición venezolana de *Libro de horas* (1997) incluye *La ronda del año*, un libro calendárico que Cuadra siempre consideraba como una parte íntegra en términos formales de su libro de horas neo-medieval. Estos doce poemas, además, sobre todo en las "Antífonas", se enfocan en el medio ambiente de un sitio específico con los cambios de su meteorología, astronomía y botánica asociados con cada mes del año, lo cual ayuda a crear un equilibrio entre un humanismo cristiano y un ecocentrismo cuyo ámbito refleja la biodiversidad regional. El contenido del capítulo en *El mundo más que humano en la poesía de Pablo Antonio*

Cuadra: un estudio ecocrítico dedicado a *Libro de horas*, entonces, abarca esta reciente y definitiva unidad impresa.

La flora que reaparece en "Himno nacional" posibilita la germinación de "Sobre el poeta" en *Poemas con un crepúsculo a cuestas*, bellísima semilla verbal de *Siete árboles contra el atardecer* debido a su precisión lingüística en cuanto a la botánica:

Un siglo de ceibo fue iniciado
por un pájaro.
Bebió
años de lluvias a la noche. Fue creciendo
en materiales vastísimos, de tierra,
de sucias savias y motivos
sólo perdonables en la química...
Ven
a mirar su pabellón de física,
su telar de clorofila — hojas,
frutos, fornicación del polen
y bellotas nupciales: desarrollo
industrial de celulosa, activos
y pasivos, numerales columnas...
La estadística muestra
los años de labor...
Pero ¡ved! un árbol
con tanta ley y majestad y células
en números redondos fue construido
para que una rama sostenga
a mediados de abril y mientras canta
¡un pájaro!
(Cuadra 1984b 18)

¿Qué hacer, al final del poema, con la idea de la ceiba, árbol sagrado de la cultura maya (y una de las especies principales de *Siete árboles contra el atardecer*), como algo que existe sólo para apoyar un pájaro simbólico en una de sus ramas? Se podría interpretar esta imagen como excesivamente antropocéntrica o, en cambio, como una especie de humildad ecológica a través de la cual hay una mayor unidad e igualdad entre los seres humanos y el mundo más que humano, sobre todo si esta analogía abriera la posibilidad del poeta como una sub-especie clave (*keystone sub-species*) de la humanidad capaz de salvar ecosistemas con su canto (Véase Bate 231). O, como sostiene Cuadra, en términos a la vez ecológicos y metafóricos:

> *La poesía aparece en el mundo con el primer pájaro — es apenas un ensayo, mejor dicho la primera sílaba de un lenguaje que sólo el hombre inventaría muchos milenios después; pero es la poesía la que explica ese celo, esa belicosidad del pájaro por su territorio, porque a todo poeta se le da, por inspiración o por conquista, un territorio cuyas dimensiones y cuyos límites no le son conocidos; tiene que incursionar esa invisible, pero sonora República; ir descubriéndola y hacerla suya* (Cuadra 1997b 115).

¿Cuál es el idioma de los pájaros? Hay un zenzontle (cuyo nombre en la lengua de los Pipil-Nicarao significa 400 voces) que canta en un poema de *El indio y el violín*:

> *Con gorjeos en náhuatl*
> nic mati/ nic itoa/ nic ilnamiqui
> *cuando pienso/ cuando digo/ cuando recuerdo*
> (Cuadra 2000 23)

El zenzontle en este caso aparece en la elegía de Cuadra como una simbolización del poeta brasileño Carlos Drummond de Andrade, fallecido en 1987.. Aquí, por medio del recuerdo contemporáneo del contacto humano antiguo con el mundo más que humano, Cuadra demuestra claramente la relación entre el canto de una especie (el zenzontle) y los pensamientos, la verbalización y la memoria de otra (el ser humano).

De manera semejante, Cuadra escribió "El cazador de pájaros" en memoria del poeta-guerrillero Leonel Rugama, un homenaje que comienza con un canto Náhuatl de Tezcoco:

> "*Oncan nemi tototl*
> *chachalaca tlatohua*
> *Ohua yahualo quiman*
> *teotl icham*"
>
> (Anda por ahí el ave,
> parlotea, gorjea.

Con pena da giros: va en pos
de la casa de Dios)

El poema describe el asesinato por la Guardia Nacional de Somoza de Josesito Lumbí, un niño que tenía un profundo conocimiento de la rica variedad de pájaros de la zona donde vivía en Nicaragua. La segunda sección de este poema que pertenece a *Homenajes* reproduce onomatopéyicamente los cantos de muchos de estos aves como una manera de señalar la tragedia absurda de la muerte de una persona tan joven que tanto sabía del mundo natural.

"Lamento Náhuatl" es una visión de la naturaleza cíclica del tiempo que facilita la posibilidad de hablar desde el pasado en primera persona y, simultáneamente, dirigirse a un público contemporáneo devastado por un terremoto y oprimido por una dictadura:

"Quin oc ca tlamati novollo"
(Hasta ahora lo comprende mi corazón)

Luché
toda la noche
(mira mis manos
hechas sangre!)
Luché
toda la noche
para salir de la tierra
¡Ay!
cuando ya fuera
me creí libre
miré en el muro
la efigie del tirano!
(Cuadra 1985b 101)

La presencia de los idiomas indígenas de Mesoamérica y sus vínculos con la biota o, en este caso, con los procesos geológicos, es una característica importante de la poesía de Cuadra, sobre todo en *Libro de horas* y *El jaguar y la luna*, obras que no se entienden cabalmente sin tomar en cuenta la enorme influencia de los traductores de la literatura Náhuatl Angel María Garibay K. y Miguel León-Portilla. Cuadra afirma lo siguiente:

El Náhuatl hizo, a través de esas traducciones, una entrada torrencial en la literatura de México y Centroámerica; pero, sobre todo, en la centroamericana. Es un fenómeno que los críticos no han profundizado como se merece: un segundo regreso de Quetzalcóatl. (Cuadra 1999c 26)

Cuando Cuadra compara la nueva aparición de la lengua Náhuatl con el regreso de la gran deidad humanista, sin duda exagera con una licencia poética admirable. Aún así, se puede apreciar una presencia lingüística que, en los poemas de Cuadra (sobre todo en "La pirámide de Quetzalcóatl" de *El jaguar y la luna* y "Códice de abril" que ahora pertenece a *La ronda del año*), amplía las manifestaciones de Quetzalcóatl: ahora regresa como palabra-serpiente-pájaro y brillante verbo vespertino, uniendo en su conjunto los distintos reinos del mundo hablado y escrito de lo que podría llamarse la *oratura fija*. Además, Quetzalcóatl, según Cuadra, "ofrece al hombre la libertad que le da alas y la justicia que le permite poseer la tierra y esto socava el poder de los fuertes y de los opresores" (Cuadra 1988b 151-152).

Los *Epigramas* de Cuadra también se relacionan con este espíritu libertario, sobre todo en el número "VIII":

Tanta vileza preñó la ciudad
Ciro: esta ciudad está preñada
y temo
que alumbre un nuevo tirano
Será el hijo bastardo de todos
(Cuadra 1984b 52)

La mayoría de los *Epigramas* son como semillas por su forma condensada de algo mayor que brotará después, no sólo en la poesía de Cuadra (como, por ejemplo, el pensamiento sintético de *El Jaguar y la luna*, el verso corto tan ágil e Imagenista de los *Cantos de Cifar*, y la técnica del *collage* — o sea, una serie epigramática — en los poemas largos de *Siete árboles contra el atardecer*) sino también en las obras de otros poetas, como, por ejemplo, en la de Ernesto Cardenal. En estos poemas de Cuadra, hay escarabajos, perros, tecolotes y pulgas que aparecen para revelar la injusticia del mundo.

Orientado por una especie de geopsique, el Gran Lago cumple una función parecida en *Cantos de Cifar y del mar dulce*, porque, además de poseer una voz materna consoladora como mencionamos antes en el contexto del trauma después del terremoto de 1972, también es capaz de rugir y expresar la ira colectiva contra la dictadura somocista:

> *En el rencor del Lago*
> *me parece oír*
> *la voz de un pueblo.*
> (Cuadra 1985a 103)

La geografía lacustre también produce Cifar (cuyo nombre en árabe quiere decir "viajero"), un personaje que, evidentemente, se asemeja a otro marinero, Odiseo. Según Michael N. Nagler, los estudiosos recientes de *La Odisea* "han llegado a apreciar el valor *ecológico* de la mitología griega relacionada con la naturaleza y creen que el tipo de heroísmo cultural de Odiseo es una manifestación de esta sensibilidad, al contrario de Aquiles que contamina los ríos y ofende la tierra" (Nagler 154). Tal como Odiseo se muestra como un maestro del espacio (con toda la diversidad real e inventada de su flora y fauna) a través de la cual navega, Cifar también es de ese tipo de personaje que, en las palabras de Kent C. Ryden, "se eleva al rango de héroe folklórico porque, debido en gran parte a su dominio de las condiciones ásperas del terreno local, es alguien que cristaliza la experiencia geográfica local" (Ryden 91).

La importancia de esa labor de recoger y preservar los conocimientos folklóricos es innegable. Como se puede apreciar en *Muestrario del folklore nicaragüense*, un libro compilado por Cuadra y Francisco Pérez Estrada, el Gran Lago ha producido la historia de "El barco negro" (recogido por PAC de una mujer en la Isla Zapatera en 1930) que a su vez generó uno de los grandes poemas de los *Cantos de Cifar* casi cincuenta años después (véanse Cuadra y Pérez Estrada 77-78, y Cuadra 1985a 82-83). El mundo de *Cantos de Cifar y del mar dulce* ha sido esculpido por las voces del viento, de la lluvia y del Gran Lago. En el caso de Cifar, su canto se disuelve en la estela detrás de un barco guiado por manos humanas pero permanece en los poemas de Cuadra.

Lo que los *Cantos de Cifar* tienen en común con *Esos rostros que asoman en la multitud*, y poemas como "Poema del momento extranjero en la selva", "Himno nacional", y "Patria de tercera", es la preocupación de Cuadra de poblar el paisaje de su poesía con los rostros y las biografías de individuos marginados, rescatando de esa manera, como apunta José Emilio Balladares, "la memoria y el nombre de los olvidados" (Balladares 43). El título de *Esos rostros que asoman en la multitud*, como bien se sabe, tiene su origen en el célebre poema corto de Ezra Pound "In a Station of the Metro": "The apparition of these faces in a crowd:/petals on a wet, black bough", versos que demuestran un vínculo ecocéntrico preciso ya que la humanidad establece una presencia urbana inverosímil y chocante basada en su comparación con la fragilidad de abundantes pétalos caídos.

"Rayuelo" y "Paco Monejí" (uno de los poemas que más me conmueve de la obra poética de Cuadra) demuestran un tipo de conocimiento popular que se va extinguiendo tal como las distintas especies de Centroamérica que desaparecieron a lo largo del siglo anterior durante los casi noventa años de vida de Cuadra. El consejo de Rayuelo sobre la mejor forma de cazar tiene mucho que ver con las transformaciones chamánicas que se ven en algunos poemas de *El jaguar y la luna* y *El indio y el violín*:

> *O si llegaba con un garrobo o con un pitero y le preguntaban ¿Cómo agarró ese animal, Rayuelo? contestaba: Por parentezco. – Vea, compadre, me decía en secreto: el animal hay que apropiárselo. Para el garrobo, garróbese. Para el venado, venadéese. Para el tigre, tigréese. Le aprende su voz, su baile, su meneadito, es cuestión de modito y siaca: lo imita y se le acerca. Entonces el animal se ve él, se bizquea y ya es suyo.* (Cuadra 1985b 57).

Aquí hay toda una serie de inventos lingüísticos (en este caso con los verbos reflexivos) que también reflejan la relación que existe entre la adquisición del lenguaje y el mundo más que humano. O sea, como apuntan Gary Paul Nabhan y Sara St. Antoine en un estudio sobre la extinción de la experiencia en una cita que menciono en el capítulo sobre *Siete árboles contra el atardecer*, "No cabe la menor duda que la diversidad lingüística y sus reservas asociadas de conocimiento científico popular han sido tan amenazadas en el siglo XX que la misma diversidad biológica" (Kellert y Wilson 243).

En "Paco Monejí", el recuerdo de un niño elevando su cometa se convierte en una especie de umbral cognitivo no sólo para que el poeta lo cruce para meditar sobre su propia infancia sino también para que alcance una conciencia cósmica maya parecida a lo que ocurre con Mondoy en "En Tikal" de *El indio y el violín*. "Paco Monejí" describe una vulnerabilidad no individual sino colectiva, el nacionalismo de una comunidad imaginada en *Poemas nicaragüenses*, tal vez, esa tierra prometida que pende en un hilo de la mano de un niño:

Ahora, desde la selva oscura, mi infancia es alta
como la montaña donde los héroes indiferentes
— "vestidos de aire"—
apartan las nubes con desdeñosos gestos de la mano.
Asciendo a la cumbre casi fatigado y reconozco
que era mucho más alto el mundo.
Los que transitan
el cosmos no llegarán donde nosotros
colocamos nuestros ojos: ninguna nave
a tres mil pájaros por hora
se acercará siquiera al país secreto
donde un niño lisiado
extraía al silencio
las cosas del misterio.
¡Paco Monejí!
a menudo
un niño perdido
es hallado en el poema! Tus palomas
de barro
susurraban el secreto
del Katún antiguo. Y las risas
de los individuos
de los invisibles cuando bajaban
de las cándidas galaxias
en una piedrecita blanca...
Luego
te ladeaste hacia el astro
y salió entre llantos escasos
tu ataúd de cosmonauta
¡Reposa
diocesillo!
Aún te miro
— en papel de la China, lejanísimo
como Buda y así de sutil —

elevando tu cometa!
Ah!
Mi paraíso
— mecido por el viento —
pende aún de tu mano
dulce patria
en un hilo!
(Cuadra 1985b 47-48)

La muerte de este niño que sabe navegar los enigmas del cosmos y que busca la forma de unir lo terrestre y lo celeste como las antiguas culturas indígenas prefigura los acontecimientos trágicos de los poemas que forman la segunda parte de *Esos rostros que asoman en la multitud.*

"Apocalipsis con figuras (*Managua* / 1972)", una serie de retratos de víctimas del terremoto que asoló la capital de Nicaragua, es un ejemplo extraordinario de lo que sucede cuando el antropocentrismo y el geocentrismo se chocan violentamente para producir el horror. Uno de los muertos es Goyito, el sirviente de Rubén Darío, un vínculo con un pasado que se derrumba y se pierde cuando este repositorio de la historia secreta de la identidad nicaragüense vuelve a la tierra:

Al enterrar a Goyo en la fosa común
enterramos al pueblo
y con el pueblo
la voz de su Poeta.
(Cuadra 1985b 77)

Los poemas de *Apocalipsis con figuras*, además de retratar tantas biografías truncas, hablan también de la ruptura de la memoria que se organiza en términos espaciales. En este Apocalipsis, sin embargo, falta una figura importante: el poeta mismo. Es algo que me gustaría rectificar ahora, citando un autorretrato poético ligado a la destrucción de la casa natal, o sea, el espacio más íntimo. "La casa de Sísifo" (con sus resonancias sin ceiba del primer poema de *Siete árboles contra el atardecer*) fue escrito en 1973 pero permaneció inédito hasta 1999:

La casa de Sísifo
(terremoto del 72)

Hablo de la vieja casa donde yo nací.
Quedaba en la calle Candelaria y ya no queda
piedra sobre piedra. Fuego. Tierra negra.
Eso es todo lo que quedará de ti.

¡Pobre poeta Sísifo! ¿Qué llevas en tus hombros?
Hablo de la vieja casa donde yo nací.
Crees cargar promesas y transportas escombros.
Eso es todo lo que quedará de ti.

La piedra del pasado llevaba a mi futuro.
Hablo de la vieja casa donde yo nací.
Pero cayó la piedra sin llegar a ser muro,
y eso es todo lo que quedará de ti.

Cuando llega la muerte, ya la muerte ha llegado,
tu historia es esa piedra que no llega a ser muro.
Cuando llega el olvido, todo ha sido olvidado,
tu futuro consiste en destruir el pasado.

Hablo de la vieja casa donde yo nací.
(Cuadra 1999d)

Cuadra encuentra una suerte de refugio vegetal en los siete árboles que son los protagonistas de *Siete árboles contra el atardecer*, poemario que podría considerarse el alma o el *yulio* de *El mundo más que humano en la poesía de Pablo Antonio Cuadra: un estudio ecocrítico* por su manera de sintetizar un panorama de ideas ecocéntricas. Figuran en este capítulo, por ejemplo, los conceptos de la topofilia y la biofilia por medio de los cuales los seres humanos se vinculan con la tierra y la biota viva del lugar que habitan y, además, consiguen realizarse (según Kellert y Wilson, los proponentes de la hipótesis de la biofilia) en términos estéticos, intelectuales, cognitivos y espirituales. A través de un potente manejo estilístico del *collage*, Cuadra alcanza revelar aspectos de un paisaje invisible porque sus árboles (la ceiba, el jocote, el panamá, el cacao, el mango, el jenísero, y el jícaro) albergan una riquísima mezcla de historia (personal y colectiva), folklore, mitología y características etnobotánicas que definen con mucha precisión la identidad nicaragüense. *Siete árboles contra el atardecer* también abre un diálogo sobre los usos medicinales de las plantas y dos temas contemporáneos sumamente polémicos que son el acceso a recursos genéticos y los derechos intelectuales del conocimiento tradicional indígena. Apunta, además, a las dificultades que nos esperan en un futuro cercano en que lo humano y lo más que humano no se distinguirán tan fácilmente. Al definir las consecuencias potenciales de la revolución de la biotecnología en su libro *Our Posthuman Future*, Francis Fukuyama afirma la posible pérdida de cualquier noción de una humanidad compartida porque "hemos mezclado los genes humanos con los de tantas otras especies que ya no tenemos una idea clara de lo que es un ser humano" (Fukuyama, 218). El autor nos deja con una pregunta escalofriante: "¿Permitiremos la creación de criaturas híbridas por medio del uso de lós genes humanos?" (Fukuyama, 207).

Puede que en su conjunto tricótomo *El jaguar y la luna*, *El nicánnáuat*, y *El indio y el violín* formen una definición antropo- y también eurocéntrica de la vertiente indígena de la poesía pabloantoniana antes, durante y después de la llegada al continente americano de los europeos. Pero estos tres poemarios también describen cómo perduran y evolucionan los rasgos ecocéntricos de las sociedades indígenas multilingües, multiculturales e interconectadas que existían en el período precortesiano. Es más, como sugiere Jonathan D. Hill en su libro *History, Power, and Identity: Ethnogenesis in the Americas, 1492-1992*, estas mismas características que describe Cuadra en su poesía (como, por ejemplo el concepto mitobiofílico del *alter ego*, las transformaciones chamánicas, y un espíritu dialogante y guerrero) sirven para la recuperación y la reconstrucción de identidades indígenas. A lo largo de toda su obra poética Cuadra reconstituye y revitaliza los símbolos pre-coloniales del poder sin ignorar su evolución y significado en el período contemporáneo. Hill afirma algo parecido cuando define el concepto de la etnogénesis:

> *La etnogénesis no es simplemente una manera de nombrar el surgimiento histórico de pueblos distintos en términos culturales, sino un concepto que abarca las luchas de los pueblos que son, a la vez, culturales y políticas con la meta de crear identidades perdurables en contextos generales del cambio radical y la discontinuidad... La etnogénesis puede entenderse como una adaptación creativa a la historia general de cambios violentos que incluyen el colapso demográfico, las reubicaciones forzadas,*

> *la esclavitud, el reclutamiento obligatorio, el etnocidio y el genocidio que se impusieron durante la expansión histórica de los estados coloniales y nacionales en las Américas.* (Hill 1996 1).

Por un lado, entonces, la etnogénesis permite el cuestionamiento de *el mestizaje*, como un término demasiado benigno y, a veces, racista, para describir la violencia extrema y desigualdad de semejantes relaciones interculturales. Por otro lado, sin embargo, se entiende la insistencia de Cuadra en esta idea clave de su pensamiento como creador nicaragüense cuando afirma, al hablar de los idiomas indígenas, que "las estructuras, las modulaciones melódicas, las sintaxis de esas lenguas vencidas no mueren":

> *Con frecuencia, sin embargo, la nueva lengua puede trasladar, traducir esos viejos mitos de la vida y del cosmos, o transformar — como luego veremos al estudiar el folklore — en nuevos mitos y nuevas creaciones sus escombros. Lo vivo o lo muerto forman un tejido cada vez más fino y sutil en el mestizaje... Y son los poetas los afanosos trabajadores que por oficio viven para llenar ese guión entre lo ganado y lo perdido: son ellos los que llenan en español los vacíos de nuestras lenguas muertas o de los mitos que perdieron el habla.* (Cuadra 1999c 20-21)

Una de las metas principales de *El mundo más que humano en la poesía de Pablo Antonio Cuadra: un estudio ecocrítico* consiste en observar, analizar, y apreciar la profunda sutileza de este tejido sin caer en imágenes estereotipadas y, por último, deshumanizantes, como, por ejemplo, el Indio Ecológico y el Europeo No-ecológico cuando un análisis del impacto humano general en la región podría ser más revelador (Véase Krech 97).

Es el movimiento humano, precisamente, lo que produce los enfrentamientos interculturales, un fenómeno que sin duda alguna es uno de los temas fundamentales de la obra poética de Pablo Antonio Cuadra. *Exilios* es un libro que contempla la (im)posibilidad de la afiliación (topofílica y biofílica) portátil. La persona que experimenta el destierro se convierte en este poemario en "bebedor de tinieblas", "hijo pródigo", extraterrestre fílmico al estilo de "E.T.", y aislado habitante de "La Isla de los Centauros" (Cuadra 1999b 11, 19-25). Si bien las fechas y lugares de los poemas de *Exilios* nos remiten al período del sandinismo en Nicaragua durante una parte de la década de los años ochenta "cuando", como dice Cuadra en "Epílogo", "yo también tuve que salir al exilio" (Cuadra 1999b 39), los poemas en su conjunto intentan abrirse al fenómeno general que caracteriza al pueblo nicaragüense desde los períodos más remotos de su pasado mesoamericano hasta un presente en Miami:

> *Eran nuestros rostros (¡tan nuestros como nuestro territorio!) rostros que tienen siglos de transportar una historia asediada y anhelante: pueblo hablador, extravertido, insumiso, obligado a partir, obligado a la aventura, obligado a dejar los suyos...huyendo de algún tremendo terremoto o de algún insufrible tirano, transportando sus pobres pertenencias, huyendo de aviones genocidas, de volcanes de cóleras gigantes, huyendo de guerras civiles, de huracanes, de maremotos...* (Cuadra 1999b 39)

Surgen las preguntas ontológicas inevitables: ¿Soy quien soy fuera de los parámetros espaciales que me definen? ¿Qué significa ser y estar fuera de mi país? ¿Es posible que mi exilio actual se asemeje a un pueblo ancestral en movimiento? ¿Llevo conmigo una zona biótica y un mapa ecopoético que cuestionan las fronteras fijas de un mapa político?

Lo más curioso del breve poemario *Exilios*, ya que la obra de Cuadra se presta a la reformulación y la reordenación, es que bien podría completarse, agregando, por ejemplo, "La pirámide de Quetzalcóatl" (esa figura abrahámica del exilio) y "El Cacao" donde Quetzalcóatl le dice a su pueblo:

> *"Somos pueblo en camino".*
> *y nos dio el pinol — que se hace del maíz —*
> *y nos dio el tiste — que se hace del cacao y del maíz —:*
> *bebidas para pueblo peregrinos.*
> *Porque ésta es tierra de transterrados.*
> (Cuadra 1987a 59)

Cabe perfectamente en una antología sobre este tema "Escrito en una piedra del camino cuando la primera erupción..." (con las huellas humanas en la piedra de Acahualinca como símbolo de un pueblo peregrino). Habría que incluir sin falta "Septiembre: el Tiburón", un poema en que el narrador contempla un exilio inminente y fuerzas políticas malévolas que le van a seguir donde sea que vaya. En "Llamamos patria a la tentación de partir" de *El nicán-náuat* reina "el decreto de un corazón que persigue el exilio como paraíso", y el poeta hace la siguiente sugerencia: "y no se llame Patria nunca al encuentro/ sino a la búsqueda. No la respuesta/ sino la nueva interrogación" (Cuadra 1999a 55). ¿A qué libro debe pertenecer "El exilado"? ¿*Exilios* o *Poemas nicaragüenses* donde aparece como Post Scriptum a la edición definitiva de 1994? Es decir se podría representar casi todas las etapas distintas de la obra de Cuadra a través de este tema tan conmovedor, incluso, idóneamente, con la "poesía dispersa":

Peregrinos y navegantes nos hicieron inquietos cazadores del Futuro.
Pero el Presente se nos escapa.
Somos los exiliados del Presente.
Siempre queremos lo "otro".
Hemos construido la Patria entre la Utopía y el Éxodo.
Somos los moradores de una Tierra siempre Prometida.
(Cuadra 2002b 77-78)

Claro está que "El exilado" podría integrarse a la "Biopoesía" de Cuadra que se publicó en *El Pez y la Serpiente* 41. Confieso que cuando leí la palabra *biopoesía* la primera vez, con mi mente tan nublada por la terminología de la ecocrítica, interpreté *bio* en el sentido biológico y no biográfico. Sin embargo al leer estos impresionantes "Poemas / Memorias" encontré un verso en "El abuelo" que parece abarcar ambos significados al unir lo humanamente personal con el mundo más que humano por medio de la poesía: "Porque en este país siempre hay un poema en el origen de las especies (Cuadra 2001a 80). *El mundo más que humano en la poesía de Pablo Antonio Cuadra: un estudio ecocrítico* intenta enfocarse precisamente en estos orígenes bioancestrales presentes.

1. *POEMAS NICARAGUENSES*: MAPA ECOPOÉTICO DE UNA COMUNIDAD IMAGINADA

ENTRE los múltiples tipos de mapas, muchos construyen una idea gráfica de parámetros políticos que conducen forzosamente al nacionalismo. Según Benedict Anderson en su libro *Imagined Communities: Reflections on the Origin and Spread of Nationalism*, la idea de la nación es el valor más legítimo y universal en la vida política de nuestra época (Anderson 3). La nación entendida como un constructo imaginado, limitado, soberano y comunitario facilita una comprensión incompleta de la dinámica fundamental entre lo nicaragüense y lo universal, lo histórico y lo mítico en *Poemas nicaragüenses* de Pablo Antonio Cuadra. Cuadra sostiene que es la literatura en Nicaragua que "ha sido uno de los factores principales en la toma de conciencia de la nacionalidad, no porque haya desarrollado al servicio del nacionalismo, o del patriotismo, sino como resultado o consecuencia de su proceso creador, que, al buscar y afirmar su propia originalidad artística, descubrió y expresó rasgos y raíces de la identidad comunal del nicaragüense y creó o hizo visible la realidad poética de su naturaleza, de su tierra y de su asediada historia" (Cuadra 1988b 48-49). Lo que propongo en este capítulo es una consideración de este primer libro de Cuadra como un mapa de conocimiento ecopoético que traza no sólo una geografía evidente sino un paisaje invisible que, según Kent C. Ryden, "posee el poder de convocar una respuesta profundamente humana, apelando irresistiblemente a la memoria y la creatividad y los sueños, vinculándose íntimamente con las ideas y las vidas de un pueblo" (Ryden 23). La tierra (en relación con la flora y la fauna que incluye, por supuesto, a *Homo sapiens*) que aparece en el espacio cartográfico de *Poemas nicaragüenses* posibilita, claro que sí, un enfoque en un lugar específico — Nicaragua. Este sitio, sin embargo, se define con propiedades que, al final, no reconocen necesariamente las fronteras entre países, creando así (a pesar del título del libro) un nacionalismo que se deshace a favor de lo extra-nacional. Además, son precisamente estas características ecológicas, fusiones de paisajes y experiencias, las que permiten la formación de sistemas simbólicos que contribuyen a este proceso de trascendencia de los parámetros que definen un país singular y que se prestan al análisis comparado mundial de mitos, tal como sucede en los libros de Mircea Eliade y Joseph Campbell, por ejemplo. En este capítulo, se destacará cómo Cuadra intenta imaginar su libro comunitario, primero en términos nacionalistas y luego en un sentido universal a través de los poemas que forman las coordenadas de su mapa ecopoético.

Quiero dejar claro desde el primer momento que lo que se conoce ahora como *Poemas nicaragüenses* no es, de ninguna manera, un libro acabado de 1934, sino una idea potencial, un esbozo de un gran proyecto pendiente que iba a fascinarle al autor durante toda su vida. Además, a mi modo de ver, no se puede sostener, a pesar de lo que se afirma siempre, que las correcciones a esta obra clave (sobre todo en los poemas más importantes) se realicen en 1935. Son cambios más bien que se hacen en algunos casos décadas después. La primera edición de *Poemas nicaragüenses*, como es sabido, se compone de poemas escritos entre 1930-1933 y publicados en Santiago, Chile cuando Cuadra, que nació en 1912, tenía 22 años. Estos poemas luego fueron corregidos y modificados para diversas representaciones del libro en antologías como *La tierra prometida* que salió en Managua en 1952 y *Poesía: Selección 1929-1962*, una edición madrileña de 1964. *Poemas nicaragüenses* se define casi en su totalidad en 1983 cuando aparece el primer tomo de la *Obra poética completa* de Cuadra en Costa Rica, pero no alcanza una forma definitiva hasta 1994 con la edición nicaragüense de Hispamer que abarca cambios notables que mencionaré detalladamente más adelante. Por eso, y tomando en cuenta la lenta metamorfosis de este primer libro de Cuadra, sería interesante reconsiderar la siguiente idea del crítico José Emilio Balladares: "Es tentador el ensayo de establecer, uno a uno, los cordones de filiación que une cada obra de madurez de Cuadra a este primer brote de su inspiración que son los *Poemas nicaragüenses*" (Balladares 28). Urge romper los esquemas temporales tradicionales porque, en mi opinión, el primer poemario de Cuadra también es uno de sus últimos libros: forma parte de un proceso que es *secuencial* y *simultáneo* a la vez. Los *Poemas nicaragüenses* en su forma original pertenecen a un libro desmembrado que recupera una nueva unidad corporal a lo largo de cincuenta años como una especie de comunidad *orgánica* imaginada y re-imaginada en continua regeneración semejante a Nicaragua misma y también al medio ambiente diverso que define el país.

La idea de Cuadra en *Poemas nicaragüenses* no consiste tanto en fundar un espacio edénico sino en crear un lugar *ecopoético* con su geología especificada y su biodiversidad nombrada porque el poeta sabe que cada formación del terreno, cada especie de árbol y cada animal posee su propia carga ligada a la memoria indígena y el lenguaje popular, un fenómeno que los europeos intentaron negar al llegar al continente americano. Cuadra explica la riqueza biótica de Nicaragua por medio de su ubicación como puente centroamericano: "Así pues, en su misma formación geológica, Nicaragua surge pontifical y transitoria, y con la tierra también, la flora y la fauna de Sur y Norte suben y bajan para encontrarse y entremezclarse en el suelo nicaragüense" (Cuadra 1988b 13). Además, cada miembro de esta comunidad ecológica tiene su valor económico y utilitario, un sentido que se manifiesta en *Poemas nicaragüenses* del "Canto de los cortadores de madera" hasta "El exilado/Memorias" en que Cuadra habla de:

> *pueblos frijoleros, arroceros, tabacaleros.*
> *Pueblos maiceros*
> *cafetaleros, yuqueros*
> *que heredaron sus bueyes de San Isidro Labrador.*
> (Cuadra 1994 82)

¿Qué significaba, entonces, la conquista del paraíso? Según Kirkpatrick Sale, la imposición colonial europea en el llamado Nuevo Mundo "facilitó la redistribución vasta de las formas de vida, a propósito y al azar, que ha cambiado la biota del planeta de una manera más comprensiva que en cualquier momento desde el Período Permeo" (Sale 4). Pero la consecuencia más significativa de la conquista, en las palabras de Sale, es que:

> *Le proporcionó a la humanidad la capacidad de alcanzar y santificar la transformación de la tierra con una eficacia total sin precedentes, para así multiplicarse, prosperar y dominar la tierra como ninguna otra especie, alterando los productos y los procesos del medio ambiente, modificando sistemas de suelo y agua y aire, alterando los equilibrios atmosféricos y climáticos, y ahora amenazando, por decir las cosas como son, la existencia*

de la tierra tal como los seres humanos y las demás especies la hemos conocido (Sale 4).

Al principio, sin embargo, el Edén americano sólo provocó el pavor. En su tercer viaje de 1498, Colón se retiró del sitio donde desemboca el río Orinoco a raíz de su enorme miedo de entrar en el Paraíso. Debía haberle producido grandes dificultades psicológicas cuando llegó el momento de tomar posesión del Paraíso mismo. ¿Con qué derecho iba a imitar la hazaña del Creador en un lugar que supuestamente ya era sagrado? En *El mito del eterno retorno*, Mircea Eliade habla de cómo una conquista territorial se convierte en una realidad sólo a través de un ritual que es una especie de mimesis del acto primordial de la Creación del Mundo. Según Eliade, este impulso edénico es el intento de crear un centro sagrado del cosmos, una zona que define una realidad absoluta (Eliade 10-11).

En *Poemas nicaragüenses*, cuyo título original era *Campo*, Cuadra logra vencer el miedo fundacional por haber nacido en un mundo mestizo. El poeta cobra una nueva conciencia de un ser y un estar que él mismo ha definido como el "tercer hombre" (Cuadra 1991). Este hablante habita el mismo sitio que intenta delinear y nombrar *desde adentro* por medio de una poesía que incorpora vertientes indígenas y europeas (y también africanas, aunque de una escala relativamente menor). *Poemas nicaragüenses* es un rito poético que facilita una zona sagrada de, principalmente, dos sistemas simbólicos convergentes: el de los indígenas panteístas en que los espíritus de cada especie y todas las fuerzas y formaciones naturales hablan y el de los europeos cristianos con sus textos sagrados que justifican el dualismo entre el ser humano y la naturaleza. El resultado es un paraíso temporalizado cuya biodiversidad se encuentra amenazada por la historia humana.

Veamos cómo se manifiesta el doble pensamiento unitario en "Introducción a la tierra prometida". El título sugiere una clara afinidad bíblica, pero el poema comienza con una invocación y una caracterización del sol como un campesino ancestral, arraigadas en la mitología indígena centroamericana:

Portero de la estación de las mies,
el viejo sol humeante de verdes barbas vegetales
sale a la mañana bajo una lluvia de prolongados tamboriles
y vemos su hermoso cuerpo luminoso como en un vitral,

labrador de la tierra,
abuelo campesino de gran sombrero de palma,
cruzando con sus pesados pies la blanca arcilla gimiente.
(Cuadra 1994 19)

En la aleación poética forjada por Cuadra ningún sistema simbólico predomina sobre otro. A la par de versos que hablan de la "resurrección" del grano, mariposas "disfrazadas de ángeles", y un yo que nace en el cáliz de las grandes aguas de su tierra prometida, hay también referencias (que recuerdan, por cierto, el Éxodo bíblico) a las rutas migratorias hacia al sur de los Nahuas y los Chorotegas, las dos altas culturas indígenas en lo que hoy se conoce como Nicaragua que luego fueron conquistados por los españoles:

Voy a enseñarte a ti, hijo mío, los cantos que mi pueblo recibió de sus mayores
cuando atravesamos las tierras y el mar
para morar junto a los campos donde crecen el alimento y la libertad.
(Cuadra 1994 19)

Son estos cantos y también "las palabras antiguas caídas en los surcos" (Cuadra 1994 19) que brotan de la tierra, las que permiten a Cuadra recrear no la inocencia y la pureza del paraíso, sino la capacidad de Adán de nombrar, en las palabras de George Steiner, "todo lo que hay ante él en un jardín cerrado de sinonimia perfecta" (Steiner 204). En su libro *Después de Babel*, Steiner habla de este lenguaje original en términos de su existencia como intermedio entre Dios y la humanidad:

Según la Cábala medieval, Dios creó a Adán con la palabra emeth (que significa "verdad") escrita en su frente. En esta identificación existen las cualidades únicas y vitales de la especie humana: su capacidad de entablar un diálogo con Dios y consigo mismo (Steiner 204).

Es la posibilidad de imitar el discurso y la creación de Dios que busca Cuadra en ciertos textos adánicos. En un artículo sobre *Poemas nicaragüenses*, Jorge Eduardo Arellano señala que "como un Adán nativo, el poeta nombra lo suyo: una innumerable cantidad de elementos naturales y humanos" (Arellano 1985).

¿De dónde vienen esos cantos que forman la base de toda una cultura? Tienen su origen precisamente en un diálogo con la naturaleza como, por ejemplo, cuando Cuadra se dirige directamente a otros elementos específicos del mundo más que humano. El proceso es circular: el poeta, imitando el acto primordial de la Creación, nombra a todas las cosas para que existan; estas cosas sirven para celebrar el país del poeta que le ofrece este poder de nombramiento. Aunque Cuadra es la voz de una tierra donde las palabras parecen ser ansiosas de ser expresadas, el asunto problemático de convertir el paisaje en palabras depende no sólo del proceso de nombrar los objetos sino del poder invocatorio del apóstrofe mismo y la capacidad de incorporar el mundo (como hacía Whitman) en la geografía del cuerpo humano:

¡Oh tierra! ¡Oh! entraña verde prisionera en mis entrañas:
tu Norte acaba en mi frente,
tus mares bañan de rumor oceánico mis oídos
y forman a golpes de sal la ascensión de mi estatura.
Tu violento Sur de selvas alimenta mis lejanías
y llevo tu viento en el nido de mi pecho,
tus caminos, en el tatuaje de mis venas,
tu desazón, tus pies históricos,
tu caminante sed.
He nacido en el cáliz de tus grandes aguas
y giro alrededor de los parajes donde nace el amor y se remonta.
(Cuadra 1994 20)

Este diálogo sigue a lo largo de este poema clave de la obra de Cuadra: invoca el sol, los árboles, el colibrí, el zenzontle, la lechuza, el chocoyo, la urraca, el conejo, el tigre, el coyote, el zorro, el venado, el buey, la selva misma, el llano y la montaña para expresar *literalmente*, de acuerdo con lo que afirma Neil Evernden, "el valor de la experiencia del paisaje para contrarrestar la actitud predominante que favorece sólo el consumo del paisaje como mercancía" (Glotfelty 102). En este sentido, recuerdo perfectamente cuando mis maestros del colegio decían en un tono severo que había que evitar toda "falacia patética" (*pathetic fallacy*). Confieso que en ese momento no entendía bien a qué se referían, pero, en todo caso, sonaba muy, muy grave, como algo que aparece en los Diez Mandamientos. Pero ahora digo ¿quién diablos se atreve a quitarnos el derecho de hablar con los árboles y las montañas? ¡Hablemos con la naturaleza! ¡Escuchémosla! ¡Reanudemos nuestro dialógo con el mundo natural antes de que sea demasiado tarde! Lawrence Buell asevera que este tipo de personificación no es simplemente una de las formas más altas de la adulación, sino una manera de crear un panteísmo no-metafórico en que la ecología encuentra un vínculo estrecho con la ética, tal como sucede con la Teoría Gaia de Lovelock (Buell 1995 188, 201).

El hablante lírico en "Introducción a la tierra prometida" les pide a los elementos del paisaje otorgarle el canto de la poesía, aunque puede que sea algo inalcanzable, más allá de su capacidad de escucharlo, entenderlo, y recrearlo. Según el mapa ecopoético de *Poemas nicaragüenses*, todas las cosas (animadas o inanimadas, tangibles o intangibles) poseen una voz. Cuando la palabra pierde su capacidad para el discurso comunicativo, los resultados son devastadores: Cuadra utiliza la palabra "holocausto" para describir la magnitud del desastre de "esa palabra sin voz" (Cuadra 1994 21). Al hablar, las palabras logran recrear un pasado primordial y nuestra reciprocidad con el mundo natural. El silencio, en cambio, significa el olvido y la destrucción. Por eso, el poema se asemeja a un texto sagrado que vive de una generación a otra:

> *y aquí escuché las estrofas de este himno campal*
> *que entonaban nuestros padres en la juventud de los árboles*
> *y que nosotros sus hijos repetimos, año tras año,*
> *como hombres que vuelven a encontrar su principio.*
> (Cuadra 1994 20)

La culminación del poder creador de las palabras del poeta que se unen para transformarse en un mapa ecopoético cantado ocurre en el éxtasis de nombramiento al final de "Introducción a la tierra prometida", cuyo último verso explica la génesis de la flora y la fauna de algo que, al fin y al cabo, es mayor que un país entero: "¡Amor nicaragüense!" (Cuadra 1994 22).

Después de establecer su mundo como una zona ecocéntrica y sagrada, el poeta modifica el conocimiento mítico con un conocimiento desmitificador. Seguramente, esta estrategia literaria encuentra su reflejo en la evolución del pensamiento científico de la época: los descubrimientos biológicos y antropológicos del final del siglo XIX y el comienzo del siglo XX ayudaron a subvertir el mito edénico (Manuel 62). El mundo exterior, no exento de la violencia, del decaimiento, y de los desastres naturales, deja de ser un sitio de una armonía idílica. En "Monos", por ejemplo, el narrador ve "perderse un novillo en las fauces de un lagarto" (Cuadra 1994 34). Los árboles en el poema tienen ramas flacas y desnudas que "tiemblan al viento como azotadas de epidemia" (Cuadra 1994 34). En "Escrito sobre el 'congo'", el hablante presencia una lucha entre dos congos y el "férreo mordisco que el viejo indomable clava en el borbotón yugular de su enemigo" (Cuadra 1994 38). "Quema", que presenta la destrucción horrible de flora y fauna por un enorme incendio en tiempo de sequía, es un poema que se puede leer como la contraparte apocalíptica de la conciencia genesíaca en "Introducción a la tierra prometida". Según Lawrence Buell, "el Apocalípsis es la metáfora clave (*master metaphor*) más poderosa que la imaginación contemporánea del medio ambiente tiene a su disposición" (Buell 1995 285), y, en "Quema", es precisamente lo que el poeta presencia desde las alturas de un árbol:

Con furia las llamas y el humo
cerraron sus mandíbulas candentes
al tiempo que un grito indefinible y humano
hería la tranquilidad de los lejanos animales a salvo.

Luego escuchamos la sacudida tremulenta de la tierra
al caer vencido como un mártir el viejo pochote incinerado
y las víboras negras y las crispadas raíces
se confundían en el extenso tormento de tizones y de cenizas
encendidas.

(Cuadra 1994 47)

La característica quizás más importante de "Quema" y, sobre todo, de "Poema del momento extranjero en la selva", sin embargo, es un narrador que cumple la doble función de periodista contemporáneo y cronista anónimo de una antigüedad inmemorial. De esa forma, el narrador, situado en un lugar ecopoético específico, logra mezclar el tiempo lineal y el tiempo cíclico. *Poemas nicaragüenses* describe Nicaragua como un sitio cuya identidad se define por medio de la violenta relación interpenetrante del mito y de la historia.

Benedict Anderson asevera que la nacionalidad, la idea de la nación y el nacionalismo "son artefactos culturales de tipo específico. Para entenderlos de una manera cabal debemos considerar cuidadosamente cómo han llegado a su existencia histórica, cómo han cambiado sus significados a través del tiempo, y por qué, actualmente, poseen una legitimidad emotiva tan profunda" (Anderson 4). Si se entiende como un texto abierto, como algo expuesto a la intemperie durante medio siglo, *Poemas nicaragüenses* está marcado por múltiples momentos históricos, comenzando con el período vertiginoso y trascendente de la lucha del General Augusto César Sandino contra las tropas de los Estados Unidos que ocupaban Nicaragua entre 1926-1933. Según Cuadra en una charla que dio en 1951 sobre el comienzo del Movimiento de Vanguardia en Nicaragua y cómo éste coincidió con las hazañas militares del heroico Rebelde, "¡Nunca hubo momento más lleno de relámpagos patrióticos que en aquellos años de tempestad nacionalista!" (Cuadra 1986 218). Cuadra opina que él y los demás vanguardistas tan jóvenes encontraban en Sandino una figura orientadora nacionalista y, a la vez, mítica: "Pero si a alguien debemos el haber buscado sedientamente a Nicaragua... es al legendario Guerrillero que, aparte de su propia guerra, estaba librando en nuestra imaginación todo una *Ilíada* nueva..."(Cuadra 1986 218). No niego la relevancia certera de la conocidísima cita de Carlos Tunnermann Bernheim, "En los años de la ocupación norteamericana, Nicaragua dio dos grandes testimonios de nacionalismo: Sandino en la montaña y Pablo Antonio Cuadra en sus *Poemas nicaragüenses*." (Bernheim 71). Pero me molesta cuando se escribe sobre este libro de Cuadra como si fuera una obra netamente de 1934 sin considerar los evidentes cambios en el texto. Hay un vínculo, efectivamente, entre Sandino y el primer libro publicado por Cuadra: cuando muere Sandino, los *Poemas nicaragüenses* desaparecen por casi veinte años.

Antes de analizar detenidamente cómo la revisión de los poemas "Poema del momento extranjero en el bosque" y "Son-Soneto" afectó la presencia y ausencia de Sandino en las versiones definitivas de ambos textos, quiero establecer una cronología inicial del país-libro. Pedro Xavier Solís, en su estudio *Pablo Antonio Cuadra: Itinerario (Análisis y antología)* habla del viaje a varias ciudades de América del Sur que Cuadra, de veintiún años, hace con su padre a finales de 1933. Solís dice que el poeta "a su paso por Santiago de Chile deja para la Editorial Nascimento los originales de *Poemas nicaragüenses* (1934).... Cuadra regresa (a Nicaragua) en marzo de 1934; pocos días antes, el 21 de febrero, Sandino había sido asesinado" (Solís 22-23). El poeta mismo ha dicho lo siguiente sobre la publicación inicial de *Poemas nicaragüenses* y su transformación posterior:

> *Poetas amigos de Chile me precipitaron bondadosamente a publicar los originales que llevaba para leer en mi primer viaje por América del Sur. Al salir publicados, su traje impreso me sirvió para notar, por contraste, su condición de borradores y me entregué a corregirlos o mejor dicho a recrearlos en un intenso y continuado trabajo el año 35.* (Cuadra 1983 114).

Lo que quiero subrayar por el momento es que los textos publicados en la primera edición tienen una vida impresa exenta de la traición y asesinato de Sandino y del ascenso al poder del dictador Anastasio Somoza García, lo cual no es el caso de las sucesivas transformaciones de *Poemas nicaragüenses*. Además, cada recreación del libro en términos de su contenido general (poemas incluidos y excluidos), el orden de los poemas, y los textos de poemas individuales, es, como diría Anderson, un intento nuevo de imaginar la comunidad que define la obra.

A propósito de estas realidades históricas, paso, entonces, a considerar dos textos claves: "Poema del momento extranjero en el bosque", la versión que precede "Poema del momento extranjero en la selva", y "Son-Soneto", que se transforma en "El viejo motor de aeroplano". En la primera edición de *Poemas nicaragüenses*, la única referencia a Sandino se encuentra en "Poema del momento extranjero en el bosque", donde el poeta dice, "Mientras en el norte suena la guitarra del *rebelde* ante la fogata roja y bamboleante" (Cuadra 1934 27). Esta mención se suprime en la versión definitiva del poema realizada después de la muerte del general de hombres libres. La metamorfosis de "Son-Soneto" es relativamente menos compleja que la de "Poema del momento extranjero en el bosque" (que analizaré a fondo más adelante). Al leer la primera edición en 1934, Alberto Ordóñez Argüello dice que "Son-Soneto" es un poema de "encantadoras vaguedades" (Ordóñez Argüello 166) precisamente porque el poema original termina de la siguiente manera:

Llegaban así los primeros días de Diciembre,
oh ciudad de los dulces entusiasmos y los íntimos afectos:
estabas a la sazón enferma, muy enferma
y con los labios absorbías el oro de las minas. (Cuadra 1934 95)

Los últimos tres versos tan citados de la versión actual ("Sólo tú — guerrillero — con tu inquieta lealtad a los aires nativos/centinela desde el alba en las altas vigilias del ocote/guardarás para el canto esta historia perdida" (Cuadra 1983 144)) parecen ser el resultado de una recreación fascinante del final de "Sombras y distancias", un poema de la primera edición que el poeta suprimió[1]:

---

1. Tal vez eliminó este poema porque le sonaba demasiado como el Neruda enigmático, abstracto y tan poco *americano* de *Residencia en la tierra* (con "Sonata y destrucciones" y "Significa sombras"), publicado en Santiago precisamente cuando Cuadra estuvo en Chile.

Y el último pochote del bosque
Que vigila alejado la sabana
Tiene todo el cansancio de un Guardia Nacional a las tres de la mañana
(Cuadra 1934 55)

El animal feroz asociado metafóricamente con un soldado de las fuerzas que se oponen a Sandino en "Sombras y distancias" reaparece dos décadas después como el sandinista nacionalista y vigilante de "El viejo motor de aeroplano" en *La tierra prometida*.

Ahora, ¿por qué no aparece "Poema del momento extranjero en la selva" en la selección de esta antología publicada en 1952 por El Hilo Azul en Managua? Siempre es peligroso especular, pero yo diría que el texto definitivo del poema todavía no estaba listo. "Poema del momento extranjero en la selva" bien podría ser una recreación del comienzo de los años sesenta que por fin se publica como el primer poema de la sección representando los *Poemas nicaragüenses* en la antología española *Poesía* de 1964. Esta especulación se basa en un profundo escepticismo crítico de mi parte: el muchacho de veintidós años que publica en Chile en 1934 la siguiente cita de "Poema del momento extranjero del bosque" no tendrá suficiente madurez poética un año después para re-imaginar y realizar la obra maestra de suma complejidad que hoy se conoce como "Poema del momento extranjero en la selva". Cito primero de "Poema del momento extranjero del bosque", publicado en 1934:

En el corazón de nuestras montañas donde sangramos nuestros problemas
Con el espontáneo espíritu de una Nicaragua tremenda e incalificable,
En el desmesurado desnudo de límites ignorados, donde no existen caminos
Sino sendas imaginadas y sentidas por el conocimiento de los árboles y las señales del bosque.
Donde somos verdaderamente civilizados en nuestra civilización
Desconociendo lo extraño y las tristezas nuevas propias tan sólo para unir las capitales de Europa
(Cuadra 1934 25)

A continuación veamos el comienzo de la versión definitiva de "Poema del momento extranjero en la selva" publicada en 1964:

En el corazón de nuestras montañas donde la vieja selva
devora los caminos como el guás las serpientes
donde Nicaragua levanta su bandera de ríos flameando entre
tambores torrenciales
allí, anterior a mi canto
anterior a mí mismo invento el pedernal
y alumbro el verde sórdido de las heliconias,
el hirviente silencio de los manglares
y enciendo la orquídea en la noche de la toboba.
Llamo. Grito. ¡Estrella!, ¿quién ha abierto las puertas de la noche?
Tengo que hacer algo con el lodo de la historia,
cavar en el pantano y desenterrar la luna
de mis padres.
(Cuadra 1983 145).

En cuanto a esta versión definitiva del poema, a mi parecer el invento genial del "yo" chamánico multiplicado en "varias voces", omnisciente, angustiado y consciente de un pasado indígena (un tipo de hablante lírico que no aparece en ningún poema de la primera edición de *Poemas nicaragüenses*) demuestra un diálogo post-1950 con el Neruda de *Canto general*, sobre todo en "Alturas de Macchu Picchu". Además, las ideas arqueológicas y escultóricas implícitas en "tengo que hacer algo con el lodo de la historia/cavar en el pantano y desenterrar la luna/de mis padres" (versos que no pertenecen a la versión del poema de 1934) tienen mucho que ver con el proyecto poético iniciado con las cerámicas indígenas en *El jaguar y la luna* de 1958-59. Al transformar la comunidad de textos que forman *Poemas nicaragüenses*, el poeta deja intacto lo que él ha llamado "una especie de primitivismo exteriorista"(Solís 35) en poemas como "Iglesita de Chontales", "Horqueteado", "Monos" (aunque elimina, sí, una segunda parte de este texto), "Camino" y "La Vaca Muerta" que no sufrieron grandes cambios. Puede que el espíritu *naif* en este grupo central de poemas originales haya facilitado el proyecto estético arqueológico en la creación posterior de "Poema del momento extranjero en la selva".

Valdría la pena examinar ahora, desde dos perspectivas críticas, cómo funciona el tiempo en este poema que postula la derrota de la historia concebida como las tropas norteamericanas por el mito constituido por la flora y la fauna de Nicaragua. En su valoración de *El jaguar y la luna,* el crítico Guillermo Yepes Boscán distingue entre una "empresa arqueológica" estática que sólo exhibe el pasado "como pieza de museo" y lo que él caracteriza como un "proyecto antropológico" que es una "propuesta de futuro... para ser asimilado y vivido en sus valores" (Yepes Boscán 112). Con esta formulación temporal, Yepes Boscán ilumina acertadamente la diferencia entre *El jaguar y la luna* y "Poema del momento extranjero en la selva" en que los humanos que no pertenecen a la comunidad no-humana definida por el poema y que intentan penetrarla siempre serán vencidos no por Sandino, cuya presencia explícita queda eliminada de la versión definitiva del poema después de su asesinato, sino por un espíritu eco-nacionalista, una nación arcaica con una "bandera de ríos flameando entre tambores torrenciales" (Cuadra 1983 145).

Para ampliar su definición de la nación, Anderson menciona dos conceptos temporales que provienen de Walter Benjamin: el tiempo mesiánico que es "una simultaneidad de pasado y futuro en un presente instantáneo" y el tiempo "homogéneo y vacío... marcado no por la prefiguración y la consumación, sino por la coincidencia temporal, y medido por el reloj y el calendario" (Anderson 24). Anderson agrega que "la idea de un organismo sociológico desplazándose calendáricamente por el tiempo homogéneo y vacío es un análogo preciso de la idea de la nación, que también se concibe como una comunidad sólida en movimiento: historia abajo (o arriba)" (Anderson 26). En "Poema del momento extranjero en la selva" el yo poético es un Creador de Orígenes, inventor del fuego y guardián de la memoria colectiva del pueblo, creando la biografía de la nación tiempo abajo y, a la vez, como poeta/arqueólogo/antropólogo contemporáneo, reconstruyéndola tiempo arriba (Anderson 205). La coexistencia (casi siempre conflictiva) de estos dos conceptos temporales a través de la comunidad imaginada de la poesía de Cuadra problematiza cualquier definición de la nación que no tome en cuenta las cualidades vivas de las múltiples y sincréticas culturas precolombinas y sus diversas relaciones con el medio ambiente que definen el continente americano actual.

La otra diferencia importante en la segunda versión de "Poema del momento extranjero..." es la inclusión de los nombres específicos de Andrés Regules, Orlando Temolián y Fermín Maguel (una técnica poética fuera del repertorio de Cuadra en 1934), lo cual vincula la versión definitiva de este texto con los numerosos individuos de "Himno nacional", un poema que intenta establecer parámetros nacionales míticos con el poeta actuando como creador: "Tengo un ancho espacio que llenar/de Chontales a León, de norte a río, de río a corazón." (Cuadra 1984a 80). Es más, hay en este poema que pertenece a *Libro de horas* y que sale en *La tierra prometida* en 1952 un detalle curioso: su subtítulo entre paréntesis "(En vísperas de la luz.)" recuerda visualmente el subtítulo de "Poema del momento extranjero en la selva" "(A varias voces.)", un formato insólito en el resto de la obra de Cuadra. Yo sospecho que no fue hasta después de redactar "Himno nacional" con su narrador divino capaz de imaginar el mundo "antes del hombre", que Cuadra poseía lo necesario en términos lingüísticos y temáticos para concebir el poderoso hablante lírico de "Poema del momento extranjero en la selva".

La presencia de los personajes concretos tanto en "Himno nacional" como en "Poema del momento extranjero en la selva" anticipa una observación de Fidel Coloma González cuando escribe en 1972 lo siguiente sobre la primera edición de *Poemas nicaragüenses*:

> *En el marco de esos ciclos elementales sustentan su vida hombres y animales. Hombres, sí, pero indiferenciados, genéricos: son el campisto, la india, seres vivos entre todos los que allí luchan y se esfuerzan. El toro, el tigre, los monos, las víboras, tienen tanta vida como el monte, el llano, el río, los árboles, la luna, el sol. Y muchas veces los animales y los elementos naturales adquieren una individualidad mucho más neta que los propios seres humanos* (Coloma González 170).

Surge la idea, entonces, de una comunidad imaginada que consiste en elementos más que humanos con una psicología ecopoética más desarrollada que la de sus habitantes humanos. La preocupación de Cuadra con la humanidad individualizada y el rostro anónimo de gente marginal específica se manifiesta en poemas como "La Loquita" y "Patria de Tercera", ambos poemas publicados por primera vez como parte de *Poemas nicaragüenses* en 1964. Se ve que el proyecto abierto de *Poemas nicaragüenses* a veces es bastante fluido. De hecho, Cuadra incluye "Patria de Tercera" en la antología *Tierra que habla* (1974) como un poema de *Esos rostros que se asoman entre* (sic) *la multitud*, textos que el poeta produce entre 1963 y 1967.

En cuanto al contenido original de *Poemas nicaragüenses*, esta humanización en la poesía de Cuadra tiene sus raíces menos en "India" (un poema que describe un grupo étnico en términos genéricos a través de una "tú" generalizada) como en "Doña Albarda" que se convierte en "Albarda" para la selección de *La tierra prometida* en 1952. El cambio más notable en este personaje-poema en que el poeta habla en primera persona como si fuera la mujer del retrato es la eliminación de "nosotras" en los primeros once versos de la versión de 1934 para enfocarse exclusivamente en el "yo" del individuo femenino que aparece en el texto definitivo posterior.[2]

Después de crear y nombrar a estas personas, el próximo paso en el desarrollo de la poética de Cuadra significa la necesidad de abrir su comunidad con la creación de tipos literarios *individuales nicaragüenses* con rasgos *universales* y *una fuerza kinética novelesca* como ocurre en *Cantos de Cifar y del mar dulce* (poemas compuestos entre 1967 y 1979) con Juana Fonseca y el marinero Cifar. En cuanto a estos complejos míticos que nacen de figuras históricas, Cuadra dijo lo siguiente en una entrevista que le hice en julio de 1982:

> *En Juana Fonseca prevalece un personaje real al que le agrego un poco, en las anécdotas del poema, situaciones imaginativas que no corresponden a ella. Pero es creado sobre un personaje real. Cifar, lo mismo. Pero Cifar yo apenas lo conocí. Quien me dio, más que nadie los recuerdos y vivencias de él, fue Juan de Dios Mora... Eso que pone el autor sobre la persona de Cifar que conoció es más de tipo mitológico. Trataba precisamente de crear un tipo mítico* (White 1994 108-109).

Cuadra adopta una estrategia parecida en "El Jícaro" de *Siete árboles contra el atardecer* (1980) al hacer que una figura nicaragüense no anónima sino célebre (Pedro Joaquín Chamorro) se conforme en el poema al modelo mítico del héroe que se sacrifica para crear las condiciones que conducen a la liberación nacional. En "El Jícaro", el nacionalismo nicaragüense se define metafóricamente por medio del mito maya de Ixquic. Más adelante, Cuadra prosigue con un proyecto de *mythistory*, como diría el traductor del *Popol Vuh* Dennis Tedlock, en *La ronda del año* (1988) (que, tal como *Poemas nicaragüenses*, se compone de textos escritos en diferentes épocas y que ahora aparece en la edición definitiva de *Libro de horas* de

2. Sobre otras funciones del personaje-poema en la poesía nicaragüense, véase White 1994 158-178.

1997) y *El nicán-náuat* (1999), donde habla el cacique de Nicaragua en primera persona como veremos más a fondo en el último capítulo del presente estudio.

A propósito de este protagonista indígena de la poesía tardía de Cuadra, quiero analizar ahora la evolución de la caracterización de la etnicidad en *Poemas nicaragüenses* como una especie de meditación extendida sobre la relación entre el pluralismo cultural y la biodiversidad. ¿Cómo se define la comunidad nacional? ¿Quiénes pertenecen al grupo definido por las fronteras de un país o las páginas de un libro? En la introducción a *Imagined Communities*, Benedict Anderson dice que la nación "se imagina como una comunidad, porque, no obstante la desigualdad y explotación existentes en cada una, la nación siempre se concibe con un profundo compañerismo horizontal" (Anderson 7). Más adelante, el autor afirma que "el nacionalismo piensa en términos de destinos históricos, mientras el racismo sueña con contaminaciones externas" (Anderson 149). Según Anderson, el origen del racismo se encuentra en las ideologías de las *clases sociales* y no en las de la nación, y que el racismo se manifiesta no *a través de* las fronteras nacionales sino *adentro de* ellas para justificar la represión y la dominación domésticas" (Anderson 149-150). El dominio de *Homo sapiens* sobre las demás especies del mundo más que humano también refleja esta relación jerárquica absoluta y violenta.

En *Poemas nicaragüenses,* el tema de la etnicidad se manifiesta principalmente en los poemas "India" y "El Negro". La mera presencia de los dos representantes de estos grupos étnicos es un acto importante de inclusión en cuanto a una definición comunitaria. En "India", la población indígena se encarna en la figura de una mujer anónima y contemporánea, mientras en "El Negro", el legendario protagonista negro tiene un nombre (Sarabasca) y pertenece a un período histórico remoto. Ambos poemas son completamente re-elaborados entre la primera edición y su publicación posterior, lo cual ocurre con "India" en 1952. El caso de "El Negro" es muy especial porque no se publica la versión revisada hasta 1983, o sea, casi medio siglo después de la versión original, convirtiéndolo así en uno de los dos textos más actuales y de mayor madurez poética de *Poemas nicaragüenses* (el otro es "El exilado/memorias" de la edición de 1994). Cuando se comparan las versiones iniciales con las posteriores de estos dos poemas, se ve cuánto ha cambiado la mirada del hablante lírico al considerar al "Otro" (indio y negro) que forma parte de su comunidad poética y, por supuesto, social. Básicamente, la metamorfosis de ambos textos consiste en un movimiento de la objetivización a una sujetivización mayor (pero todavía limitada) en cuanto a la caracterización de los dos personajes marginales. O sea, tanto la india como el negro van perdiendo su estado de víctimas de la miseria y la crueldad institucionalizadas al atravesar las décadas del siglo veinte en el lenguaje poético evolutivo de Cuadra.

En la versión original de "India", por ejemplo, el poeta se enfoca en una descripción física de la mujer indígena que destaca sus funciones maternas y sexuales:

Tú, mujer, cuyos senos jicaroideos y morenos
frecuentan la pequeña boca de un niño
resucitando la maternidad de los corrales...
Mujer de caderas colgantes
y apiñadas a tus lados como rodajas de mango,
cuyos brazos cuelgan como frutos
y son convexos de tal modo que yo mismo estallo por morderlos.
(Cuadra 1934 68)

El yo del poema observa a la indígena asociada con la naturaleza como si ella fuera un objeto disponible para la gratificación del hablante. Es precisamente esta actitud hacia el medio ambiente que les permite a los europeos considerar el medio ambiente simplemente como una fuente de una abundante mercancía. Más adelante el poeta caracteriza a la indígena como una "mujer muy distinta a la mujer de mis poemas" (Cuadra 1934 68). Es decir, la india que Cuadra percibe en los años treinta pertenece a una comunidad nacional en que existen una aguda conciencia de "otredad" y profundas divisiones étnicas. En la segunda versión de "India" de 1952, el hablante de la versión original se convierte en un personaje anónimo que considera a la indígena de una manera aún más explícita en términos eróticos:

Cuando asegurabas tu dominio
sabiéndote perseguida por la perrada del deseo
con tus caderas colgantes
y apiñadas a tus lados como rodajas de mango,
con tus brazos frutales
que alguien mordía desde sus ojos
o con palabras duras enterrándose
en la pulpa apetitosa
(Cuadra 1983 152-53)

El yo de esta nueva versión sólo aparece al final del poema para objetivizar a la mujer con su mirada: "te miro en el rincón acurrucada como poronga servicial" (Cuadra 1983 153). Cuadra la retrata no como un ser vivo, sino como algo trágicamente destruido, una representante muerta de una civilización desaparecida pero que persiste como "momia materna" de "barro inextinguible". En la versión definitiva de "India" el poeta intenta sobrepasar lo físico pero su encuentro es con una mujer "adversaria y silente", impenetrable en su "misterio de extrañas muertes" (Cuadra 1983 152). Hacia el final del poema, el poeta intenta crear una figura indígena eterna, haciendo que ella considere el tiempo "con desprecio" cuando sube (como si su movimiento fuera una especie de asunción mística):

> *en el sueño*
> *a la copa de esta noche enarbolada,*
> *para entrar despacio, lentamente*
> *por esos pequeños agujeros luminosos*
> *que perforan el cielo*
> (Cuadra 1983 153)

En la última versión del poema, Cuadra construye un personaje indígena que, aunque sigue siendo objetivizado, tiene mayores posibilidades trascendentes. Sin embargo, carece de la capacidad de convertirse en un miembro más integrado en su comunidad nacional.

En la versión original de "El Negro", Sarabasca, el esclavo, es una víctima pasiva por completo de la esclavitud. Además, el sueño y la muerte se confunden en el sitio dramático del poema. Todo esto cambia en la segunda versión de 1983 donde el poeta imagina a Sarabasca claramente como el primer negro de Nicaragua, un esclavo náufrago. En esta versión definitiva, Cuadra agrega un encuentro magistral entre Sarabasca y el Fundador indígena Miskut para crear un poema sumamente complejo en términos históricos y míticos en que establece una especie de *quilombo* al estilo de Zumbi dos Palmares en Brasil, lo cual significa una nueva definición potencial del nacionalismo en *Poemas nicaragüenses* como comunidad rebelde. Lo importante de esta primera reunión entre dos grupos étnicos distintos es su solidaridad ante la extrema crueldad de una cultura europea dominante. Miskut se identifica con las cicatrices de la espalda del ex-esclavo:

Tienes escritos en tu carne
nuestras peregrinaciones y destierros.
Tienes grabados en tu piel
los caminos errantes de los hijos de los ríos.
Te has posesionado de la piel de nuestra tierra.
Han quemado tu tierra, la han preparado.
Ven con nosotros!
(Cuadra 1983 156).

El cambio en la representación del negro entre las dos versiones de este gran poema no podría ser mayor, y tiene que ver con el paso del tiempo en cuanto a la fecha de su recreación. Tomando en cuenta el conocimiento sofisticado de la historia y de la geografía regional por parte del hablante lírico y también la incorporación del diálogo con el mismo formato de los poemas de *Siete árboles contra el atardecer* (1980) y los poemas tardíos de *La ronda del año* (1988), "El Negro" es, sin duda, un poema híbrido revisado poco antes de su publicación en el primer tomo de la *Obra poética completa* en 1983. "El Negro", cuyo único antecedente en la obra de Cuadra es "Jalalela del esclavo bueno", amplía la comunidad imaginada por Cuadra al convertir sus miembros históricamente más vulnerables y marginados (los indios y los negros) en *protagonistas*, sujetos capaces de forjar sus propios destinos. Por ser una representación de un período remoto de la historia, la alianza étnica (y el sentido de *empowerment)* queda, sin embargo, en *Poemas nicaragüenses* y también en Nicaragua, como un proyecto nacional no resuelto, una propuesta de futuro. Cuadra se refiere a este hecho como un resultado de la historia del país, o sea, el esfuerzo de Inglaterra de apoderarse de la Costa Atlántica o Mosquitia, "desgarrando por mucho tiempo", según el poeta, "nuestra unidad nacional y dejándonos un problema, todavía candente, de división lingüística y cultural" (Cuadra 1988b 26).

Cuando Cuadra empieza a "hacer algo con el lodo de la historia" e incorpora la sociedad indígena precolombina en su comunidad poética plenamente en los años cincuenta, se podría pensar que el poeta está deshaciendo las posibilidades del nacionalismo. Según el modelo de Anderson, es el fin del predominio de tres conceptos antiguos que conducen al nacionalismo, por lo menos en Europa: 1) la imposición de un sólo lenguaje sagrado; 2) la sociedad organizada alrededor de centros altos cuyos monarcas reinaban por divina compensación cosmológica; y 3) un concepto temporal que no distingue entre la cosmología y la historia (Anderson 36).

Pero estos valores pueden aplicarse tanto a Europa como a la sociedad indígena americana, y son los que Cuadra apoya cuando publica los libros de ensayos políticos *Hacia la cruz del sur* (1936 y 1938), *Breviario imperial* (1940), *Promisión de México y otros ensayos* (1945), y *Entre la cruz y la espada* (1946) (como analizaremos en el próximo capítulo), y actúa, en las palabras de Pedro Xavier Solís, como un "defensor de un imperialismo espiritual español" (Solís 26). Es precisamente durante este período (o sea, después de la publicación de la primera edición de *Poemas nicaragüenses* en 1934 y antes de la publicación de *La tierra prometida* en 1952) que Cuadra deja de imaginar tanto la comunidad de sus poemas iniciales como la de su país en términos nacionalistas. Sin embargo, cuando los *Poemas nicaragüenses* surgen de nuevo y "Oda de amor" se ha convertido en la famosa "Introducción a la tierra prometida", hay un cambio profundo que se expresa nítidamente con el último verso del poema (en ambas versiones): "¡Amor nicaragüense!" (Cuadra 1934 12; Cuadra 1983 117). Como dice Anderson, "las naciones inspiran el amor, y muchas veces un amor que significa un sacrificio profundo de parte del individuo. Los productos culturales del nacionalismo (la poesía, la narrativa, la música y las artes plásticas) demuestran este amor claramente en miles de diversas formas y estilos" (Anderson 141).

La creación de *Poemas nicaragüenses* puede considerarse un esfuerzo de establecer un mapa cognitivo de este amor. En este libro (tal como veremos más adelante en el capítulo sobre *Siete árboles contra el atardecer*) hay un paisaje invisible (de costumbres folclóricas, conocimientos populares, experiencias personales y compartidas, etc.) que se revela y se ilumina a través de una afectividad que vivifica la geografía. Como cada poema lleva sus coordenadas geográficas específicas, el poeta se ve obligado a eliminar los siete poemas que ahora pertenecen a *Canciones de pájaro y señora*[3] a pesar de su espíritu nacional y sus motivos nicaragüenses (Véase Arellano 135-137). Pues, simplemente, no caben en el nuevo mapa literario. Es decir, al sacarlos de la comunidad poética del libro, el poeta minimiza la herencia española en términos formales, abogando por una apertura hispanoamericana mayor y una ruptura con las formas tradicionales de la lengua española. Sin embargo, el resultado de los borradores que

---

3. Estos poemas son "Romance de la hormiga loca", "El esclavo bueno", "Romance del río", "Historia del alacrán y la luna", "Cantos de Granada y el mar", "La niña del último arroy", y "La virgen y el niño Dios".

aparecen en la edición de 1934 es un mapa borroso, incompleto, y, sobre todo, *no reproducido* en su totalidad hasta 1983 durante la crisis política de Cuadra con el sandinismo. En este sentido, la primera publicación del texto completo de *Poemas nicaragüenses* fuera de Nicaragua en Costa Rica (poco después, el poeta mismo se encuentra en Austin, Texas por tres años) es un intento de recrear la nación y una realidad espacial estando fuera de ella en el exilio. La primera edición revisada y completa de *Poemas nicaragüenses* que sale *en Nicaragua* no ocurre hasta 1994, o sea, ¡sesenta años después de su publicación en Santiago de Chile! Además, esta nueva edición revisada confirma definitivamente la idea de *Poemas nicaragüenses* como texto abierto que sigue su proceso de evolución. Se divide en tres secciones: "Primeros cantos nacionales" (12 textos de *Canciones de pájaro y señora*), "Introducción a la tierra prometida" (los 26 textos de *Poemas nicaragüenses* que se establecen en el primer tomo de la *Obra poética completa*), y "Post Scriptum", que consiste en "El exilado/memorias". Este texto, dedicado al hermano del poeta, Carlos, muerto en 1987, es un poema largo en que el espacio nacional imaginado se convierte en canto fúnebre, una especie de paréntesis escatológico de "Introducción a la tierra prometida", o, mejor dicho, una mirada omnividente que resume desde la vejez todos los sitios geográficos del país que el poeta ha creado "a caballo" en *Poemas nicaragüenses*, libro que termina con la voz de Dios:

Te ha tocado una patria como la patria de mi Hijo
una patria asediada y peregrina
Te ha tocado en suerte la suerte de tu pueblo
que cruza su historia como cruzó el desierto mi pueblo escogido
suspirando por la Tierra Prometida.
(Cuadra 1994 85)

Espero que este capítulo contribuya a un conocimiento mayor de uno de los libros más importantes de la literatura nicaragüense y que se considere esta obra como un largo proyecto *paralelo a* y *simultáneo con* toda la madurez poética de Cuadra. Una mirada matemática rápida a *Poemas nicaragüenses* revela una curiosa simetría en cuanto a la evolución lenta del libro entero: de los 33 textos originales de la primera edición,[4] siete se

4. Véase Cuadra 1983, 114. Hay un error cuando se dice que hay 34 textos originales. La confusión se debe tal vez a la mención en el índice (de la primera edición de *Poemas nicaragüenses*) de "Piensan los pensadores" que es, en realidad, un breve epílogo de los indios del Norte y no un poema.

sacan para ser colocados en *Canciones de pájaro y señora*, siete textos se eliminan completamente,[5] y se agregan siete poemas nuevos en las antologías de la poesía de Cuadra que aparecen en 1952 y 1964[6] para un total de 26 textos en la versión (casi definitiva) de *Poemas nicaragüenses* que se publica por fin en 1983. Lo importante es reconocer y celebrar la difícil tarea de imaginar una comunidad nicaragüense a través de la historia del siglo XX por medio de la palabra poética. En una parte profunda y especulativa de su libro, Benedict Anderson habla de las fuertes afinidades entre el nacionalismo y la imaginación religiosa preocupada con la muerte, la inmortalidad y el misterio de los vínculos generacionales — los temas principales de "Exvoto a la Guadalupana" y "La vaca muerta", dos poemas que definen el tono de esperanza y tragedia que marca *Poemas nicaragüenses* y que se repite a través de la obra de Cuadra (Anderson 10-11). Si Rubén Darío, como Cuadra lo ha caracterizado, es "el inaugurador de la literatura nacional" (Cuadra 1969 86) con su buey "bajo el nicaragüense sol de encendidos oros" en "Allá lejos", Cuadra es el gran continuador con "La vaca muerta" "bajo el eterno paréntesis de sus cuernos sin amparo" (Cuadra 1983 165). Son las voces del paisaje mismo que le regalan a Cuadra sus *Poemas nicaragüenses*. Al construir su mapa ecopoético de Nicaragua, Cuadra también aprendió cómo se puede imaginar la comunidad que constituye un país. Ya que hemos establecido que este proyecto le duró toda su vida, no importa tanto si "Epitafio de un poeta" sea un poema de 1964 (como se afirma en la edición de *Poemas nicaragüenses* de 1983) o un poema de 1934 (como aparece en la versión del libro publicado en 1994). Lo importante en este texto, tardío en mi opinión, es el agudo contraste que presenta con la exuberancia adánica de la juventud del poeta. Aquí opera una conciencia de los límites de una naturaleza nacional y extra-nacional irremediablemente cambiada durante los sesenta años de la composición del libro:

Yo canté las cosas naturales
en el momento en que las cosas naturales se extinguían.

---

5. Los textos eliminados son "Stadium", "Sombras y distancias", "Lucha", "Sabana atardecida", "Barco", "El valle de las rosas" y "Luna".

6. Los poemas nuevos que aparecen en *La tierra prometida* (1952) son "Inscripción en un árbol", "Escrito sobre el congo", y "La venta de las vocales". Los poemas "Patria de tercera", "Niña cortada de un árbol", "La loquita" y "Tigre muerto" salen en *Poesía* (1964).

Amé la tierra y las cosas de la tierra
cuando la tierra y las cosas de la tierra
eran destruidas por el hombre.
(Cuadra 1983 103)

He aquí, entonces, el desafío que lanza el poeta a las futuras generaciones que van a heredar el mundo que Pablo Antonio Cuadra ayudó a crear en nuestras imaginaciones con *Poemas nicaragüenses*.

2. *LIBRO DE HORAS*: CONTRADISCURSOS ECOCÉNTRICOS EN UNA NUEVA EDAD MEDIA CRISTIANA

POR fin, ya en 1997, Pablo Antonio Cuadra logró publicar lo que él considera su poesía más deliberadamente religiosa bajo el título *Libro de horas* en un sólo volumen que contiene cuatro partes: "Libro de Horas" (una serie de poemas compuestos entre 1946-1954), "Via Crucis" (catorce poemas presentados en 1986)[1], "La ronda del año" (doce poemas largos, casi todos elaborados entre 1950-1987)[2], y "Canto final a Nuestra Señora" (un sólo poema, inédito hasta la publicación de esta edición). Tomando en cuenta las fechas de composición de los poemas incluidos que cubren alrededor de cincuenta años, esta edición realmente se puede considerar

---

1. Véase Solís, pág. 181 donde habla de los conflictos graves entre Cuadra y los sandinistas en la década de los ochenta:

"El marginamiento en que se había sometido a Cuadra por su independencia y su fe religiosa, lo hizo aferrarse al Cristo del Calvario

— sin perder jamás el optimismo cristiano

— ante la prepotencia inquisitiva y cruel de los 'constructores de paraísos' Esa circunstancia daría origen a su *Via Crucis*, leído por Juan Pablo II el Viernes Santo de 1986 desde el Coliseo Romano y traducido a todos los idiomas".

2. En su prólogo a la *Poesía Selecta* de Cuadra publicado por la prestigiosa editorial Biblioteca Ayacucho, Jorge Eduardo Arellano establece la siguiente cronología de los poemas de *La ronda del año: poemas para un calendario*, que fueron publicados en conjunto por primera vez en 1988: "Noviembre" (1938, 1950), "Enero" (1950, 1983), "Febrero" (1950), "Códice de Abril" (1965), "Junio" (1960, 1978), "Mayo" (1974), "Marzo" (1977-78), "Agosto" (1981-82), "Septiembre" (1983), "Octubre" (1987), "Julio" (1987), "Diciembre" (1984, 1986).

una muestra de la gran extensión productiva de Cuadra como poeta. En su introducción a *Libro de horas*, Guillermo Yepes Boscán resume el propósito de esta agrupación de poemas, diciendo que "con este libro Pablo Antonio Cuadra ha dado testimonio no sólo de su condición de laico comprometido con la creencia, sino, además, del aporte que su poesía ha hecho a lo que podemos llamar la *catolicidad de América Latina*" (Cuadra 1997a XIII). Es más, según la información en la portada del libro, el volumen se presenta "como un homenaje a los quinientos años del inicio del proceso evangelizador en América (1498-1998) y como un tributo a la religiosidad y a los valores espirituales de los latinoamericanos" (Cuadra 1997a portada). Este discurso religioso eminentemente europeo coexiste, sin embargo, con un contradiscurso de origen indígena relacionado con el mundo natural, ya que, en las palabras de Cuadra, el *Libro de horas* "fusiona el espíritu y la forma de los libros de horas medievales y la poesía y los cantos de los códices indios precolombinos, en una trama que liga el tiempo y la naturaleza a los misterios cristianos" (Cuadra 1984a 63). En este capítulo se examinarán las implicaciones de las dos siguientes preguntas: ¿Qué es lo que le atraía a Cuadra a esta resurrección medieval? ¿Cuál es el efecto de la yuxtaposición en *Libro de horas* (entendido como un conjunto de las cuatro partes de la edición de 1997) del discurso predominante colonizador de Europa y el contradiscurso de los indígenas colonizados de América con sus respectivos sistemas simbólicos religiosos?

Hablemos primero de la estructura misma que Cuadra escogió para crear la morada de su poesía religiosa: un Libro de Horas es una catedral gótica que se puede tomar en las manos, según afirma Roger S. Wieck, autor de *Time Sanctified: The Book of Hours in Medieval Art and Life*. La catedral gótica, como bien se sabe, es el logro artístico más alto de la civilización medieval, una verdadera enciclopedia de piedra, porque, como explica Umberto Eco, sirve como "sustituto de la naturaleza" y demuestra, sobre todo en la forma de las ventanas y las figuras monstruosas de las cornisas, "una visión estética de la humanidad, de su historia y de su relación con el universo" (Eco 61). Wieck, además, insiste en la popularidad de la catedral gótica portátil que fue el Libro de Horas: entre los siglos XIII y XVI, el Libro de Horas fue un *best-seller*, el número uno medieval por casi 250 años, con una circulación mayor que cualquier otro tipo de libro, incluso la Biblia. Por primera vez desde la antigüedad clásica, el libro más corriente que se producía se destinaba a un público que no era de la clerecía, y esto ocurría en un período en que la alfabetización se extendía cada vez más en una clase media cada vez mayor. El Libro de Horas era, sobre todo, un libro de *oraciones* que facilitaba la posibilidad de la redención personal y también una conversación íntima entre el lector medieval y la entidad que reinaba sobre su vida: la Santa Virgen (Wieck 27-33). De las otras secciones más tradicionales en que se divide un Libro de Horas medieval (que incluyen las Lecciones de los Cuatro Evangelios, las Horas de la Cruz y del Espíritu Santo, los Salmos Penitenciales y Letanía, el Oficio de los Muertos, y los Sufragios), la parte que se dedica a la Virgen es la que se destaca en importancia. Wieck asevera que, "si el Libro de Horas puede ser comparado con una catedral gótica, las Horas de la Virgen serían su altar mayor, situado en el centro del coro y coronado por un retablo cuidadosamente labrado y pintado sobre el cual estaría montado, a una altura que corresponde a las elevadísimas bóvedas de la iglesia, una estatua resplandeciente de la Virgen María con Cristo recién nacido en los brazos" (Wieck 60). La Virgen es una figura de suma importancia en la obra "medievalizada" de Cuadra también. El poeta crea una especie de paréntesis mariano en *Libro de horas* que comienza con "Himno de horas a los ojos de Nuestra Señora" y cierra con "Diciembre: Nuestra Señora del rebozo azul" seguido por "Canto final a Nuestra Señora". El uso del Tú para dirigirse a la Virgen les da a todos los textos el tono inconfundible de una plegaria semejante a las que aparecen en un Libro de Horas medieval tradicional: "Obsecro Te" y "O Intemerata"(Véase Warner).

La gracia del primer poema de *Libro de horas* consiste en el color cambiante de los ojos de la Virgen: azules en la Anunciación, verdes en la Navidad, y negros en la Pasión:

¡Oh cielo de mirar, ave María:
vuelo de azul y fe tan transparente
que el Señor es contigo y bendita Tú eres
entre todas las auroras que cantan tu pupila!
Ha venido el Arcángel por tu mirada limpia,
el colibrí ha volado y el mirlo y la Escritura,
y hay un aire amante que cruzan anunciando
eternos mensajeros.
(Cuadra 1997a 14)

Así como el cinamomo y el bálsamo,
como el aroma de mansos vegetales
era tu mirada, ¡la fértil mirada de la tierra!

¡Oh Madre! ¡Oh fecunda entre todas las primaveras!
(Cuadra 1997a 15)

¡Oh fondo de tus ojos, Señora de la Muerte,
como nocturnas aves las tinieblas acechan
el pálido cadáver que yace en tus pupilas!
(Cuadra 1997a 18)

Gloria Guardia de Alfaro destaca el valor cíclico de este poema al decir que "en el 'Himno de horas a los ojos de Nuestra Señora' está el Verbo desde el momento de la Anunciación, cuando se desposa con la Humanidad para redimirla, hasta el cierre de su ciclo humano: la pasión y muerte en la cruz, cuando se desposa con la Iglesia" (Guardia de Alfaro 107).

"Diciembre" recoge la historia de la aparición de la Virgen María en Cuapa (Chontales, Nicaragua) (Véase Solís 2001). Una nota que acompaña el poema dice: "De labios de Bernardo el campesino vidente, escuchó Cuadra el delicado detalle de la mano de María, jugando con la borla del rebozo mientras le hablaba, que da título al poema" (Cuadra 1997a 234):

Señora, has colocado la escala de Jacob entre tu cielo y mi tierra y
nosotros hemos llegado tras de Ti a Diciembre: término y principio.
Hablo de Ti, la mujer entre todas las mujeres
Aquella cuyo rostro más se parece al de Cristo.
Cuando hablabas con Bernardo
tu mano jugaba con la borla del rebozo.
Tu mano que nos entreabre la puerta de la noche
y vemos — entre lágrimas — que el sepulcro está vacío.
(Cuadra 1997a 225)

El último poema del *Libro de horas* es más bien una canción que presenta los elementos metafóricos de los otros poemas marianos de una manera novedosa (ojos, escala, manto, puerta) y más personal:

Pero es más tu mirada:
escala de Jacob que yo prefiero
al cielo levantada
de lucero en lucero
para subir al reino del Cordero.
(Cuadra 1997a 242)

Todos estos poemas marianos son altas expresiones de la fe religiosa del poeta, definiendo y justificando para él la estructura del Libro de Horas medieval como templo de la oración.

En términos arquitectónicos, el Libro de Horas tradicional tiene una forma bastante ecléctica que obedece a gustos y necesidades individuales. Sin embargo, por lo general, comienza con un calendario cuyas ilustraciones tienen representaciones de los diferentes signos del zodíaco y también de las labores asociadas con cada mes, lo cual corresponde a la sección del *Libro de horas* de Cuadra que se llama *La ronda del año*. Tanto en esta tercera parte como en la primera hay ilustraciones (del pintor cubano Roberto Diago y también de Cuadra) que facilitan un diálogo entre lo pictórico y lo textual tal como sucede en un Libro de Horas de la Edad Media ricamente iluminado. Pero existe también un diálogo intercultural entre lo europeo y lo indígena americano que para Cuadra ha sido siempre la fructífera coexistencia del mestizaje. Una nota a *La ronda del año* clarifica el vínculo temporal entre las dos culturas: "La preocupación de Cuadra por el tiempo que reflejan estos poemas, considerada por el autor un eco contemporáneo de la obsesión calendárica de los Mayas y otras altas culturas de Mesoamérica, le llevó por algún tiempo a bautizar este libro con la palabra mayense que designa el año *Tun*" (Cuadra 1997a 237). En todo caso, es precisamente el enfoque en el medio ambiente con los cambios meteorológicos, astronómicos y botánicos asociados con los distintos meses del año en *La ronda del año* en cada "Antífona" que define un discurso *ecocéntrico* con raíces indígenas que actúa como contrapeso al discurso antropocéntrico cristiano que predomina en *Libro de horas* en su totalidad. Más adelante, volveremos al análisis de otros ejemplos de este contradiscurso, pero conviene primero profundizar nuestra indagación sobre la importancia de la Edad Media en general para Cuadra.

El pensamiento medieval aparece en la obra de Pablo Antonio Cuadra no sólo en su *Libro de Horas* sino también de una forma anticipada en los cuatro libros de ensayos *Hacia la cruz del sur* (1938), *Breviario imperial* (1940), *Promisión de México y otros ensayos* (1945) y *Entre la cruz y la espada (mapa de ensayos para el redescubrimiento de América)* (1946). A pesar de ser una de las etapas menos estudiadas de la obra del poeta nicaragüense nacido en 1912, es, sin embargo, el origen de un fundamento de su poesía: la unión medievalizada de lo europeo y lo americano que refleja la experiencia colonial. La síntesis literaria híbrida que construye Cuadra depende en gran parte de su manera de concebir la historia desde una perspectiva fascista en esa época.

Breviario imperial, por ejemplo, es un manifiesto de gran fervor político-religioso, y el autor propone una especie de guerra santa cuando dice: "A base de cristiandad nació nuestra cultura y nuestra civilización. A base de Catolicidad debe resurgir. Somos y tenemos que ser cruzados para responder en la verdad a la herencia inmensa que nos dejaron nuèstros fundadores" (Cuadra 1940 60). Este ejemplo del pensamiento de la Edad Media en la obra de Cuadra es menos extremo, sin embargo, que la bélica propuesta religiosa medieval que se encuentra en *Hacia la cruz del sur* en que Cuadra establece un vínculo simbólico entre el moro medieval y el comunista contemporáneo:

> *Y la Hispanidad tendrá que odiar. Volver a odiar de nuevo con aquel tremendo odio — rojo y hermoso como la sangre — "que odia al mal porque sabe amar al bien". Ira hispana, chispa de la ira de Dios, que le da coraje a su espada y misericordia a su Cruz. Deslindar los campos del Señor cuando se prepara una nueva edad de reconquista. Edad de profecías. Reconquista para la Cristiandad. América tiene sobre sí el peso de un inmenso símbolo. Fué descubierta buscando la ruta de una nueva cruzada que iría a rescatar el Santo Sepulcro. América tiene que responder dando al mundo una nueva ruta para rescatar al Cristo Resucitado. ¡Quizá frente a la hoz y al martillo — frente a la media luna de esa hoz cortante y diabólica — América levantará su Cruz conquistadora y decidirá para el mundo el advenimiento triunfal de un nuevo reino de la Cristiandad!* (Cuadra 1938 108).

En una nota preliminar a *Hacia la cruz del sur* que fue publicado en Buenos Aires en 1938, Cuadra habla de la edición anterior española del mismo libro: "Este libro padeció por la Causa de la Civilización. Impreso por la revista "Acción Española", de Madrid, que dirigía don Ramiro de Maeztu, fué detenido al nacer por las hordas soviéticas y sometido al fuego" (Cuadra 1938 8). El lenguaje bélico de Cuadra en sus libros de ensayos de esta época siempre encuentra un ambiente idóneo al relacionarse con el espíritu combativo de la Edad Media. Es decir, Cuadra define la lucha anti-comunista refiriéndose a espadas medievales y no a fusiles del siglo XX. En todo caso, este fervor es el producto del mundo ideológicamente dividido en que vivía el autor, como asevera en *Breviario imperial*: "Hoy estamos, frente a frente, otros. Los que afirman y los que niegan. Los fanáticos de

Dios y los fanáticos contra Dios. ¡Cruz y raya! — Comunismo y Catolicidad: La última etapa de una edad podrida contra la reacción integral que se adentra a otra edad nueva y antigua. Eterna. La del reino de Dios. La Nueva Edad Media que profetizó Berdiaeff" (Cuadra 1940 153).

El libro del crítico ruso Nicolás Berdiaev, autor del libro *Una nueva Edad Media: reflexiones acerca de los destinos de Rusia y de Europa* (publicado en Barcelona en 1933) que aparece en la cita de Cuadra define lo que podría llamarse *la tradición del retorno*, el regreso a algo antiguo que es a la vez un nuevo comienzo, una búsqueda nostálgica de una comunidad orgánica que sólo existe en el pasado, el deseo de crear una nueva sociedad feudal (Véanse Perl y Williams). Esta obra, citada también en *Defensa de la Hispanidad* de Ramiro de Maeztu, profetiza una revolución del espíritu, una renovación completa de la conciencia, una segunda Edad Media. El autor, profundamente anticomunista y también anticapitalista, critica el nacionalismo, el individualismo, el materialismo y la decadencia del mundo moderno. Según Berdiaev, "el mundo está en un caos, pero se inclina hacia la elaboración del orden espiritual de un universo análogo al de la Edad Media" (Berdiaeff 100). Aunque Berdiaev reconoce los elementos negativos de la Edad Media, como, por ejemplo, "la violencia, la servidumbre, la ignorancia en el terreno de los conocimientos positivos de la naturaleza, un terror religioso en proporción del horror a los sufrimientos infernales", destaca los aspectos positivos de esa época como la "orientación hacia la escolástica y la mística". Dice, además, que "los tiempos medievales no prodigaban su energía en lo exterior sino que preferían concentrarla en lo interno: ellos forjaron la personalidad bajo el aspecto del monje y del caballero; en esos tiempos bárbaros florecía el culto a la Dama y los trovadores entonaban su canto" (Berdiaeff 113), algo que recuerda la presencia mariana en el *Libro de horas* de Cuadra más tarde. En *Breviario imperial*, Cuadra se fía de esta idea de Berdiaev cuando el poeta nicaragüense define la Edad Media como "el dominio del mundo interno por el hombre; el dominio de sí mismo" (Cuadra 1940 168).[3]

Mucho de lo que se expresa en *Breviario imperial*, como, por ejemplo, el "predominio de lo Cultural, de lo Unitivo, de la Unidad" y "la primacía de

---

3. El libro tiene una introducción de Ramiro de Maeztu que fue tomada de un artículo que Maeztu publicó en el diario madrileño *ABC* (10 de abril de 1935) en vísperas de la Guerra Civil española.

lo religioso" (Cuadra 1940 167) en la Edad Media proviene de las ideas del líder intelectual de la Acción Española Ramiro de Maeztu. Según Richard A. H. Robinson en su estudio sobre los orígenes de la España de Franco, los dos temas principales de Maeztu eran "la Contrarrevolución" y "la Hispanidad"; los pueblos hispánicos de Europa y América, amenazados tanto por la revolución comunista como por el imperialismo financiero nórdico, debían reafirmar su conciencia de ideales comunes y formar una confraternidad; Maeztu afirmaba que sólo una monarquía autoritaria y un regreso a los valores españoles medievales iban a salvar la civilización occidental "frente a las muchedumbres del Oriente, que viven realmente una vida animal de hambre continua e insaciada, que necesitan de la levadura de espiritualidad del Occidente" (Robinson 221 y Maeztu 1934 188-189).

El último capítulo de *Defensa de la hispanidad* se llama "Los caballeros de la hispanidad", cuyo subtítulo "servicio, jerarquía y hermandad" refleja perfectamente los valores de una sociedad feudal. Como dice Maeztu, "De entre todos los pueblos de Occidente no hay ninguno más cercano a la Edad Media que el nuestro. En España vivimos la Edad Media hasta muy entrado el siglo XVIII" (Maeztu 1934 189). España, fuente de la Hispanidad, trasplanta su afinidad medieval y prolonga el feudalismo con una nueva Cruzada, una Reconquista repetida en el llamado Nuevo Mundo. En *Breviario imperial* Cuadra dice que España "cristianizó. Medioevalizó la América bárbara. (Por eso nosotros los americanos que nacimos ya dentro de la Edad Moderna, podemos decir que tenemos una Edad Media al referirnos a nuestra edad imperial Hispana.) Debido a esta acción hispana — de prolongación de lo medioeval dentro de lo moderno —, la Hispanidad podrá hoy prolongar lo moderno dentro de lo futuro, haciendo el enlace, inaugurando el modo y el estilo de la nueva edad" (Cuadra 1940 185). En el ensayo "El cruce bajo la cruz", que pertenece al libro *Entre la cruz y la espada*, Cuadra relaciona el proceso mismo de la Conquista en términos religiosos con la Edad Media cuando define la "técnica del misionero" y su éxito con la población indígena: "Nuestras órdenes mendicantes... venían viviendo el más poético y ardiente cristianismo — el de San Francisco de Asís — , porque todavía alumbraba en ellos la luz de esa época de libertad creacionista, religiosamente aventurera, como fué la medieval" (Cuadra 1946 169).[4]

---

4. Este libro es, básicamente, una edición española de *Promisión de México*, publicado en Méxiso en 1945. *Entre la cruz y la espada*, sin embargo, contiene la valiosa introducción "Pensamientos preliminares" y el ensayo "El cruce bajo la cruz" que no aparecen en *Promisión de México*.

Este resurgimiento en el siglo XX de una concepción idealista, mística y a veces hasta utópica de la Edad Media se asemeja a la reaparición de la literatura de Caballerías en los siglos XVI y XVII en España con múltiples ediciones nuevas de obras como *Amadís de Gaula*, *Oliveros de Castilla*, *Espejo de caballería* y *Reinaldos*. César Ballester explica el renovado éxito popular de estas obras como un fenómeno doble:

> *La anacrónica fantasía en que se movían los héroes de la Caballería eran posibles, como venía a demostrar la noticia incesante de las hazañas de los conquistadores, al otro lado del Atlántico. El escenario social sustentaba la creación literaria. Las hazañas de los conquistadores otorgaban al género ese mínimo de credibilidad que necesita toda literatura fantástica. Pero a la inversa ocurría lo mismo, con mayor trascendencia... Los conquistadores... se sentían protagonistas de las mismas hazañas, si no superiores, en los mismos escenarios fabulosos, ante animales nunca descritos, paisajes sobrecogedores, ríos nunca imaginados, razas jamás conocidas y costumbres nunca contadas* (Ballester 29).

Cito de Ballester porque me parece que esta perspectiva sobre la nueva unión de razas en que predomina una forma europea de inventar el mundo está basada en gran parte en ciertos elementos medievales irreales de una edad imaginaria que nunca existió. De ahí surge el potencial de perpetuar nociones falsas sobre la Edad Media al prolongar lo medieval dentro de la edad moderna como sugieren Berdiaev, Maeztu y Cuadra en las obras mencionadas. Basta leer un libro como *A Distant Mirror* de Barbara W. Tuchman, para enterarse de la enorme *falta* de estabilidad de la Edad Media que incluía guerras interminables pagadas con una imposición salvaje de contribuciones y luchadas por soldados reclutados a la fuerza, plagas, una corrupción general por parte de los políticos y también de los oficiales más altos de una Iglesia cada vez más dividida, el caos económico, la injusticia social, insurrecciones, la lujuria, la codicia, la indolencia industrial, la histeria religiosa y social. En fin, la verdadera Edad Media extendida por España en América y añorada en el siglo XX era un período poco estable y lleno de cambios abrumadores.

Sin embargo, la riqueza simbólica cristiana de esta Edad reinventada y, a la vez, ofrecida como un modelo absoluto, le permite a Cuadra formular una manera de unir dos culturas distintas y, de ese modo, postular una nueva (y también antigua) unidad política y religiosa. En *Promisión de México*, Cuadra concibe el mestizaje como "nuestra conciencia de continuidad histórica..., el elemento raíz por el cual y en el cual lo español se conecta con lo americano, produciéndose Hispanoamérica" (Cuadra 1945 29). Más adelante, Cuadra elogia la Edad Media por "su propia creación de Cristiandad" y la caracteriza como un "largo ciclo de evolución" que perpetúa una "corriente histórica cristiana" (Cuadra 1945 49). En esta misma obra también, Cuadra habla de los logros del período medieval y su forma de concebir el Estado como "Civitas Dei", "una verdadera revolución de libertad" (Cuadra 1945 50).

Estas ideas surgían, como ya hemos dicho, en una época cuando el mundo se dividía entre dos sistemas totalitarios, cuando ser idealista significaba o ser comunista o ser fascista (Véase White 1994 102-103).[5] Sin embargo, este mismo idealismo absoluto en Cuadra lo lleva a criticar no sólo el Comunismo sino también algunos tipos de Fascismo, siempre a través de los ideales religiosos católicos supuestamente más puros de la Edad Media: Según Cuadra en *Breviario imperial*, "el Fascismo quería adquirir el Orden Medioeval para su ciudad moderna, pero, como sólo operaba dentro de la Civilización, no comprendía el Mundo interno, ese mundo que estaba sediento de un absoluto, y que, más que el orden (*consecuencia*), reclamaba la Unidad que lo producía (el principio): Dios" (Cuadra 1940 183). Cuadra, evidentemente, comparte su ideología con muchos escritores conservadores de varias nacionalidades en las primeras décadas del siglo XX que solían idealizar la Edad Media como una sociedad cristiana estática y unida para así atacar el sistema democrático moderno que, según ellos, carecía de estabilidad. John Harrison, por ejemplo, en un estudio sobre Yeats, Lewis, Pound, Eliot y Lawrence, explica que estos modernistas ingleses veían la necesidad de adaptar principios autoritarios cristianos medievales y aplicarlos a la situación política del siglo XX (Harrison 201).

No obstante, Louise B. Williams, en su artículo "El Modernismo británico, la historia, y el totalitarismo: el caso de T. E. Hulme" critica a Harrison y a otros investigadores por su forma simplista y esquemática de

---

5. En una entrevista que le hice a Cuadra en julio de 1982, al hablar de Ernesto Cardenal y la "peligrosa politización de su fe religiosa", Cuadra dice: "...politizar la religión produce, inmediatamente, el fanatismo... Yo cometí ese pecado joven. Por lo mismo no lo quiero cometer viejo".

analizar el fenómeno. Hulme, un pensador cuyos escritos completos fueron publicados en 1994, ha despertado un enorme interés crítico reciente a pesar de su muerte a los 34 años durante la Primera Guerra Mundial. Para Williams, urge distinguir entre las diferencias de la manera de concebir la historia de los modernistas ingleses (tomando a Hulme como precursor) y los de la Action Francaise. Williams concluye que estas divergencias "contribuían de una forma significativa para que el vínculo inglés con el totalitarismo fuera mucho más débil que el de la Action Française" (Williams 258).

Veremos, sobre todo en el próximo capítulo sobre *El jaguar y la luna*, que Cuadra, al hablar de la historia como cíclico y al destacar las semejanzas geométricas entre el Cubismo de Picasso y el arte aborigen de Nicaragua, se alía con el pensamiento de Hulme y los modernistas ingleses y no con la Action Française (que tuvo una influencia más marcada en los compatriotas generacionales de Cuadra, Luis Alberto Cabrales y José Coronel Urtecho). ¿Qué tienen en común Hulme y Charles Maurras de la Action Française? Según el estudio de Williams, lo que estos escritores comparten es la creencia que la democracia y la igualdad son productos de un romanticismo equivocado; ambos apoyan un sistema político "clásico" de una monarquía fuerte, una aristocracia, la desigualdad, el orden, la disciplina; rechazan la idea romántica de la historia como algo lineal, absoluto y caracterizado por el progreso inevitable. Cuadra también avanza estas ideas en las obras "medievales" que hemos mencionado, pero, debido a la influencia de Berdiaeff y Maeztu, destaca más la espiritualidad y la hispanidad. Paul Berman, en un artículo que apareció en la revista *The New Republic* después de la muerte de Cuadra el 2 de enero de 2002, habla de la importancia para el poeta de las 'normas cristianas' que "significaban el triunfo del humanismo cristiano, que sólo podría ser realizado por medio de un reconocimiento de lo divino en el hombre, tal como lo hace el cristianismo, y no las filosofías materialistas. Las 'normas cristianas' significaban la victoria del hombre sobre las cosas. Una nueva era de la historia mundial — una edad moderna que, desde otra perspectiva, se haría a través de una resurrección de la Edad Media" (Berman 31-32).

Los de la Action Française, en cambio, sostienen que los logros de una civilización son producidos por un grupo élite de una nación élite y que, como consecuencia, la historia se mueve en espirales de ascendente progreso

(Véase Maeztu 1933 240-241).[6] Hulme rechaza totalmente esta teoría del progreso con forma de espiral y desarrolla una perspectiva estrictamente cíclica de la historia precisamente por su nuevo interés en el arte abstracto que proviene del mundo no-occidental. Según Williams, Hulme distingue entre dos tradiciones artísticas que se alternan: la primera es "romántica", "humanista" o "vital" y se crea y se extiende de una forma masiva cuando una mayoría de la gente tiene una relación positiva con el universo (como, por ejemplo, en la Antigüedad clásica de Grecia y Roma, y en Europa del Renacimiento hasta el siglo XX); la segunda es "geométrica" o "religiosa" y ocurre en épocas y lugares donde la gente tiene un malestar o un miedo de la arbitrariedad y la confusión del mundo natural (como, por ejemplo, según Hulme, en África, Polinesia, India, China, Japón, el antiguo Egipto, Asiria, Babilonia, y la Edad Media europea). Hulme defiende los elementos abstractos de Picasso y los otros Cubistas porque reconoce la presencia de lo arcaico y lo "primitivo" en su arte y aprecia cómo vuelve la tradición "geométrica" por medio del Cubismo. Para la Action Française, en cambio, esta tradición geométrica es el resultado de culturas degeneradas de una capacidad inferior con una debilidad desordenada (Véase Berdiaeff 47-50).[7] Además, según la Action Française, el arte abstracto contemporáneo debe ser *eliminado* por la voluntad del grupo élite.

Cabe señalar ahora las enormes semejanzas entre Hulme y Cuadra en términos de sus perspectivas ideológicas y estéticas (por lo menos, en el caso de Cuadra, comenzando en la década de los cuarenta cuando padece la crisis espiritual que produce el *Canto temporal*). Williams asevera que Hulme, ya por el año 1913 y a diferencia de la Action Française, asociaba los ideales conservadores de orden y disciplina con el arte geométrico no-naturalista y las culturas no-occidentales (véase Williams 263-266). Con el paso del tiempo, Cuadra llega a compartir estas ideas estéticas. En un ensayo de su libro *El nicaragüense* (1969), Cuadra dice que el arte aborigen de Nicaragua es el producto de "una revolución estilística sólo comparable

---

6. Al hablar sobre la Italia fascista de Mussolini y la dificultad de volver a los gremios que existían en la Edad Media, Maeztu dice, "La Historia no se mueve en círculos, sino en espirales." Si hay una discrepancia entre Maeztu y Cuadra en este sentido, es mucho más importante el vínculo de la Hispanidad que los une.

7. Berdiaeff critica el arte moderno también como la "irrupción de formas bárbaras y dice que el Cubismo de Picasso 'había ya desmembrado el cuerpo del hombre y subvertido la identidad artística del hombre'".

a la de Picasso, estilizando, descomponiendo, o geometrizando el modelo animal o el humano" (Cuadra 1969 43). Cuadra señala, además, que esta expresión antigua "es un arte cifrado, es decir, que expresa su mensaje por medio de símbolos" y se refiere también a "la sobriedad de esas líneas esenciales" que son el resultado de una "simplificación o purificación de la realidad" (Cuadra 1969 40). Estas características describen la riqueza simbólica, críptica, y alegórica del arte medieval y también de un cuadro cubista como "Guernica". Hulme, por su parte, dice lo siguiente sobre lo que él define como la tradición geométrica del arte y su relación con la religiosidad:

> *La emoción que se deriva de (este arte) no es un placer en la reproducción de la vida natural o humana. El asco de las características triviales y accidentales de las formas vivas la búsqueda de una austeridad, una perfección y rigidez que las cosas vitales no tienen nunca, provocan el uso de formas que casi podrían caracterizarse como geométricas. El hombre es subordinado a ciertos valores absolutos: no hay ningún deleite en la forma humana que lleve a su reproducción natural; siempre se distorsiona para caber en las formas más abstractas que demuestran una emoción religiosa intensa* (Hulme 447).

He aquí, entonces, el impresionante hilo estético que pasa de los escultores anónimos prehispanos de la isla de Zapatera en el Gran Lago de Nicaragua por los maestros canteros sin nombre medievales de España y sigue hasta los cubistas europeos del siglo XX. Y es así, además, que Cuadra comienza a lograr la meta que se propone con *Libro de horas*: la de fusionar "el espíritu y la forma de los libros de horas medievales y la poesía y los cantos de los códices indios precolombinos" (Cuadra 1984a 63).

Pero hablemos un momento en términos claros sobre la evolución del pensamiento político-religioso de Cuadra. Lo que Guillermo Yepes Boscán ha llamado "el humanismo cristocéntrico" (Cuadra 1997a XXIV) en el *Libro de horas* llegó a concretarse en términos poéticos en el *Canto temporal* en 1943. O sea, Cuadra había abandonado su poesía por casi una década mientras escribía los libros de ensayos políticos que hemos analizado en este capítulo. Jorge Eduardo Arellano dice lo siguiente sobre el significado de este poemario de Cuadra:

> *El* Canto temporal (1943) *ya ha sido asediado desde todos los accesos críticos posibles. Por eso, sólo vamos a insistir en su fuente histórica: el impacto de la Segunda Guerra Mundial que produjo en el poeta una crisis espiritual. Ésta iba unida al fracaso del proyecto en el que se había empeñado con sus compañeros de generación y que concibió una restauración política de signo patriarcal o corporativista e inspiración cristiana* (Arellano 1991a 33).

Puede que el comienzo del Canto III de este poema confirme la idea de una derrota, de una crisis en la forma de concebir el mundo en términos políticos, sobre todo en el sentido de una búsqueda de un sistema contra el caos:

Yo quise un orden como columna gigante
— plenitud de la forma concertando la desquiciada torturante vida —,
una elevada espaciosa arquitectura de la labor y la razón,
de la actividad y sus derivados sentimientos,
del hombre como habitante, generador de sucesiones...
Queríamos la antigua satisfacción del equilibrio
— ese agudo fiel que sostiene al águila y al mirlo —.
Queríamos la comunidad de las nobles historias;
el imperial quehacer en reunidas universales certidumbres.
(Cuadra 1984a 44-45)

Evidentemente, las soluciones políticas no se prestaban a la formulación de estas "universales certidumbres" para Cuadra en ese momento de su vida. En una entrevista, Cuadra me dijo:

> *Te advierto, sin embargo, que* Canto temporal *tuvo una "inspiración" torrencial, se cargó la nube después de un período de sequía y lo escribí sin descanso. No he vuelto nunca a ser solicitado por esa necesidad de revisar mi vida y de confesarla como una liberación.... El poema revisa con melancolía juvenil, con melancolía todavía dinámica y optimista, los sueños perdidos, las derrotas; pero entre los restos del naufragio el poeta descubre que ha salvado lo más importante: el Amor* (White 1994 104).

Es decir, si el poeta rechaza lo que significa la Edad Media para la época moderna en términos políticos, guarda la fe religiosa asociada con este período y comienza a formular su *Libro de horas* para reconstruirse de una manera neo-medieval a través de la oración.

Y es en este momento también que empieza a manifestarse en la poesía de Cuadra el contradiscurso ecopoético de origen indígena, porque, curiosamente, hay una resonancia interesante entre la Edad Media europea y el mundo animista y panteísta de las diversas culturas indígenas americanas. Según Kirkpatrick Sale, "a pesar de los mejores esfuerzos de la Iglesia, todavía existían residuos en el conocimiento común en muchos lugares de Europa de que había dioses y espíritus que habitaban los elementos de la naturaleza — los árboles, por cierto, los arroyos y los ríos, los bosques, las rocas — o, en algunos sectores de la Iglesia misma, que la naturaleza era sagrada porque Dios existía en todo lo que Él creaba" (Sale 40). En el mundo medieval, asevera Umberto Eco, "bastaba mirar la belleza visible de la Tierra para apreciar la inmensa armonía teofánica, las causas primordiales, y las Personas Divinas" (Eco 57). Fue el racionalismo científico del Renacimiento, explica Sale, que intentaba comprobar que la naturaleza no poseía ninguna santidad, sino que consistía en objetos o relaciones que se podían analizar y manipular según las necesidades y caprichos del ser humano que, desde esta perspectiva, tenía pleno derecho de dominar el mundo natural (Sale 40). El movimiento de la Edad Media al Renacimiento, entonces, significaba un "desendiosamiento" de la Naturaleza porque la humanidad dejó de percibirla como algo capaz de generar símbolos y alegorías que reflejaban la mano de Dios. El resultado es una distancia cada vez más pavorosa entre los ciclos del cosmos y los ritmos humanos. En un ensayo bellísimo pero escalofriante sobre la destrucción ecológica provocada por los conquistadores en México (sobre todo el acto de quemar las enormes y diversas colecciones de pájaros vivos del Rey Moctezuma el 16 de junio de 1520) Barry Lopez dice lo siguiente:

> *No es simplemente una imagen de un tipo de locura destructiva que subyace una conquista imperialista; es también un símbolo de una incapacidad total a largo plazo de la civilización occidental de reconocer el valor intrínsico del paisaje americano, y su valor potencial a las sociedades humanas que a partir de ese momento entraron en conflicto con el mundo natural. Mientras los exploradores ingleses, franceses y españoles navegaban por las orillas orientales de América, soñando con feudos medievales, oro, y provecho político, el continente mismo ya estaba ocupado de una manera compleja*

> *de más de quinientas culturas diferentes, cada una considerándose habitantes que vivían en la tierra con algún tipo de intimidad iluminada* (enlightened intimacy) (Lopez 197).

Y en cuanto a su relación con la población indígena que los españoles colonizaron, fueron las Cruzadas medievales, según Angeliki Laiou, que formaron los valores de los europeos cristianos hacia la gente extranjera, "los Otros", que fueron caracterizados por los españoles como seres intrínsicamente malos, y, por eso, según esta perspectiva, sólo servían para ser convertidos o eliminados (Laiou 15).

Pero Pablo Antonio Cuadra, como hemos visto claramente en el capítulo sobre *Poemas nicaragüenses*, es el autor de una poesía ecoléctica. Su topografía poética en *Libro de horas* eventualmente cede a una búsqueda arqueológica, una arqueografía indígena. Es un fenómeno, en mi opinión, que va mucho más allá de la idea de "una aventura literaria del mestizaje", porque nace en la poesía de Cuadra un discurso anti-antropocéntrico, o sea, ecocéntrico (aunque sólo hasta cierto punto), cuestionando así, quizás de una manera inconsciente, una interpretación ortodoxa católica, porque, como sostiene Lynn White, Jr. en su polémico artículo "Las raíces históricas de nuestra crisis ecológica": "Sobre todo en su forma occidental, el Cristianismo es la religión más antropocéntrica que jamás se ha visto en el mundo" (Glotfelty y Fromm 9). En cuanto a la figura de San Francisco de Asís, que percibía la existencia de Dios en cada criatura viva, Kirkpatrick Sale dice que esta filosofía franciscana es muy limitada en términos ecológicos porque ignora esta existencia divina en los productos abióticos del Creador.

> *Además* — afirma Sale — *se sabe claramente que la influencia de San Francisco en la Iglesia fue casi nula; su orden Minorita fue sólidamente aristotélica y pragmática: ya en el siglo XIV, había abandonado el sentimentalismo franciscano hacia los animales; entre sus seguidores, los que afirmaban sus creencias — los Fraticelli — fueron denunciados como herejes y quemados vivos, incluso durante la vida de Francisco de Asís (Sale 79).*

Cuadra, sin embargo, conscientemente se ubica *dentro del desarrollo del cristianismo*, como afirma en su "Manifiesto Ecológico"[8] donde dice:

> *Ahora comprendemos el mensaje de radicalidad que, dentro del desarrollo del cristianismo, nos han dejado sus más señeros santos — desde un Francisco de Asís hasta un Martín de Porres — de una conducta profética de amor y exquisito respeto no sólo hacia el hombre sino hacia todas las formas de vida, a los animales y a las plantas. En nuestra educación tradicional se nos ha enseñado a ver en esa conducta de los santos algo así como tiernas excentricidades de seres excesivamente sensibles. Pero no. Ellos lo que marcan son las fronteras del amor y de la vida. El "Himno al Sol" de San Francisco, llamando hermanos al agua, a la tierra, a los frutos y a las flores, no es "lirismo" en el sentido superficial, sino poesía en su esencial significado de acto de creación. Es, por tanto, ciencia: señala el equilibrio del mundo. Esa hermandad es científicamente vida.* (Cuadra, véase la nota 8)

Estas ideas ecológicas tan contemporáneas con respecto a la plenitud, la diversidad y las interconexiones orgánicas tienen una curiosa resonancia con la Edad Media y su concepción de la Gran Cadena de la Vida (*Great Chain of Being*) de la que la humanidad formaba una parte íntegra. Pero, al final, no se puede ignorar la teología predominante de aquella época. Según Kate Soper, "el enfoque del pensamiento medieval fue el poder generador del amor de Dios al crear divinamente el más pleno de universos... al servicio de sus servidores humanos" (Soper 22-23). Un bello ejemplo de esta plenitud biológica se encuentra en el poema "Oración en el bosque" (escrito en 1993) donde el poeta invoca a Dios, "poderoso inventor de los árboles", rezando por la defensa de todas las especies vegetales regionales que en el poema se presentan como "los más bellos dibujos de la imaginación de la tierra" (Cuadra 1997a 38). La única dificultad con la posición tan hermosamente expresada en el "Manifiesto Ecológico" de Cuadra es que opera desde la marginalidad (o la "excentricidad" como ha dicho Cuadra) y

---

8. Agradecemos la gentileza de Pedro Xavier Solís, nieto de Cuadra, que nos facilitó este texto, uno de los "Escritos a Máquina" que el poeta publicó en *La Prensa*. Hasta ahora no hemos podido precisar la fecha de publicación de "Manifiesto Ecológico", pero, según Solís, podría ser de los años setenta.

no como la base aceptada y absolutamente fundamental de una sociedad entera, tal como sucede con una gran diversidad de culturas indígenas precolombinas que Cuadra busca y revela en su poesía.

Cuadra comienza a fundamentar su contradiscurso ecocéntrico indígena de una manera mucho más sutil que, por ejemplo, su discípulo Ernesto Cardenal (que vivió y estudió con Cuadra en México), autor de los *Cantares mexicanos* que forman en su conjunto un homenaje contemporáneo transformador explícito a la antigua poesía en lengua Náhuatl. Hay que recordar también que Cuadra escribió la mayoría de los poemas de *Libro de horas* (1946-1954) durante tres años de autoexilio en México (1945-1948), donde, a partir de 1937, Ángel María Garibay K., iba publicando sus estudios y traducciones de la poesía náhuatl que culminarían en su *magnum opus*, el libro pionero e imprescindible que se llama *Historia de la literatura Náhuatl*, publicado por la Editorial Porrúa en México en 1953-54. Con ambos textos, el *Libro de horas* y *La historia de la literatura Náhuatl*, abiertos y lado a lado, se puede comenzar a descubrir algunos de los secretos de la formulación del contradiscurso de Cuadra. Sería demasiado fácil y poco sabio limitarse exclusivamente a un poema como "Nocturno sobre el tálamo" en la primera sección de *Libro de horas* donde surge una voz que dice en Náhuatl:

> *"Zacuán papalotl con ya chichina"*
> *(Mariposa amarilla liba la miel)*
> *"¡Xochitl cueponqui!"*
> *(¡La flor se ha abierto!)*
> (Cuadra 1997a 69)

Es decir, la presencia de una frase en lengua Náhuatl en la poesía de Cuadra es simplemente una invitación a matizar en un nivel simbólico más profundo. Por ejemplo, al hablar del "carácter eminentemente colectivista de esta poesía" de los antiguos mexicanos y "la rigidez hierática de las imágenes, tocadas todas del resplandor de lo místico" (Garibay 98), el gran estudioso mexicano cita la siguiente traducción de un canto:

> *¿Qué meditas, qué recuerdas, oh amigo mío?*
> *¿No sientes placer en tomar cantos?*
> *¿No deseas las flores de Quien da la vida?*
> *¡Deléitate junto a los atabales:*
> *aléjate, como lo quiera tu corazón!*

Florida mariposa entre los hombres pasa:
¡que la miel de nuestras flores chupe!
Con las flores de nuestras manos, con nuestros abanicos,
con el humo de nuestros cañutos de tabaco se entrelaza
y deleitándose permanece junto a los atabales
(Garibay 103)

Garibay comenta que “el poeta a quien se habla es comparado tácitamente a la mariposa: como ella debe ser, estar allí mientras el deleite perdure, o alejarse cuando se haya evaporado. Tanta mayor importancia tiene el poema, cuanto que advertimos ya el anhelo de liberarse de la tutela de la colectividad. Ya raya en lirismo individualista ciertamente” (Garibay 103). Este análisis de un canto que podría considerarse rebelde se puede extender perfectamente al poema de Cuadra que habla de las sucesivas llegadas del amado a sus encuentros amorosos nocturnos sobre el tálamo bajo “las noches nicaragüenses [que] producen extrañas fascinaciones y trastornos” (Cuadra 1997a 69). Es decir, la presencia de una simple mariposa en el contradiscurso indígena tradicional en el poema de Cuadra confunde a propósito tanto los parámetros espaciales (¿estamos en Europa o América?) como temporales (¿experimentamos el mundo vivo de la Biblia o del reino de Netzahualcoyotl?). Ahora, quizás no sea demasiado chocante pasar entre una religiosidad rígida y colectivista (la de la Edad Media) y otra (la del imperio de los Aztecas en este caso). La gran diferencia, sin embargo, es que con su profundo estudio de las culturas indígenas precolombinas Cuadra recupera en su poesía algo que le había faltado durante muchos años después de la publicación en 1934 de su gran libro inacabado *Poemas nicaragüenses*: la tierra y el sentido de un lugar habitado por una tremenda diversidad biológica.

Se trata de un juego muy serio de ausencias y presencias, lo que se elimina y lo que se restaura. Garibay, por ejemplo, cita el siguiente canto de elogio de poetas:

Cantos de festivos, pintura de flores
viene soltando, viene desplegando: ¡oidlo!
Tiene entre mariposas y en el musgo acuático su casa
entre luces canta y llega.
Sobre luminoso sitial está erguida la Flor:
sólo flores esparce su canto. ¡Haya placer!
Floridas flautas resuenan en su casa:

allí es esperado Él: hay gozo, se canta al son de trompetas:
hay felicidad allí. (Garibay 182-183)

Garibay especula que "el poema celebra a un poeta, pero bien puede entender su primera parte de una sagrada oda al dios de la alegría, de la música y de toda belleza: Xochipilli". Dice, además, que "es muy explicable que los cristianos que recogieron este poema, como en tantos otros de la colección, hayan tratado de eliminar nombres de deidades, o sustituirlos por nombres de seres que venera el Cristianismo" (Garibay 183). Al crear un contradiscurso en *Libro de horas*, Cuadra reivindica a las divinidades indígenas cuyos nombres fueron borrados por la Conquista. En "La lucha con el ángel", por ejemplo, aparece Quetzalcóatl cuyo exilio se relaciona con el éxodo de Abraham, y el hablante del poema dice:

Dime tu nombre, tú que luchas conmigo
¿Tu nombre es Maya o es Griego,
es Náhuatl o Romano? ¿Vienes
del mar o eres aborigen?
Dime tu nombre, te lo ruego.
(Cuadra 1997a 60).

Cuadra, evidentemente, describe una lucha con un pasado indígena desconocido que intenta incorporarse (casi contra la voluntad del poeta) en *Libro de horas*, un poemario en plena transición arqueográfica.

Hay otros ejemplos claros en que opera este proceso. En "El árbol de la noche" la muchacha virgen no nombrada que es la protagonista del poema resulta ser Ixquic, personaje mítico clave de la cultura Maya en el *Popol vuh*. En este momento de su vida, ¿cómo iba a saber Cuadra cuánto le serviría el "árbol donde cuelgan las calaveras" (Cuadra 1997a 61) en *Siete árboles contra el atardecer* cuando el poeta escribe sobre el asesinato de su amigo Pedro Joaquín Chamorro en "El jícaro"? En este poema más tardío, Cuadra crea un paisaje literario de discursos y contradiscursos muchísimo más complejo, utilizando los sistemas simbólicos religiosos indígenas y cristianos. En "Nocturno sobre el tálamo" el poeta habla de:

Hombres prácticos, hechos de tosca prosa, [*que*] *fermentan el maíz*
y oyen cantar adentro del cereal el gallo del alborozo;
Indios, solemnes como príncipes,

alzan el pie en el aire y giran alrededor de las cadenciosas hembras
como giran los astros y las horas en sus musicales órbitas.
(Cuadra 1997a 69-70)

El esfuerzo ecocéntrico de establecer una relación entre lo terrestre y lo celeste encuentra su eco en *La ronda del año* donde, sobre todo en las Antífonas, la arqueoastronomía (o sea, en este caso, los conceptos astronómicos indígenas precolombinos) juega un papel tan importante, un fenómeno que corresponde muy bien al uso del Zodíaco (signos paganos, por cierto) en el Libro de Horas de la Edad Media:

El cielo y su bullicioso
enjambre de constelaciones. La rojiza
mirada de Aldeberán Yohaultecutli, ardiente
en el lecho como la hembra del leopardo.
La celeste pupila de Citlalmina
(la que dispara flechas de reojo).
O el lacrimoso
diamante de Venus Hueicatlalli, la dulce
alcahueta de las reconciliaciones.
El sembrador ha mirado en los insondables ojos de mi raza
la primera noche del mundo ¡oh noche de Tuxtla!
¡Lluviosa noche de Copán! Ha mirado el centelleante
ojo de Iztac Mixcoatl, la serpiente blanca que cruza el cielo negro
ovando los sueños de los hombres.
(Cuadra 1997a 70)

Estas convergencias, poco ortodoxas en el sentido estricto del Cristianismo, le proveen al poeta buscador el comienzo de una respuesta ontológica y literaria, una verdad difícil de aceptar, quizás, en las noches nicaragüenses que, según Cuadra, "producen extrañas certidumbres en el inestable corazón" (Cuadra 1997a 69).

Hay numerosas instancias de un diálogo a la vez intertextual e *intercultural* en *Libro de horas*, elaboraciones sintácticas realizadas, sobre todo, a través de las traducciones de la poesía Náhuatl de Garibay (de más fácil acceso en la nítida antología de José Alcina Franch *Mitos y literatura azteca*). No es nada forzado ya que, como hemos establecido, el propósito de un Libro de Horas es la oración, y, de una manera semejante, los poemas náhuas son himnos de alabanzas, la mayoría de los cuales, según Garibay, "o canta directamente a los dioses, o va impregnad[a] siempre de sentimientos y recuerdos de lo divino" (Garibay 59). Estilísticamente, claro está, se puede enfocar en características como el paralelismo, una voz que habla en primera persona singular y que luego se dirige a una segunda persona plural, como cuando aparece Cristo y habla con sus discípulos, "llamando desde Emaús, desde otras tardes, desde playas indelebles" (Cuadra 1997a 53) a orillas del lago de Tiberíades en "Cristo en la tarde":

> *¡Ah! Yo he venido. Yo he llegado con ellos.*
> *Ved que acompaño uno a uno tanto desenlace.*
> *Ved el pecho abriéndose en posada,*
> *dolorosamente roto para tu descanso de la tarde.*
> *Ved que llamo.*
> *Es mi voz la que lleva ese pájaro pasajero.*
> *Allí suena...*
> (Cuadra 1997a 54)

> *He venido, he llegado a donde se tiende el lago verdeazul:*
> *se agita, espumea, hierve, resuena estrepitoso:*
> *yo me convierto en pájaro quetzal.*
> (Garibay 105)

> *Os busco, amigos míos: recorro uno tras otro los campos cultivados*
> *y estáis aquí.*
> *Tened grande alegría, confabulad unos con otros:*
> *he llegado yo, vuestro amigo, oh amigos míos.*
> (Garibay 175)

Las resonancias entre estos fragmentos son sumamente interesantes, sobre todo si se piensa en la posibilidad de leer el poema de Cuadra como el retrato de un Cristo indigenizado (¿o una divinidad indígena cristianizada?) hablando no sólo como una parte de la cultura lacustre de Tenochtitlán sino a orillas del Gran Lago en Nicaragua.

Garibay explica que existe una íntima unión entre el canto y el baile en la poesía Náhuatl que ha estudiado tan a fondo. "El término mismo con que se designa el poema en la lengua mexicana", dice Garibay, "es de contenido musical: *cuicatl*, que es el más común vocablo, y cuya representación gráfica era la voluta de la palabra adornada de flores, cual si dijera 'palabra florecida', no significa 'poema', sino 'música con palabras' o sin ellas" (Garibay 81-82). Más adelante, Garibay presenta diferentes categorías de poesía: *Yaocuicatl* (canto de guerra), *Icnocuicatl* (canto de desolación, de orfandad), y *Xochicuicatl* (canto de flores) (Garibay 85-91). Aunque "El Jinete" podría considerarse un *Yaocuicatl*, lo que predomina en la primera sección de la nueva edición de *Libro de horas*, es la poesía de tipo *Icnocuicatl* (casi todos los poemas angustiados de "Tarde" y "Noche", por ejemplo). Pero también hay una presencia "xochicuicatlesca" importante en los poemas de "Alba" y "Mañana", la cual nos orienta otra vez hacia un contradiscurso ecocéntrico con implicaciones religiosas notables.

En cuanto a uno de los símbolos omnipresentes en la poesía Náhuatl, Garibay dice que la flor representa el canto y que su belleza es efímera. De la misma manera, los seres humanos son flores que duran poco. Por otro lado, destaca Garibay, "Privilegio del poeta es elevarse a alturas que sobrepasen lo material. Hay un atisbo de eternidad" (Garibay 89), y más adelante asevera: "Dos caracteres tiene el canto en esta poesía: *es fugaz, y hay que gozarlo; es perpetuo, y hay que eternizarlo*" (Garibay 184). Pero en la constelación metafórica de canto-flor-ser humano-eternidad puede que haya un eje de equivalencia *literal*, si se examina con cuidado la imagen de "las flores que embriagan" en un poema como "Alegraos", atribuido al rey-filósofo Nezahualcoyotl:

Alegraos con las flores que embriagan,
las que están en nuestras manos.
Que sean puestos ya
los collares de flores.
Nuestras flores del tiempo de lluvia,
fragantes flores,
abren ya sus corolas.
Por allí anda el ave,
parlotea y canta,
viene a conocer la casa del dios.
Sólo con nuestras flores
nos alegramos.
Sólo con nuestros cantos
perece vuestra tristeza.
Oh señores, con esto,
vuestro disgusto se disipa.

Las inventa el Dador de la vida,
las ha hecho descender
el inventor de sí mismo,
flores placenteras,
con esto vuestro disgusto se disipa.
(León-Portilla 75)

Jonathan Ott, en su libro *Pharmacotheon*, basándose principalmente en las teorías de R. Gordon Wasson y Blas Pablo Reko, sostiene que estas "flores que embriagan" son precisamente *ololiuhqui* (*Turbina corymbosa*), una planta sagrada de los Aztecas cuyas semillas molidas eran utilizadas en un contexto ritual como un alucinógeno por los sacerdotes de la teocracia para entrar en contacto con las divinidades y las fuerzas cosmológicas que definían todo un complejo sistema religioso (Ott 124-127, 296). En ese sentido el *ololiuhqui* forma una parte de una etnofarmacopeia extensa a través de todo el continente americano que incluye el uso de plantas como *Anadenanthera colubrina* (cebil), *Anadenanthera peregrina* (cohoba), *Banisteriopsis caapi* y *Psychotria viridis* (ayahuasca), *Brugmansia* spp., *Ipomoea sidaefolia*, *Lophophora* spp. (péyotl), *Nicotiana rustica* (tabaco), *psilocybe cubensis* (teonanácatl), *Salvia divinorum*, *Trichocereus pachanoi* (San Pedro), y *Virola* spp., entre tantas otras (Véase Luna & White, Ott, Pendell, Reko, Schaefer & Furst, Schultes & Hofmann, Torres, Wasson y Wilbert). Fowler y Ott hablan de las ranas del género *Bufo* (sobre todo *B. marinus* y *B. alvarius*) cuyas glándulas parótidas contienen el potente alucinógeno 5-MEO-DMT y bufotenina, y especula que los Pipiles utilizaban estas ranas en ceremonias religiosas (asociadas con Tlaloc, el dios de la lluvia) parecidas a las de los Quiché Maya actuales (Fowler 126-127 y Ott 178-179, 396-397). Como una parte íntegra de la conquista, los españoles impusieron una inquisición contra estas plantas sagradas rituales (por considerarlas diabólicas) y los que las usaban, torturando y asesinando a chamanes indígenas que querían seguir practicando religiones milenarias que competían directamente con el cristianismo.

Curiosamente, "Antífona del soñador" de Cuadra contiene las características de un *temicxoch*, o 'sueño florido', que experimentan los sacerdotes y también los poetas aztecas en un estado alterado después de ingerir plantas sagradas que producen un lenguaje divinamente inspirado (*tecpillatolli*) (Véase Ott 296):

Desde la sangre estamos despertando.
Hemos tejido los sueños postreros. Hacemos guirnaldas
entresoñando. Las sábanas frescas te reciben,
¡oh anuncio!, ¡oh promesa!, ¡oh serena esperanza!

— Los gallos están cantando.
No despertamos. No hay luz para recorrer
las primeras espigas, las húmedas florecillas
que nacieron a la zarza. Estamos como suponiendo
que nuestras manos tocan dulces flores.
— Y el sereno está cayendo.

No. Este canto no transcurre en el sonido.
¡Yo todavía estoy tan lejos! Tengo sombra.
Pero hay un lento trance que evapora la muerte de este sueño.
Esta es la luz aun antes de su nombre.

— Apenas su sentido.

La presencia en el poema de las guirnaldas y esas flores soñadas y reales a la vez entre los dedos colectivos de un "nosotros" produce un trance que borra los límites entre la muerte y la vida, el soñar y el despertar, lo humano y lo más que humano, es decir, un estado chamánico por excelencia. La luz proviene tanto del alba como de la mente del poeta y el poema que ha creado como intermedio entre dos mundos, algo que confirma también en "Coral de los poetas del alba":

¡Ah! ¡Ya empezó el mundo a dar su vuelta!
Los cuatro vientos han hecho girar los perfumes que reposaban.
El perfume de la luna se ha derramado en las ubres,
en los pechos de la mujer se ha derramado.
El perfume de la estrella solitaria se ha movido en las rosas,
en los labios de las doncellas ha sonreído.
El perfume del silencio ha recorrido la palabra,
en la voz de los poetas ha florecido.
(Cuadra 1997a 25)

Es precisamente esta palabra florecida (*cuicatl*) como vocablo indígena relacionado con un sentido ecológico sagrado lo que facilita la existencia *narrada* del poema-país "Himno nacional", una conciencia situada por medio de la cual Cuadra retoma el proyecto iniciado en *Poemas nicaragüenses*:

> *Mi pequeño país, entre tantos, va historiando sus flores,*
> *la difícil biografía de la golondrina,*
> *fechas de ceibos, de conejos,*
> *historias de hombres rebeldes, otros destinos*
> *en una fuente, en una comarca apenas designada.*
> (Cuadra 1997a 27)

Debido a las contracorrientes que subyacen y saturan la primera sección del *Libro de horas*, resulta imposible aceptar la excesiva ortodoxia de la introducción de Yepes Boscán de la edición de 1997 cuando afirma:

> *De allí, el equívoco que ha inducido a ver en la obra de Cuadra rasgos panteístas en el tratamiento poético de la naturaleza y, por su vinculación con ella, en la historia. Equívoco que debe ser disipado, pues, es obvio como lo demuestran no sólo una obra sino una vida de testimonio personal y social, centrado en Cristo y fiel a su Iglesia* (Yepes Boscán XXXI).

No se trata, evidentemente, de cuestionar la fe y el carácter del poeta mismo. Hay que leer estos poemas con la mente abierta: hemos demostrado la presencia de un contradiscurso indígena ecocéntrico bastante complejo en esta etapa de la poesía de Cuadra, cuyas implicaciones no se pueden ignorar. Por ejemplo, ¿es posible insistir en las cualidades seculares de "la gran madre Ceiba" como lo hace Cuadra en "Canto coral de los instrumentos de la pasión" o la ortodoxia de una "Cruz emplumada" en el mismo poema? La cuestión de la ortodoxia sí tiene validez, por supuesto, como rasgo principal de "Via crucis", "Canto final a Nuestra Señora", y también "Salmo de la Tierra Prometida" (un texto introductorio de "La ronda del año", asombrosamente deficiente en cuanto a su retrato de la llegada del cristianismo al continente americano). Pero cabe preguntar lo siguiente: ¿por qué será que, en una introducción de casi cuarenta páginas, Yepes Boscán apenas menciona los textos (con la excepción del Salmo y "Diciembre") que constituyen *La ronda del año*? ¿Acaso son poemas que en su mayoría presentan preocupaciones históricas y culturales que se escapan de los parámetros estrechos del pensamiento religioso ortodoxo? ¿Será que Cuadra agregó el "Salmo de la Tierra Prometida" (que no apareció en la edición de *La ronda del año: poemas para un calendario* publicado por Libro Libre en 1988) a la edición de 1997 como una manera de insistir en un contenido religioso que simplemente no forma una parte clave del paisaje literario de sus poemas calendáricos?

En su libro *The Environmental Imagination*, Lawrence Buell describe el uso múltiple de las estaciones y las actividades relacionadas con meses específicos como técnica literaria, una perspectiva crítica que bien podría ser aplicada a los poemas de *La ronda del año*: 1) establece un terreno común; 2) facilita una manera de hablar de cuestiones polémicas bajo el camuflaje de lo conocido; 3) destaca un sentido de forma y continuidad; 4) crea una disciplina en una estructura relacionada con el medio ambiente; y 5) nos convoca como lectores por medio de las representaciones de las estaciones a cobrar una conciencia mayor en cuanto a nuestras vidas en relación con el medio ambiente (Buell 1995 249). *La ronda del año* cumple con estos criterios porque, primero, define un medio ambiente biótico y abiótico que, por cierto, los lectores de Mesoamérica comparten, pero que también puede ser apreciado por lectores que viven lejos de esta zona ecológica en lugares con características totalmente distintas, porque lo importante es poder percibir cómo predomina y se manifiesta el ciclo natural que sea. Segundo, los poemas de *La ronda del año*, enraizados firmemente en un suelo literario que corresponde a las constelaciones tal como fueron conocidas, consultadas y veneradas por las culturas milenarias precolombinas, tratan de temas de gran controversia como explica Cuadra en una nota final: "Casi todos estos poemas se colocan bajo la advocación de un héroe... Contra el símbolo libertario del héroe, se erigen también los símbolos antagonistas del Poder ciego y sin mente: el Lagarto, el Tiburón, el Elefante, el Volcán" (Cuadra 1997a 237), éstos últimos, evidentemente, muy relacionados con un mundo más que humano. Tercero, Cuadra siempre pensaba en estos poemas como textos "proyectados originalmente como segunda parte del *Libro de horas*" (Cuadra 1997a 237), lo cual vincula *La ronda del año* con la forma y continuidad no sólo de los meses en que se divide el año sino con la estructura de un Libro de Horas medieval. Cuarto, es, sobre todo, en las Antífonas (¡bellísimas todas!) que preceden cada poema de *La ronda del año*, donde el poeta destaca los rasgos meteorológicos, culturales, y astronómicos (muchas veces de origen indígena) del medio ambiente en el contexto de su ecología humana. Finalmente, siguiendo los cinco puntos de Buell, me parece una simple imposibilidad leer los poemas de *La ronda del año* y no considerar de una manera nueva nuestra relación con el mundo que nos afecta y que afectamos.

En "Enero", y a lo largo de *La ronda del año*, Cuadra destaca la importancia de agrupaciones estelares sagradas según las religiones de los Aztecas y los Mayas, un fenómeno que caracteriza también la cultura incaica como afirman los autores de *Cusco y el valle sagrado de los Incas*:

> *No escapó entonces la civilización Inca, a ese común designio que la hizo pensar como a muchos pueblos del mundo, en la existencia de un doble o un arquetipo celeste de los seres y de los lugares donde habitaron, así como de las ciudades y los templos donde los veneraron... Formas y figuras que, recreadas en los gigantescos espacios rituales del Valle Sagrado, representaron las constelaciones situadas en las inmediaciones de la Vía Láctea o del Río Celestial, cual si este Valle y su Río fuesen su doble o su reflejo en el espejo de la Tierra* (Elorrieta 67).

En el caso del poema de Cuadra, situado en el Gran Lago de Nicaragua con todas sus costumbres lacustres, se trata del gran pez Cipactli, "sobre cuyo lomo descansan las islas" (Cuadra 1997a 113), el gran Caimán, y el Arponero-Cazador-Poeta-Libertador dibujado "con estrellas nicaragüenses" (Cuadra 1997a 229) con "el fierro en alto de puntiagudo lucero" (Cuadra 1997a 116) en un pacto ecopoético con la libertad humana.

"Febrero", el mes más corto, dedicado a la memoria del gran poeta nicaragüense Joaquín Pasos (1914-1947) y su vida trunca, habla del despeñado, Icaro, y se remite forzosamente al cuadro de Bruegel (y, claro, al poema de Auden también) en que los hombres trabajando la tierra en primer plano ignoran por completo la caída de una figura alada pequeñísima allá lejos en el mar al fondo. En el poema de Cuadra, sin embargo, esta muerte no pasa desapercibida:

> *Vimos pasar al hijo del deseo*
> *enervado,*
> *deflotante y trigal cabellera*
> *persiguiendo por las arduas colinas a la veloz fugitiva.*
> *¿Quién señaló en el valle la febril silueta*
> *rasgando con su bello grito el azul intacto?*
> (Cuadra 1997a 123)

Luego, esta silueta, este principio femenino encarnado y no alcanzado se dirige a los testigos, refiriéndose a las estrellas que sirven como doble del despeñado:

> — *No reconocen — dijo — al que besó en su aleteo*
> *la alegría, sin encadenarla,*
> *¿fue acaso más duradera la estrella*
> *que el fulgor subsistente de su labio? Ved; lo eterno*
> *sigue ardiendo oculto*
> *y pródigo llena de hermosura*
> *a quien tocó su fulminante gozo. Porque ser*
> *es frustrarse.*
> (Cuadra 1997a 124)

De esta manera, Cuadra le rinde un hermoso homenaje a su amigo y compatriota generacional que escribió al final de su vida tan breve el "Canto de guerra de las cosas".

"Marzo" (mes del belicoso Marte) es una manera de reconocer a Gonzalo Fernández de Oviedo, autor de *Natural e general historia de las Indias* en el 5° Centenario de su nacimiento. La presencia de esta figura en el *Libro de horas* tiene mucho sentido ya que, como ha dicho Cuadra, "las obras de los primeros cronistas, las primeras formas de expresión del mundo nuevo descubierto… indican que en la primera etapa de la fundación de América — la que pudiéramos llamar 'etapa primitiva' — los españoles respondieron al reto de América con un sentido todavía medieval" (Cuadra 1988b 40). El poeta "poemiza" las palabras del cronista, conservando un tono y una ortografía de antaño, al describir el volcán Masaya, la boca del infierno, símbolo cristiano por excelencia de lo diabólico:

> *Hacia el oriente de la place vese al fondo un pozo*
> *de líquido que hierbe y causa espanto*
> *un bullir o borbollar de metal que paresçe*
> *venir del profundo del infierno*
> *porque levanta ola e se alza e se deshace*
> *con gran ruido como tumbo de la mar.*
> *Y en lo alto del volcán, al borde*
> *de la horrible boca, los indios*
> *tenían sus teocales o altares*
> *e allí sacrificaban y el pueblo*

allí, dejaba ollas, e platos y ascudillas y cántaros de loça
con manjares e potajes para alimentar al monstruo
porque pensaban que todo su bien o su mal procedía
de la voluntad de este dios.
(Cuadra 1997a 132)

Para los indígenas, por supuesto, la sangre de los sacrificios humanos servía como un alimento de los dioses, un pegamento cósmico que garantizaba las buenas relaciones entre los seres humanos y el cosmos. Desde la perspectiva española que adopta Cuadra en el poema, el volcán se convierte en símbolo de la violencia irracional "porque el dios era mudo y sin mente" (Cuadra 1997a 133), una monstruosidad que oprime a su pueblo. Refiriéndose a su poema "Escrito en una piedra del camino cuando la primera erupción..." de *El jaguar y la luna*, Cuadra caracteriza al volcán como "la imagen del gigante sin mente, el dominio de la ciega potencia" (Cuadra 1969 93). Volviendo a nuestro análisis de "Marzo", de repente hay una chocante yuxtaposición temporal en el poema en que el lector se encuentra ante una imagen horrífica de un televisor del siglo XX, más bien de 1977-78, los años más duros de la etapa pre-insurreccional en la lucha contra la dictadura somocista:

y en la pantalla una mano tiró de la gaveta de la morgue
dejando ahí, entre nosotros, el cadáver:
La hermosa guerrillera de ojos grises
abiertos, como absortos
y un pequeño
profundo
negro
agujero en la mitad
de su frente
(Cuadra 1997a 133-134)

El poema termina supuestamente en la voz del cronista español que recomienda alejarse de la violencia que siempre reclama las vidas de los hijos. Esta práctica, nos deja creer Cuadra, se asemeja al sacrificio humano tan bárbaro de las antiguas culturas indígenas, y hay que evitarlo, dice, porque "la guerra no hace nuevo al hombre viejo", algo que contrasta diametralmente con la idea del "Hombre Nuevo" expresada por el ícono revolucionario (y modelo de la insurrección sandinista) Che Guevara.

"Abril" sigue indagando sobre las revoluciones, y el poeta (siempre fiel a su retrato ecocéntrico del lugar que habita) dice que la primavera nicaragüense "irrumpe, como una rebeldía, con renuevos, floraciones y frutos entre las llamas del sol: monarca absoluta" (Cuadra 1997a 139). Tal como sucede en las genealogías del Libro Primero de las Crónicas en la Biblia, "Abril" intenta establecer un linaje rebelde a lo largo de la historia y el mito, a través del espacio europeo y americano:

Este es el linaje de Abril, hijo de Marzo, el Guerrillero
hijo de Sandino y de Blanca, de Yalí, de las Segovias
a quien engendró Andrés Castro, el hijo de Septiembre
a quien engendró Amadís, el Caballero
a quien engendró Cifar, el Navegante.
Y por generación de mujer Abril desciende de Citlalli:
la del cesto de flores
— de la Casa del Rey o Casa de la Estrella —
a quien engendró Topiltzin,
a quien engendró Quetzalcóatl,
a quien engendró Ehecatl, el Viento,
— "el Encendido"— en cuya antorcha
arden el deleite y la muerte.
(Cuadra 1997a 141)

El poema también posee una energía cosmogónica porque estos héroes y sus signos luego se incorporan al medio ambiente entre toda la biodiversidad enumerada y, de alguna manera, explican la génesis de un espacio definido por el río Wa (nombre Miskito del río Coco) en el norte nicaragüense y el río San Juan en el sur. Tal como la naturaleza agreste en "Poema del momento extranjero en la selva" se encarga de expulsar a los invasores de los Estados Unidos en los años veinte y treinta, es la Primavera personificada como un mes específico que fomenta la rebelión contra la dictadura somocista en 1956 (fecha de composición del poema) y, proféticamente, en 1979:

Porque Abril levantó sus flores hirientes
y alzó a la multitud contra el palacio del tirano.
Subió el pueblo agitando sus banderas.
(Cuadra 1997a 144)

A cambio de "Marzo", en "Abril" el hombre nuevo sí "alzará su frente bajo la señal de la ceniza" (Cuadra 1997a 144). Sin embargo, hay un final trágico y pesimista porque Abril, y todo ese gran linaje rebelde que representa, muere asesinada por balas traidoras, ¡eternamente! Pero renace perpetuamente también en "Mayo". Cuando le pregunté a Cuadra en una entrevista sobre el mes más difícil de elaborar entre la serie de poemas que constituyen *La ronda del año*, me respondió de la siguiente manera:

> *"Abril" me costó bastante y es el más logrado en cuanto a originalidad y correspondencia entre fondo y forma como. decían los clásicos. Yo había hecho un esquema del poema y no me salía con esa unidad de fondo y forma. Me acuerdo mucho de ese combate conmigo mismo, porque yo, desde el primer momento, quise expresar abril por las quemas que se hacían en el verano de Nicaragua como una "primavera de fuego". Después, con la primera lluvia de mayo, de las cenizas y lo negro salía la vida. Es muy impactante ese cambio. Es también un símbolo de la identidad del nicaragüense. Pero me costó. La resistencia, en su lucha con la mediocridad, levanta la calidad. ¡Cuántas perezas rebajan la calidad del poema y luego ya es tarde el arrepentimiento! ¡Dicen que son necesarios diez poemas buenos para borrar la impresión de uno malo!* (White 2000 83).

"Mayo", precisamente, es una defensa escrita de la escritura, mejor dicho, de la literatura, o sea, de la poesía, el único género que importa realmente en Nicaragua, donde brota como una parte perenne e imprescindible de la identidad nacional. En la "Antífona" Cuadra apoya esta idea cuando dice: "La literatura nicaragüense despierta con los primeros aguaceros. Renace en la poesía la tierra patria al son de las arpas de la lluvia" (Cuadra 1997a 150). El poema, cuyo subtítulo es "Oratorio de los 4 héroes", describe las acciones heroicas de Rafaela Herrera, José Dolores Estrada, Rubén Darío y Augusto C. Sandino casi siempre a través de imágenes lingüísticas presentadas en primera persona en las voces de los personajes históricos. Dice Rafaela:

> *—Yo disparo cañones por palabras.*
> *Defiendo nombres para que no sean sustituidos.*
> *Disparo para que un niño escriba siempre:*
> *Sébaco, Santiago, Camoapa, Momotombo, Colibríes.*
> (Cuadra 1997a 152)

Sigue Estrada:

— *Esta espada escribe una República.*
De la boca del hombre que afirma su espíritu
ha nacido esta espada. Enciende el fuego
del Verbo.
Esta espada defiende el sustantivo.
(Cuadra 1997a 153)

Rubén, que estableció con su obra radicalmente innovadora nada menos que la independencia cultural de Hispanoamérica en relación con España, aparece en "Mayo" como pirata de la poesía:

— *He saqueado ciudades — dice.*
He asaltado adjetivos y adverbios en los mares,
traigo palabras para un siglo!
(Cuadra 1997a 153)

La meta de Darío, que consiste en una defensa de la lengua española americanizada contra su futura destrucción potencial debido a la hegemonía de la lengua inglesa, proviene del muy conocido verso dariano de "Los cisnes": "¿Tantos millones de hombres hablaremos inglés?" (Cuadra 1997a 153, Darío 263).

Sandino representa otro aspecto del lenguaje y sus intersticios, ya que muchas veces es más importante ocultar el significado de las palabras que revelarlo, tal como dice en "Mayo": "La guerrilla es silencio" (Cuadra 1997a 154). Por eso, no es la voz del General de Hombre Libres que escuchamos en el poema sino la de la persona que se encarga de enseñar a las futuras generaciones de poetas:

— *Niños, nos dice la maestra:*
¡Hay que ponerse de pie!
¡El guerrillero ha puesto una emboscada
a las palabras que oprimen, ha derribado
los nombres que avergüenzan!
(Cuadra 1997a 154)

El contexto escolar del poema merece la atención porque es por medio de la educación que el discurso de "las palabras que oprimen" encuentran un contradiscurso ecocéntrico en la forma de palabras-semillas libertarias y literarias que "caen en los surcos" (Cuadra 1997a 154) que siempre se abren durante este mes a la espera de la lluvia porque "la lengua cruza en Mayo/del silencio a la palabra" (Cuadra 1997a 151). Por cierto, el poema está dedicado al poeta nicaragüense extraordinariamente precoz Carlos Martínez Rivas, que escribío "El paraíso recobrado" a los 19 años en 1943, poema poderoso en que el poeta hace un viaje con una mujer: "Más allá de la nube y el relámpago./Más allá de las constelaciones" (Martínez Rivas 28).

La "Antífona" de "Junio" cierra entre las estrellas: "Mixtcoatl Ohtli — la Gran Serpiente Blanca —, el Camino de Santiago de nuestros campesinos, la Vía Láctea, brilla refulgente", y el poema mismo, empapado y lleno de vitalidad sexual, comienza con otra imagen estelar: "Limpios los astros desovan en la noche" (Cuadra 1997a 158 & 159). Es en "Junio: la Mestiza" donde Cuadra intenta forjar la más perfecta unión de las dos vertientes culturales que se manifiestan en su poesía: indígena y española. El narrador del poema y Junio (la personificación femenina, sensual y fértil de este mes) se encuentran "debajo del aguacero/refugiados en el árbol conyugal" (Cuadra 1997a 159). No es de sorprender que este árbol sea el Malinche, nombre histórico ligado al mestizaje:

Las aguas han hecho crecer el río
y ha roto la bocana.—"Llévame
a la otra orilla", me dice Junio la Mestiza
y veo detrás de su rostro sus dos trenzas
como dos razas
como dos noches
como dos historias insondables y antiguas.
(Cuadra 1997a 159)

"Junio: la Mestiza" es una entidad abierta en cuanto a sus significados y, por eso, sujeta en el poema a múltiples transformaciones transculturales que incluyen, por ejemplo, Diana, Démeter, Cipactónal y Chalchiuhtlique y, además, mujeres que se asocian con las pérdidas de las "patrias" de Troya (Elena), Tula (la hija del rey muerto) y España (Cava, que estaba con El Cid, guerrero medieval por excelencia).

Tal como sucede en el poema "India" de *Poemas nicaragüenses*, el hablante lírico de "Junio: la Mestiza" objetiviza a la figura femenina, convirtiéndola en terreno sexualizado y fuente pasiva de los elementos culturales que las civilizaciones utilizan para definirse:

La lluvia te desnuda.
La lluvia esculpe tu cuerpo
y la geografía nace de ti.
El paisaje eres tú. El alfarero
sorprendió tu cuerpo
y moldeó el ánfora y la tinaja.
La lira nació de tu cintura
y la guitarra.
De tu talle brotó el soneto.
De tus pechos
la cúpula y el arco...
Es el delta, que en griego es triángulo:
— sexo del mundo y principio de la vida —
Y en babilonio es "pu" que significa a la vez vagina y fuente del río.
(Cuadra 1997a 160)

Sería difícil categorizar estos versos líricos como poesía ortodoxa de acuerdo con preceptos cristianos que más bien rechazan la sensualidad explícita de este tipo como pecado. Por un lado, sin embargo, el esfuerzo de Cuadra de simbolizar a la naturaleza como una mujer describe la idea cristiana en pleno apogeo colonial de subyugar a la tierra y explotarla como objeto. Además, como asevera Carolyn Merchant, el resultado de la combinación de la tecnología, la ciencia y la masculinidad ha sido la explotación no sólo de la tierra sino de la mujer también (Véase Merchant 1982). Este concepto cristiano de origen aristotélico propone la superioridad de la forma (como principio masculino) sobre la materia (como principio femenino). Pero tampoco hay que olvidar, según David Pepper en *Modern Environmentalism: An Introduction*, que podría ser erróneo pensar que el manipuleo violento de la naturaleza americana por parte de los europeos tuviera que ver más con atributos cristianos que con simples incentivos comerciales durante la etapa inicial mercantilista del período colonial (Pepper 159). Por otro lado, la presencia indígena en este poema de Cuadra crea un contradiscurso ecocéntrico (¿y también anti-feminista?) que presenta la posibilidad del animismo y la veneración de la naturaleza no como un acto herético en contra de las enseñanzas cristianas, sino como antigua práctica religiosa que reconoce y mitifica el principio de la vida como "la diosa fértil — la de las piernas abiertas" (Cuadra 1997a 160).

"Julio" se caracteriza por medio de una leyenda popular nicaragüense sobre la constelación que forma una Carreta mágica que atraviesa los cielos nocturnos halada por bueyes muertos y llevando a un boyero dormido que despierta cada cien años. Para Eduardo Zepeda-Henríquez, el mito de la Carretanagua:

> *nos remite a esa otra Edad Media de la conquista y la colonización americanas. Por eso puede hablarse, de algún modo, hasta del "goticismo" de la carreta, como que en realidad se trata de un vestigio noble — "estilo" popular nicaragüense —; verdadero vestigio de la construcción artesana de espíritu medieval y, por lo mismo, simplificada y comunitaria.* (Zepeda-Henríquez 27)

El poema, además de demostrar un origen medieval a nivel simbólico, también destaca una poderosa oralidad (ligada también a la cultura popular de la Edad Media) que Cuadra fija con el texto del poema que la encierra:

> *En la noche de Julio los campistos se reúnen. ¡Míralos! Sentados en sus pellones, alrededor de la palabra. Calientan café en el fuego. Luceros de agudos élitros chirrían. Zumban mosquitos y sacuden sus largos crines los potros. ¡Bájate! ¡Saluda a los jinetes! Son hijos de Chontales. Éste es Villagra, campisto de Acopaya, tejedor de guruperas y de jáquimas, que tejió también las hermosas zagas de nuestros orígenes. Este otro es Astorga, el guerrero de Septiembre por cuya hazaña tus hijos son ahora libres. Este otro es Juan Rejano, el cantor de Teustepe. Y ese otro, llámalo Gaitán, el juigalpino: custodia tus leyendas. Son aquellos a quienes Rubén llamó Centauros. Ellos hablan de Julio, el boyero. Escucharon en el bosque sin sendas el sordo rodar de la carreta náhual. Cuentan su historia...* (Cuadra 1997a 169)

Esta situación se asemeja a lo que ocurre en "El Jenísero" de *Siete árboles contra el atardecer* donde Cuadra explica más ampliamente la referencia al poema "Coloquio de los Centauros" de Rubén Darío.

En “El Jenísero” los campesinos que se reúnen alrededor del árbol para conversar y luego seguir sus innumerables viajes son verdaderos cronistas, mensajeros y forjadores de lenguas nuevas:

Y rescataba la figura ecuestre de aquellos centauros anónimos
que llenaron sus ojos de caminos y distancias.
De comarca en comarca llevaron la crónica y la lengua
(primera fusión del Náhuatl y del Castellano
— ¡oh, tejedores de dialectos! — ellos hicieron
la futura lengua de la aventura que Darío devolvería a España!)
Esparcieron la semilla de la libertad y las estrofas del romance,
comunicaron a los pueblos como correos del amor y de la política.
(Cuadra 1987a 77)

Seguramente, estas figuras de la llanura de Chontales, galopando por un paisaje abierto, trasladándose de una parte a otra, facilitando la comunicación y preservando la cultura tradicional oral, le recuerdan a Cuadra los centauros de Rubén que se juntan para conversar sobre todas las cosas del cosmos y luego siguen su viaje:

> *y por el llano extenso van en tropel sonoro*
> *los Centauros, y al paso, tiembla la Isla de Oro.*
> (Darío 207)

Puede que haya cierta similitud entre la Nicaragua del siglo XX y sus persistentes tradiciones orales en lugares aislados y los estudios de Milman Parry en Europa oriental que confirmaron para él sus sospechas de que los textos de Homero existían como parte de la oralidad y que el gran poeta griego ciego o un grupo de poetas utilizando la figura ficticia de él fijaron la oralidad como textualidad en un período histórico específico.

En “Julio”, como en todos los poemas de *La ronda del año*, hay una gran preocupación con la manera de narrar, o sea, de historiar las relaciones terrestres-celestes, a veces entre diferentes culturas (“Pero llegan los extranjeros, los malditos!/Y trasladan a la tierra los peligrosos astros que ruedan en la noche” (Cuadra 1997a 170). Se reflejan y luego se confunden los dominios de los hombres y los dioses. Sus verdades se interpenetran y se interpretan. Se entrelazan los caminos terráqueos y estelares. Nacen los puntos de una astrogeografía arcaica y contemporánea a la vez:

En el cielo de Julio nocturnas abejas elaboran constelaciones.
En el altísimo silencio las palabras
son astros, (sumergidos
en el sueño los amantes pasan)
son pájaros,
son lágrimas, (atascados
en el fango los generales matan)
y la corneja grazna a la siniestra.
En el cielo
de Julio, el boyero cruza en su carro
las tinieblas rurales.
Una luna húmeda alumbra a veces
sus bueyes muertos
y se oye el golpe de las ruedas sobre piedras invisibles y el sonido
quejumbroso de sus ejes
desgastados por el tiempo.
(Aúlla el perro
los caballos nerviosos amusgan las orejas).
Lleva siglos errante.
— de camino en camino —
soñándose inmortal pero dormido.
Ahora cruza el neblí de las noches segovianas
cruza las selvas del Este
— tinieblas chorotegas entrelazan sus ramas verdinegras
con los húmedos helechos de las tinieblas mayas —
cruza los montes de Oluma y el sagrado
valle de Cuapa; cruza Mancotal;
Somoto, la cima de Kilambé,
los llanos de Acoyapa, Matiguás y sus montes;
cruza la isla de los dos volcanes ceñida por las olas dulces,
mi bella ciudad blanca (ya perdida)
y la ciudad de Darío y el oscuro
río patrio del Sur y los parajes
del Güegüence: Diriomos

Dirianes

Niquinohomos

Todos han oído
sobre las ruedas del tiempo que nunca se detiene
cruzar la noche el sueño que detiene al tiempo.
(Cuadra 1997a 167-168)

Estimados lectores, disculpen la cita tan extensa, pero aquí estamos en la presencia de la altísima poesía de un verdadero maestro y no hay que interrumpirle, sobre todo ahora que no está entre nosotros y está entre nosotros más que nunca "bajo la húmeda luna de Julio" con sus jinetes: "Al hombre no lo encierra el tiempo / pero cabe en un momento" (Cuadra 1997a 174).

Entre las preocupaciones mayores temporales en la poesía de *La ronda del año*, se encuentran las reflexiones sobre las vicisitudes del poder. Como ha dicho Cuadra en una nota que ya mencionamos, su estrategia como poeta consiste en erigir elementos del mundo natural, como el Gran Caimán en "Enero", el volcán en "Marzo", el elefante en "Agosto" y el tiburón que aparece en su poema sobre el mes de "Septiembre" para que sirvan como simbolizaciones alegóricas de la política humana. Evidentemente, hay una larga tradición de utilizar la naturaleza como una fuente de símbolos que reflejan un mundo antropocéntrico. El mundo natural, de acuerdo con la cosmología de la Edad Media, el período histórico que nos interesa en este capítulo, era una serie de analogías creadas por Dios que servían para ser interpretadas y luego usadas para instruir a los seres humanos. El riesgo de presentar de esta forma el caimán, el elefante y el tiburón (y también los protagonistas en "Escrito sobre el 'Congo'" de *Poemas nicaragüenses*), sin embargo, consiste en la pérdida de su capacidad de actuar y de existir como sujetos autónomos (pero vinculados a un ecosistema mayor) con sus propios propósitos. Es decir, cabe preguntarse si a veces la naturaleza en la poesía de Cuadra funciona como un escenario ideológico, la pantalla de un mundo verde donde se puede proyectar la alegoría social.

Al hablar de la evolución de la literatura pastoral y su transformación de acuerdo con la ecocrítica, Lawrence Buell sostiene: "Mientras esta reposesión ecocéntrica de la literatura pastoral haya ido acumulando fuerzas, su centro de energía ha comenzado a cambiar de una representación de la naturaleza como un teatro de eventos humanos a una representación de intercesión a favor de la naturaleza como una presencia en sí misma" (Buell 1995 52). Como una manera de crear una nueva ética post-humanista, Christopher Manes propone un "lenguaje de humildad ecológica" (Glottfelty

& Fromm 17), algo que ya existe en los poemas de Cuadra en que se manifiesta lo que hemos llamado un contradiscurso ecocéntrico cuya fuerza proviene de las creencias mesoamericanas precolombinas.

Tomando en cuenta estas ideas en cuanto a la simbolización, sigamos con nuestro análisis de los próximos dos poemas de *La ronda del año*. En una nota a "Agosto", Cuadra aclara que la historia del elefante proveniente de un circo que se disuelve después de un crimen está basada sobre hechos reales que ocurrieron en Comalapa en Chontales (Cuadra 1997a 232). El epígrafe vincula el elefante con un emblema del poder romano (una moneda) pero Cuadra quiere que el símbolo funcione para representar a cualquier sistema político que venga del extranjero y luego intente imponerse contra la voluntad de un pueblo. Como la fecha de composición del poema es de 1981-82 (yo leí la versión definitiva en julio de 1982 cuando le entrevisté a Cuadra en Managua), naturalmente la historia de Nicaragua de esa época nos remite a los conflictos entre Cuadra y el gobierno sandinista que llegó al poder por medio de una insurrección popular en 1979 y luego, según Cuadra, se desvió hacia una imitación peligrosa de un modelo revolucionario cubanizado y rusificado aplastante y muy poco nicaragüense:

> *A lo que nos oponemos es a un estatismo que se nos crezca como un monstruo. No queremos otra vez gigantes, así se llamen Stalin, Mao o Fidel.... Queremos que nuestra revolución responda al reto de nuestra historia con una respuesta nicaragüense sacada de nuestra originalidad nicaragüense e hispanoamericana.... Nosotros dimos un Sandino, por ejemplo, y en la guerrillera Sandino fue un creador. Por algo tuvo una atracción mundial su figura. Dimos un Rubén Darío, y hemos dado otras figuras menores, poderosas y originales también, y una poesía valiosa por su originalidad. No creo que esa veta ya esté gastada y que vayamos a entrar a una decadente limitación de lo realizado por otros países, culturalmente grises, y cuyos resultados socio-económicos están muy lejos de ser un modelo de éxito* (White 1994 106, 107, 111).

En "Agosto", Cuadra describe la aceptación inicial del elefante por los vecindarios seguida por el cuestionamiento de la presencia del animal tan fuera de lugar:

El pueblo lo hizo suyo.
Amó su forma huérfana, sin orígenes,
que convertía en habitual lo exótico...
Comenzamos a notar que nuestras casas reducían su estatura,
que nuestros árboles degradaban la elevación de sus anhelos,
que crecía un dominio,
que crecía la incontrolable fascinación de lo gigante...
Los sembradores dijeron: "Pisotea nuestras milpas".
Las vivanderas del mercado: "Destruye nuestros tiangues".
(Cuadra 1997a 181)

Al final del poema, en una escena que recuerda la filmación de la muerte de Frankenstein, la multitud se levanta "con gritos/con piedras/con antorchas" y echa el elefante del pueblo "al cenagoso páramo" donde se hunde "por su propio peso" (Cuadra 1997a 181).

A diferencia del monstruoso elefante en "Agosto" que se rechaza por no pertenecer al paisaje nicaragüense tanto en el sentido zoológico como alegórico, el tiburón que protagoniza "Septiembre" forma una parte íntegra (en términos biológicos e históricos) del mundo del Gran Lago de Nicaragua, donde *Carcharhinus leucas* se adaptó a la geografía del país para convertirse en una especie ictiológica del mar con la capacidad de vivir en agua dulce. Cuadra, que habla en tercera persona sobre su poesía con una rara astucia, agrega una nota para que no haya malentendidos en cuanto a sus intenciones como poeta. A veces, sin embargo, es como si el poeta no confiara en la capacidad interpretativa de los lectores de "Septiembre":

> *Para los nicaragüenses es el mes patrio y Cuadra, en los siete cantos de este poema, traza los principales cuadros de la dramática historia de su pueblo, convirtiendo al Tiburón en símbolo del Mal que "va y vuelve", depredador y mensajero de la destrucción y del homicidio. El niño devorado por el escualo es "el hijo de Septiembre", el nicaragüense, y el poema todo es una persecución contra este "Moby Dick" de agua dulce, que anida en el Gran Lago y que sale al mar y retorna representando la agresión de los imperialismos y codicias de todos los signos* (Cuadra 1997a 233).

¿Hay algo más que decir? Claro que sí, porque el poema va mucho más allá de este resumen esquemático.

Primero, siempre opera en el poema una aguda conciencia de *lo anterior*, una versión poetizada de la historia personal y de la comunidad imaginada de un país con distintas vertientes culturales. En la "Antífona" hay referencias a las fechas perennes que surgen cada año en Septiembre: la llegada de Colón al Cabo Gracias a Dios al comienzo del siglo XVI, y dos fechas del siglo XIX — el día de la Independencia y el día de la batalla de San Jacinto cuando el filibustero de los Estados Unidos William Walker quedó derrotado. En el epígrafe, el historiador Dávila Bolaños nos lleva a un pasado más remoto cuando explica que el origen etimológico del nombre Náhuatl del Gran Lago — Cocibolca — es Coatl-pol-can, o sea, lugar de la gran sierpe. En el canto introductorio, con sus capas temporales complejas, hay una presencia genesíaca de los Chibchas que llegaron antiguamente a Nicaragua desde el sur:

Creyeron los de la lengua mangue que la Noche,
todavía doncella, tropezó cuando transportaba
el ánfora de la luna. Y derramó estas aguas pálidas, dulces, donde
el niño
que yo fui
se asoma por mis ojos
y lee sin cansancio el arcaico himno
de las olas — en el Principio
fue el verso — olas: estrofas
para idiomas inéditos, ritmos
que modelaron, como un caracol
el laberinto del oído.
Un niño vuelve al vientre. Vuelve infante
al aire llorado de los peces: aves húmedas
sin canto
y pluma endurecida por una crueldad purísima.
Aquí ova la muerte desde el principio
su silencio incesante. Aquí
la siniestra aleta — al filo de la luna
rasga la tersa superficie del génesis.
(Cuadra 1997a 187)

En esta bellísima y extraordinariamente bien elaborada introducción, hay un movimiento de la vejez del hablante lírico hacia la niñez y luego un retorno al vientre, donde el feto se convierte en pez que navega los ritmos y las estructuras poéticas de todas las lenguas, el sistema fonológico tan importante en la adquisición de cualquier idioma. Pero el niño no se prepara para un futuro nacimiento necesariamente porque no habita un santuario seguro por causa de la presencia amenazadora del tiburón que, a partir de la creación del mundo, ha penetrado la psique de la humanidad al pasar de las aguas del "mar interior" de Nicaragua a las aguas maternas del vientre en que nada el feto indefenso.

Cuando el tiburón mítico devora al hijo de Septiembre de sucesivas generaciones, el evento primordial queda grabado en un petroglifo indígena:

— O Cipactli — dijo el anciano
recordando al temible advenidizo, hijo del mar,
y levantó su lámpara
iluminando la roca del acantilado
donde una mano india grabó hace siglos
su crónica rupestre...¡la misma historia!
Cinco círculos dentados y en el centro
el rostro de un niño!
Porque es antiguo
e inmutable.
Sale al mar
y retorna. Atraviesa
los impenetrables líquidos millones de la edad devónica,
— nada en el génesis —
y vuelve
— siempre el mismo — y siempre
oyes esculpido en el viento o en la roca
¡el grito!
(Cuadra 1997a 189)

Este grito de horror arcaico que se repite es lo que subyace toda la historia de Nicaragua. El poema repasa la presencia de los diferentes piratas del siglo XVIII que, sucesivamente, destrozaron a Granada, la ciudad del poeta en las orillas del Gran Lago, y también, un siglo después, la presencia devastadora de William Walker, cuyos ojos se asemejan a los del tiburón:

La luz de la ventana ilumina el pálido rostro de Walker.
(Mañana será otro rostro — porque va y vuelve)
Han implorado misericordia por los condenados a muerte.
(La siguen implorando)
Es la misma luz verdosa de las aguas profundas
y no oyen las palabras crueles del extranjero
sólo ven sus ojos fríos — Carcharhinus leucas — la impasible pupila.
(Cuadra 1997a 193)

En el canto seis de "Septiembre", Cuadra utiliza la misma técnica de la sinécdoque para enfocarse en el ojo de otra figura con una decisiva (y para Cuadra, nefasta) influencia en el desarrollo de la historia contemporánea de Nicaragua. Lo hace por medio de una conversación imaginada sobre el origen del tiburón con Fidel Castro:

— Me apasiona esta tierra — dijo
Y el ojo vivaz, inquisitivo, preguntando por el selacio de las aguas dulces.
Y abajo acechando desde la profundidad,
la otra mirada,
el implacable ojo...
(Cuadra 1997a 194)

En el canto siete, el último del poema, sigue el mismo enfoque ocular aumentado o universalizado para que el ojo frío del tiburón abarque "mares de todas las tiranías" (Cuadra 1997a 196), pero ahora en relación con la rica biodiversidad del Gran Lago como ecosistema y con la evolución. Esta vez, y no de una manera simbolizada y figurativa sino *literalmente*, los peces corresponden a otras especies migratorias que vienen de otras partes y coexisten en un lugar con una tremenda inmediatez que Cuadra caracteriza como un "puente sobre volcanes" (Cuadra 1997a 195). Es en este momento, cuando Cuadra crea una *correspondencia igualitaria* entre las especies (y no pesa tanto la simbolización antropocéntrica del tiburón) que "Septiembre" realmente cobra un valor ecocéntrico. Al final del poema, los peces, los árboles, las flores, los pájaros y los seres humanos son todos peregrinos que comparten y se afectan mutuamente en esta región biótica:

Pueblos del Norte llegaron a la puerta de tu casa.
Pueblos del Sur entraron a tu alcoba. Eres el hijo
del éxodo y como tú los peregrinos

árboles cruzan tus selvas...
Aquí, como las aves y las lenguas, vienen
los migratorios peces, soñadores
de rutas ¡peces — misteriosos exilios — especies que
cruzaron de isla en isla tanto silencio hasta este
íntimo mar en el pecho de tu Patria!
(Cuadra 1997a 195)

El poema sigue con una fuerza enumerativa de las distintas especies de peces como, por ejemplo, el Gaspar, el Sábalo del Sur, el Pez-Sierra (cada uno con su forma particular de sobrevivir) y también:

los que remontan los ríos,
de colores que soñarían los ahogados

— *Guapotes, Mogas, Mojarras, Laguneros* —
los que descienden de la sal

— *Guabinas, Sardinas, Sabaletes*
¡aves húmedas sin canto!
¡Pero, he aquí! la velocidad y la potencia
— Carcharhinus leucas — *latín de erres ásperas*
para su piel de lija cinco hileras de dientes,
elástico, incansable en la agresión y en su ojo
frío
mares de todas las tiranías.
...Entonces huyen.
Se hunde en la arena la Machaca,
Se eriza el Bagre. Salta el Sábalo.
Huyen...
(Cuadra 1997a 196)

Ahora el tiburón sí existe en el poema más como sujeto autónomo en el medio ambiente no-alegórico que le corresponde, pero sin perder, por supuesto, esas otras connotaciones ya establecidas en los cantos anteriores de "Septiembre".

Los últimos versos (antes de la Coda) de este poema largo escrito en Granada en 1983 contienen el retrato de un desconocido que viaja en navío:

Súbitamente la delgada quilla
corta el tiempo y se abre en dos el mar para tu éxodo.
¿De quién huyes?
— En tu corazón llevas tu tierra.
Y a donde vayas transportas tus exilios.
¿De quién huyes?
Y volví el rostro.
Y vi en la estela espumante la ominosa sombra:
"Por cargada de velas que vaya la nao
— dice Oviedo —
le va siempre el tiburón a la par".
(Cuadra 1997a 197)

La irrupción del yo al final del poema sugiere que el hablante lírico no es, de ninguna manera, exento de las presiones históricas que categoriza a lo largo de "Septiembre", y, de hecho, puede que el poema profetice el exilio del poeta que abandonó su país de 1986-1989 porque le resultó insoportable vivir bajo el hostigamiento sandinista. La Coda es una especie de receta farmaceútica bíblica (del Libro de Tobías, hijo de Tobit, el Deportado de Tibé) basada en la idea del Bien que se elabora del Mal. En este caso, la hiel, el corazón y el hígado del gran pez muerto le servirán al poeta como remedio existencial y como una manera optimista de terminar el gran poema "Septiembre: El Tiburón".

A diferencia de "Septiembre" en que el enfoque histórico es más bien nicaragüense, en "Octubre" el poeta adopta una mirada hacia la conflictiva relación entre Hispanoamérica y España. Este poema sobre el décimo mes del año comienza con un epígrafe del poeta peruano César Vallejo de un poema lleno de fervor solidario con la República española durante los años de la guerra civil en que España aparece como madre y maestra. A continuación, para establecer la identidad de la voz de "Octubre: Canto España" como la del abuelo español que le va a enseñar al poeta, Cuadra cita de las "Palabras liminares" de Rubén Darío de *Prosas profanas y otros poemas*, un texto en el cual surge la enorme complejidad de las distintas herencias culturales en Hispanoamérica:

> *¿Hay en mi sangre alguna gota de sangre de África, o de indio chorotega o nagrandano? Pudiera ser, a despecho de mis manos de marqués...*

(Si hay poesía en nuestra América, ella está en las cosas viejas: en Palenke y Utatlán, en el indio legendario y el Inca sensual y fino, y en el gran Moctezuma de la silla de oro...)

El abuelo español de barba blanca me señala una serie de retratos ilustres: "Este — me dice — es el gran don Miguel de Cervantes Saavedra, genio y manco..." (Darío 180)

A través del tema del mestizaje se puede ver una vez más que Darío es el padre literario de Cuadra, hijo leal pero proclive a momentos rebeldes: de tal palo, tal astilla. Cuando Maeztu describe (justo en la época en que Cuadra se embarca en su propia guerra santa neo-medieval) a Darío como el poeta de la Hispanidad, dice que "Rubén fué el hombre que forzó la puerta, para que lo hallaran los americanos, a través de la cultura universal. Hizo las dos cosas prohibidas: elogiar a España y confesar su sangre indiana" (Maeztu 1934 170). Cuadra, por su parte, dice que "Darío se niega a considerar los dos factores del mestizaje como antítesis, como contradicciones desgarradoras, y los une iniciando una síntesis" (Cuadra 1988b 93). Opina Cuadra también que "lo permanente en la poesía de Rubén es su misteriosa obsesión — de raíz indígena — por concebir la unidad como dualidad" (Cuadra 1969 14).

"Octubre", entonces, traza esta dualidad unitaria por medio de tres personajes ficticios, tres Giles de sucesivas generaciones que se extienden aún más al final del poema para que el texto abarque la historia de América desde la llegada de los conquistadores españoles hasta las luchas de la Independencia de Bolívar. El primer don Gil proviene de Extremadura:

Creyó encontrar en Indias como feudo un reino.
Murió en un catre de varas en Tustega
rodeado por sus diez indios encomendados
y por Josefa Potoy su india,
soñando en su retorno a España
con oro y perlas, pregonado por la fama...
(Cuadra 1997a 204)

Su hijo, don Gil segundo, se distinguía ecocéntricamente de su padre porque:

plantó sus pies como raíces en tierra de pan llevar
e dexia que un pie suyo era extremeño zapaterrones

e el otro indio, sembrador de milpas.
Y fue territorial como un árbol...
(Cuadra 1997a 205)

Este don Gil más bien se entregaba a las "noches nicaragüenses, cuyas estrellas/imaginan otras fábulas/y danzan otras músicas" (Cuadra 1997a 205), y habitaba plenamente un lugar donde reconocía que los pájaros tenían nombres, e incluso cantos, chorotegas. Su heredero, don Gil tercero, en cambio, como tenía ganas de educarse en Europa, partió a España, y, a pesar de sentirse más español que los españoles estando allí, experimentó el racismo y el desengaño:

...Y fue el indiano.

Le vieron la pluma del indio bajo el sombrero
y un sospechoso relumbre judío en sus doblones...

(¡Oh loco imperio! Allá del mar
tu gloria es el mestizo y el cristiano nuevo,
aquí la limpieza de sangre y el cristiano viejo!)
(Cuadra 1997a 208)

Lo que le salva a don Gil tercero de la desilusión completa a raíz de sus malas experiencias en España es su lectura de *El Quijote* de Cervantes y el reconocimiento de las futuras posibilidades lingüísticas que se abren a través del mestizaje (¡como Darío, por supuesto, y Cuadra también!) porque, evidentemente, se forja el contradiscurso libertario por medio de la lengua castellana modificada y enriquecida enormemente por haber incorporado la carga verbal indígena de América:

Y cerró el libro
y dijo: ¡Ánimo, don Gil!
América es la tercera salida del Quijote!
Así fue este don Gil, vecino de León de Nicaragua.
Su lápida la cubre la ceniza de un volcán.
Su rostro lo cinceló el idioma.
Y fue padre de don Gil
-poblador de Piura

Abuelo de don Gil
-poblador de Quito
Bisabuelo de don Gil
-soldado de Bolívar.
(Cuadra 1997a 209)

A propósito de luchas por la libertad, como se ve al final de "Octubre", "Noviembre" no es un poema dedicado a Sandino como podría parecer, sino, como explica Cuadra, a Miguel Ángel Ortez, "el valiente joven guerrillero que entusiasmaba a toda la juventud de esos años" (Cuadra 1997a 233-234). Cuadra comenzó a escribir "Noviembre" en 1938 (por eso, es el poema más antiguo de la nueva edición de *Libro de horas*) pero luego lo abandonó sin retomarlo hasta 1950, convirtiéndolo así en otra baja, junto con los poemas más abiertamente sandinistas de *Poemas nicaragüenses*, en la batalla neo-medieval y corporativista que Cuadra libró por una década a través de los libros *Hacia la cruz del sur* (1936), *Breviario imperial* (1940), y *Promisión de México y otros ensayos* (1945) como ya hemos mencionado.

Valdría la pena aceptar la sugerencia de Cuadra y comparar "Noviembre" con "Miguel Ángel Ortez", "un hermoso soneto de Manolo Cuadra, compañero de Pablo Antonio en el Movimiento de Vanguardia" (Cuadra 1997a 234). A diferencia de sus compatriotas generacionales (como, por ejemplo, José Coronel Urtecho, Pablo Antonio Cuadra, Luis Alberto Cabrales, Joaquín Pasos y otros) que sostenían ideologías fascistas, Manolo Cuadra (1907-1957) era el único poeta que militaba en un partido político de izquierda — el Partido Trabajador Nicaragüense. Curiosamente, a pesar de combatir como raso y operador de radio de la Guardia Nacional durante la intervención de los Estados Unidos de 1927-1932 y la lucha contra Sandino en la Nueva Segovia, Manolo Cuadra, según opina Julio Valle-Castillo, escribió "algunos de los mejores poemas que, por exaltativos de los héroes y de la gesta anti-intervencionista, son también de los primeros logros en la búsqueda de una expresión poética nicaragüense, como los sonetos 'Miguel Angel Ortez', 'Romance burlesco de Don Pedro Altamirano', 'Visión heroica de la Nueva Segovia' y el poema 'Solo en la compañía'" (Valle-Castillo 24). Dentro de la estructura tradicional del soneto, en "Miguel Ángel Ortez" (compuesto en "Quilalí, Guerra de Las Segovias, 1932") Manolo Cuadra demuestra un manejo sutil del lenguaje popular — coloquial y directo — y lo hace con una tremenda frescura y un buen sentido de humor:

No porque en Las Segovias el clima fuera frío,
tuvo este Miguel Ángel, en las venas horchata.
Cierto que cuando niño, supersticioso y pío,
sonaba en las purísimas su pito de hojalata.

Pero ya crecidito, cuando el funesto trío,
permitió que a la patria hollara gente gata,
en nombre de la selva, de la ciudad y el río,
protestó Miguel Ángel, la cutacha, la reata.

Murió en Palacagüina peleando mano a mano,
bajó desde las nubes más de un aeroplano
y tuvo en la cruzada homéricos arranques.

Usaba desde niño pantalones de hombre,
y aun hecho ya polvo, al recordar su nombre,
se meaban de pánico los yanques.
(Manolo Cuadra 117)

"Noviembre" de Pablo Antonio Cuadra, en cambio, es un poema más metafísico, abstracto y fatalista (marcado por lo Definitivo y lo Ineludible) con propósitos elegíacos relacionados, según el poeta, con el "ambiente funerario de Noviembre, mes de difuntos en la liturgia católica y de hojas que caen" (Cuadra 1997a 234). Es la diferencia, quizás, entre un poema escrito a los 25 años (en el caso de Manolo) y los 38 años (en el caso de Pablo Antonio), porque al principio de los años treinta, cuando Pablo Antonio tenía más o menos 20 años, él también tenía una etapa sandinista como en "U.S.M.C.", o en el poema más juguetón "Intervención (poema para pegarse en las paredes)" que pertenece a la sección de "Primeros Cantos Nacionales" de *Canciones de pájaro y señora*:

Ya viene el yanqui patón
y la gringa pelo é miel.
Al yanqui decile:

gojón

y a la gringuita:

veri güel.
(Cuadra 1983 93)

En todo caso, "Noviembre" refleja una mayor madurez poética que desconfía en el fervor del grito de los guerreros caídos que "llenó el calendario de batallas" porque estas fechas vuelven de una manera cíclica y perpetúan la tristeza de la sangre derramada:

¡rosas del pueblo!, las alfareras
tocan el tiempo y ven su mancha púrpura,
duración que ya no tiene sostén,
silencio que invade y borra la comarca
mientras ellas lloran, ¡ay!, y sus manos
vuelven mecánicas a girar las negras ánforas del mes mortal.

Dejad que el barro encierre su historia en signos,
que Noviembre seque el barro con su ululante quejido.
El guerrillero muerto fue llevado a su cabaña
y sólo una rosa roja lenta se repite
en las ánforas indias. (Cuadra 1997a 216)

Y es en los últimos versos de este poema donde se atisba el interés literario de Cuadra en la cerámica indígena precolombina (rasgo principal de *El jaguar y la luna*, y tema del próximo capítulo) con sus historias kinéticas pero congeladas a lo largo del tiempo como en el poema célebre de Keats, porque "Noviembre" también trata la Verdad y la Belleza, pero bajo un signo trágico.

El *Libro de horas* termina donde comienza, como ya hemos señalado, con poemas marianos, un gesto emotivo que recuerda "Exvoto a la Guadalupana" de *Poemas nicaragüenses* y su profunda inquietud de entender mejor el significado de un pasado indígena cuando el poeta se dirige a María y le pregunta:

¿Por qué escogiste al indio que llevamos
adentro de nuestros ojos? ¿Por qué buscaste el fondo
de esta sangre, el origen de esta permanencia?
(Cuadra 1983 136)

Pero aún en "Diciembre: Nuestra Señora del rebozo azul", su poema calendárico más religioso, el poeta reflexiona sobre su proyecto literario neo-medieval. El *Libro de horas*, en su forma completa, le costó a Cuadra casi una vida entera para construirlo, y es algo (¿monumental?) que le produce un momento duro de incertidumbre y de auto-crítica:

Tras de la huella de los héroes
se han hecho sangre nuestros pensamientos.
Hemos querido construir el "aquí"
— un ancho, un alto
edénico "aquí" nunca satisfecho —
y relevamos nuestros brazos, cansados
de sostener el estrellado toldo,
el infinito peso de lo finito.
Y llamamos al mármol a detener nuestro cansancio.
Llamamos al bronce. O a la palabra
que también, por su propio peso, cae.
(Cuadra 1997a 222)

El *Libro de horas* de Cuadra, aunque no se compone de poesía religiosa ortodoxa exclusivamente, podría considerarse, sin embargo, un libro de *oración* y también de *veneración ecocéntrica*. Pero, claro, ese ecocentrismo tiene un origen indígena y sirve como un contrapeso al discurso antropocéntrico cristiano. De hecho, el *Libro de horas* demuestra que los seres humanos y sus culturas son, como dice Lawrence Buell, "productos ecocontextuales" (Buell 2001 130). Los poemas calendáricos, sobre todo, son textos que corresponden en cuanto a su contenido a lo pictórico de un Libro de Horas medieval tradicional, porque sus grandes preocupaciones no son religiosas, sino históricas. Describen más bien las *percepciones* rurales relacionadas con las estaciones y el paso del tiempo cíclico. Es decir, tanto los poemas de *La ronda del año* como las miniaturas que ilustran un Libro de Horas demuestran una forma de vida ecocéntrica, y de alguna manera complementan las plegarias intercaladas en el libro. *La ronda del año* refleja hasta cierto punto el esfuerzo de Felipe Guamán Poma de Ayala en *El primer nueva corónica y buen gobierno* donde creó un calendario cristiano e incaico a la vez basado en la estructura del Libro de Horas medieval al comienzo del siglo XVI en el Perú (Véase MacCormack).

Tanto Darío como Cuadra crean de la Edad Media una época paradigmática en sus obras y buscan la forma de rescatar algunos elementos espirituales medievales para enmarcar y ordenar un mundo caótico. Francisco López Estrada, en su libro *Rubén Darío y la Edad Media* cita a Darío escribiendo en *Los raros* sobre Fra Domenico Cavalca (1270-1342): "Cuando en nuestra Bolsa el oro se cotiza duramente, cuando no hay día en que no tengamos noticia de una explosión de dinamita, de un escándalo financiero, o de un baldón político, bueno será volar en espíritu a los tiempos pasados, a la Edad Media" (López Estrada 161). La gran diferencia entre los dos poetas, sin embargo, en cuanto a su manera de tratar la Edad Media, es que el espíritu medieval dariano es casi siempre algo filtrado por la suavidad romántica de movimientos artísticos y literarios del siglo XIX como el Prerrafaelismo mientras en Cuadra las aristas medievales son de la piedra durísima de una intensa fe religiosa que abarca dos mundos: el de las estatuas divinas de la Isla Zapatera en el Gran Lago de Nicaragua y el de las catedrales góticas de España.

3. *EL JAGUAR Y LA LUNA*: LA SIMBOLIZACIÓN DEL MUNDO MÁS QUE HUMANO

EL jaguar y la luna posee una fuerza chamánica porque es un libro de espíritu cosmogónico, lleno de transformaciones y vuelos de conciencia hacia el interior de un paisaje, en las palabras de David Abram, "sensual y psicológico a la vez, el sueño vivo que compartimos con el alto halcón, la araña, y la piedra en cuya superficie áspera brotan los líquenes en silencio" (Abram 10). El quehacer del chamán-poeta en esta obra clave de Pablo Antonio Cuadra (que significaba para él una verdadera revelación y ruptura estilística), consiste en actuar como intermedio entre los mundos de lo humano y lo más que humano, buscando mantener, cuidadosamente, equilibrios y soluciones de índole ecocéntrica. Es un proceso que produce muchos aliados y también adversarios en el mundo natural (entre los cuales Cuadra destaca el jaguar, la serpiente, el águila, el murciélago, y también el sol, la luna, los astros, el viento, los volcanes, los ríos y la lluvia) porque el ser humano, de acuerdo con sus limitaciones, nunca será capaz de realizarse si actúa sin vínculos íntimos y a la vez conflictivos con la flora, la fauna y las fuerzas naturales del medio ambiente que habita. Cuadra aprendió a forjar estas relaciones biocéntricas a través de su asimilación (sobre todo del libro fundamental de Samuel Kirkland Lothrop *Pottery of Costa Rica and Nicaragua* (1926)) de los diseños de la cerámica precolombina de los Nahuas y Chorotegas, principalmente, aunque también de ciertos rasgos del arte de la cultura Maya. Como veremos a lo largo de este capítulo, el proceso de la simbolización literaria en los poemas de Cuadra (por medio de la sinécdoque y el desdoblamiento del yo en relación con el mundo más que humano) se relaciona íntimamente con ciertas técnicas ultilizadas por los indígenas para crear su cerámica y sus esculturas de piedra (como, por ejemplo, la convencionalizacíon y la creación del "alter ego", términos artísticos que se explicarán más adelante). *El jaguar y la luna*, una serie de 33 poemas compuestos en 1958-1959,[1] representa una colectividad mítica, una Anterioridad, el acceso a la cual depende del conocimiento chamánico "anterior a mi canto/anterior a mí mismo" (Cuadra 1983 145) como explica Cuadra en "Poema del momento extranjero en la selva" de *Poemas nicaragüenses*, un poema cuya versión definitiva debe ser considerada de la misma época de, o incluso posterior a, *El jaguar y la luna*. Este espacio literario cosmogónico creado por Cuadra por medio de antiguas simbolizaciones mesoamericanas se presta, sin embargo, para caracterizar el mundo contemporáneo con sus tiranos sanguinarios, sus paisajes contaminados, y también nuestras inquietudes existenciales actuales tal como si fuéramos nosotros, seres del siglo XXI, los que apareciéramos pintados en la cerámica indígena que constituye *El jaguar y la luna*.

Puede que no estemos del todo muy lejos de algunos conceptos de la Edad Media que hemos analizado en el capítulo anterior sobre el *Libro de horas*, ya que, según Umberto Eco en *Art and Beauty in the Middle Ages*, los medievales habitaban un mundo "lleno de referencias, recuerdos y significados implícitos de la Divinidad y las manifestaciones de Dios en las cosas" (Eco 53). En el caso de *El Jaguar y la luna*, la tradición que recupera Cuadra es la de los dioses nahuas, pero el contenido emotivo de esta obra se asemeja al *asombro* cristiano medieval ante un mundo re-encantado por un sistema simbólico que había reemplazado a los dioses romanos que en su momento reemplazaron a los dioses griegos. Además, las imágenes del mundo natural grabadas y pintadas en la cerámica precortesiana corresponden hasta cierto punto a los símbolos medievales porque, en las palabras de Eco otra vez, "la interpretación simbólica básicamente tiene que ver con cierta concordancia y analogía de esencias" (Eco 55).

---

1. Una nota que acompaña la edición de 1984 de este libro explica la historia de su publicación: "En 1959 el autor publicó una edición personal de *El jaguar y la luna* con sólo una selección de estos poemas y con ilustraciones también de inspiración indígena dibujadas por el mismo autor... En 1971, Ediciones Carlos Lohlé de Buenos Aires, Argentina, publicó el poemario completo, que es el que hoy publicamos con algunas correcciones, excluyendo el poema "Códice de Abril" que pertenece al libro *Tun — La ronda del año* que integra el Volumen VII de esta colección". (Cuadra 1984b 59)

Cabe preguntarse, incluso, si *El jaguar y la luna* no es una versión contemporánea nahualizada de un bestiario medieval. Tanto en la cerámica de las antiguas culturas indígenas como en las colecciones de animales fantásticos de la Edad Media, hay una multitud de animales que se apiña en la conciencia humana, demostrando así una amplia y libre interpretación de la historia natural. Es más, se puede aplicar estas ideas a la arquitectura de las catedrales europeas medievales y los templos mesoamericanos antiguos al considerar estas estructuras como vastos zoológicos de piedra, cuyas simbolizaciones divinas del mundo más que humano, le ofrecían al individuo una manera de descifrar lo sobrenatural. Según Paul Shepard en *Thinking Animals: Animals and the Development of Human Intelligence*, los animales en la Edad Media eran "una herramienta a través de la cual la multiplicidad de la experiencia humana se externalizaba, convirtiéndola en algo que se podía percibir y ordenar", una idea que también ilumina el pensamiento indígena (Shepard 179). "Por un lado", sostiene Eco con una caracterización de los símbolos medievales que también tiene mucho que ver con las imágenes pintadas y grabadas de las culturas indígenas de Mesoamérica, "las personas poco sofisticadas descubrieron que era fácil transformar sus creencias en algo visual, y, por otro lado, los teólogos y maestros mismos construyeron imágenes para aquellas ideas que las personas comunes nunca habrían podido comprender en su forma teórica, o sea, las imágenes visuales eran la literatura de la población laica" (Eco 54).

Se trata, al final, de una relación estrecha y sagrada entre los seres humanos y los animales en todas sus manifestaciones. Edward O. Wilson, uno de los grandes naturalistas contemporáneos, ha propuesto la idea de la *biofilia* para definir la tendencia humana innata de enfocarse en la vida y los procesos vitales. Stephen Kellert , el co-autor de este polémico estudio que se entitula *The Biophilia Hypothesis*, explica que la biofilia se relaciona con una necesidad que va mucho más allá del bienestar físico para abarcar *todo* lo que anhelamos para realizarnos como seres humanos. El contacto íntimo con el medio ambiente y su biota viva forma parte de nuestra herencia evolutiva y nuestra salud genética. No se trata del instinto, afirma Wilson, sino de "un complejo de normas para aprender", y sostiene además que "mientras el lenguaje y la cultura se expandieron, los humanos también utilizaron los organismos vivos de diversos tipos como una fuente principal de metáfora y mito; es decir, el cerebro evolucionó en un mundo biocéntrico" (Kellert y Wilson 20 & 32). Los dos autores destacan también que:

> *El uso de la naturaleza como símbolo se refleja críticamente tal vez más en el desarrollo del lenguaje humano y la complejidad y comunicación de ideas fomentadas por esta metodología simbólica. La adquisición del lenguaje parece ser facilitada por la capacidad de generar distinciones y categorizaciones refinadas. La naturaleza, como una rica taxonomía de especies y formas, suministra un vasto tapiz metafórico para la creación de diferenciaciones diversas y complejas (Kellert y Wilson 51).*

¿Cuál es la relación, en este caso, entre la rápida extinción actual de las especies neotropicales (por causa de la humanidad) y las necesidades biofílicas? Gary Paul Nabhan y Sara St. Antoine aseveran que "los genes para la biofilia ahora tienen menos estímulos (*triggers*) para impulsar su plena capacidad de expresión entre las culturas contemporáneas cuando se comparan con las del pasado" (Kellert y Wilson 233). Y este fenómeno, lógicamente, será cada vez peor en cuanto se disminuya la riqueza de la biodiversidad.

Estas ideas relacionadas con la ecología, a pesar de lo que podrían pensar, quizás, algunos lectores, contribuyen a un entendimiento cabal de la literatura, sobre todo la poesía ecocéntrica de Pablo Antonio Cuadra. El murciélago, por ejemplo, que aparece en "El mundo es un redondo plato de barro" en *El jaguar y la luna* como un animal devorador asociado con la muerte que "desea extraer tu sombra" (Cuadra 1984b 87, véase también Guido Martínez 85-86) y también en "El Jícaro" en *Siete árboles contra el atardecer* como habitante de la temida Casa de los Murciélagos, resulta ser el polenizador no sólo del jícaro sino también – y en este caso como *único y exclusivo* polenizador – de la ceiba, árbol sagrado de la cultura Maya que une el cielo, la tierra y el inframundo. Como ha señalado Elizabeth P. Benson, la observación de los murciélagos colgados de este árbol apoya la creencia que estas criaturas nocturnas transitan entre la tierra de los vivos y los muertos (Benson 53). Así nace el sistema simbólico de un pensamiento religioso que le da forma al *Popol vuh* y luego, a su vez, influye en la poesía de Cuadra y tantos otros escritores cuyas obras se nutren del medio ambiente que les rodea.

Muchos de los poemas en *El jaguar y la luna* intentan acercarnos como lectores al punto analógico y cosmogónico del encuentro entre lo humano y lo más que humano, el mismo espacio genesíaco donde el lenguaje humano tiene su origen. Aunque los animales pueden considerarse como agentes de la naturaleza traducidos a símbolos de la cultura, Kellert y Wilson nos recuerdan algo tal vez demasiado evidente: en el mundo contemporáneo, nuestras percepciones simbólicas de los animales han reemplazado el contacto directo con los animales mismos. Hemos dejado de entender, por lo general, las verdaderas naturalezas de la fauna ni le reconocemos ninguna característica mitopoética. Sin embargo, la biofilia verdadera, como un concepto llevado a un extremo del contínuo donde existe con diversos grados de aceptación cultural, sería, quizás, nada menos que el panteísmo de las sociedades indígenas prehispanas, culturas que practicaban el sacrificio ritual de animales y humanos para asegurar una relación fructífera con el mundo más que humano.

Al afirmar la importancia de las relaciones mitobiofílicas en *El jaguar y la luna*, Cuadra logra crear con sus poemas y dibujos una arqueografía que se proyecta hacia el presente. Mucha de la correspondencia de los años 1958-59 entre Cuadra y el gran escritor católico Thomas Merton (cuya influencia profunda en el desarrollo de la poesía nicaragüense todavía no se ha estudiado debidamente) habla precisamente de *El jaguar y la luna* en un contexto sociopolítico contemporáneo, ya que Merton (conocido en el monasterio trapense como Fr Louis) traducía algunos de estos poemas al inglés mientras Ernesto Cardenal (Fr Lawrence) estaba con él en Gethsemaní, Kentucky donde Merton servía como Maestro de Noviciados. Al final, salieron catorce de estas traducciones de *El jaguar y la luna* en la revista *New Directions Anthology* en 1961 bajo el cuidado de James Laughlin, el legendario editor de Ezra Pound y William Carlos Williams. A una carta que Cuadra le escribió a Merton el 1 de noviembre de 1958, el poeta nicaragüense agregó tres hojas escritas a máquina con el título "Datos para llegar al Indio, a Fray Louis". Merton le había pedido algunas pistas para una posible introducción a las traducciones al inglés que preparaba y Cuadra respondió, ofreciéndole el siguiente resumen de *El jaguar y la luna*:

> *He querido llamar los poemas de* El Jaguar y la luna *"poemas para escribirse en cerámica" porque la más directa inspiración de ellos es plástica y siento que tales poemas son* las correspondencias actuales *a las figuras, dibujos y verdaderos poemitas plásticos que ellos pintaban en sus vasijas de barro. En tal sentido creo que tales poemas resultan el primer esfuerzo por poner en marcha en poesía el legado indígena plástico, des-arqueologizándolo, despojándolo de lo muerto, de lo*

pasado y arcaico y sólo dejando subsistir lo que aún es viviente y subsistente y universalizable desde mi tierra y de mi tiempo (Cuadra, apuntes incluidos en una carta a Thomas Merton, 1 de noviembre de 1958).

Cabe destacar la importancia del verbo "desarqueologizar" en esta declaración porque Cuadra quiere rescatar algo que va mucho más allá de los huesos y vestigios fragmentados de culturas antiguas como señala al final de su poema "La calavera de…":

> *¡Ah! Mis cantos*
> *¿serán también arqueología?*
> *Investigadores*
> *cavan el lugar de mi sueño.*
> *Oigo sus términos. Escucho.*
> *No dicen: "Amó como nosotros".*
>
> *Miden mi cráneo.*
> (Cuadra 1984b 121)

Sin embargo, fue el gran estudio pionero de dos volúmenes del arqueólogo Lothrop sobre la cerámica que le permitió a Cuadra enfocarse en Nicaragua, la región que más le interesaba, y, en su carta a Merton del 1 de noviembre de 1958, Cuadra habla de la necesidad de localizar su conocimiento regional, de penetrar los significados apenas perceptibles y a veces invisibles del paisaje *nicaragüense* y sus habitantes indígenas anteriores:

> *Mi primer trabajo fue reducir del gran legado Tolteca, Olmeca, Maya, Azteca, Inca, americano, a lo que más directamente era mío. Introducirme al arte de los antiguos pobladores de Nicaragua. Embeberme en los Nahoas o nahuas y en los Chorotegas. Estudiar sus expresiones pictóricas (en cerámica) y escultóricas (en piedra) para posesionarme del espíritu y del sentido artístico con que ellos miraron el mundo y sus cosas al expresarlas. Y ayudarme de los viejos textos de poemas indios para encontrar auxilio en las formas verbales de expresión usadas por ellos"* (Cuadra, carta a Thomas Merton, 1 de Noviembre de 1958).

Esta preocupación plástica de Cuadra refleja su profundo interés en buscar y también crear puentes entre lo visual y lo escrito, o sea, en considerar lo pictórico como escritura y viceversa. Cuando le pregunté a Cuadra en una entrevista sobre los rasgos estructurales que relacionan la cerámica y la poesía Náhuatl con *El jaguar y la luna*, el poeta me respondió:

> *Donde más claro lo puedes ver es en el poema "Mitología del Jaguar". Es decir, si tomo una pintura del jaguar hecha por el indio en una olla, resulta que la pintura es una estilización reducida a sus líneas esenciales. Vemos un triángulo y el triángulo encierra el ojo del jaguar (que es como el ojo del tiburón) y una especie de garra. Veo que el indio busca la esencia del animal y todo lo demás lo aparta en su pintura. Se vuelve como un símbolo o como una metáfora. En el poema hablo por último del ojo, de los hombres que rieron de todos esos mitos y del astro que los dioses colocan y encienden en las cuencas vacías del jaguar. Me refiero a la "atroz proximidad" de ese astro porque también el ojo del tigre es un ojo peligroso, lleno de odio. Son de esos animales que ya supieron lo que es el odio. Y el indio lo capta y con esa fiereza define al jaguar...*
>
> *Me propuse una pregunta: ¿Cómo consiguió el indio, qué estilo expresivo comunal está expresando al hacer esa reducción de la potencia de todo animal a su esencia en un sólo símbolo o en dos? Me refiero a las dos identificaciones principales del jaguar: el ojo y la zarpa. El indio hace una síntesis. Eso busqué yo: la cosa más reducida precisa y certera que se podría expresar. Y la receta estaba en los dibujos indígenas. Eso nos fue guiando para crear. Yo me volví lector tremendo de libros arqueológicos. En ese año* (sic) *salió la obra de Lothrop que está muy ilustrada y es una maravilla como fuente de inspiración con los dibujos indígenas que trae. Y después fui viendo una diferencia fundamental: el Maya era todo lo contrario del Náhuatl. Mientras el Náhuatl iba desnudando hasta dejar la esencia, el Maya ponía esa esencia pero la iba recubriendo. Es como si el Maya cultivara, a lo Zurbarán, las telas del traje, mientras que el Náhuatl cultivaba la desnudez* (White 2000 80).

En "Mitología del Jaguar", efectivamente, se ven estos ejemplos de la sinécdoque, el tropo que consiste en tomar la parte por el todo, a través de la piel, la zarpa y el ojo del animal. La meta del poeta refleja la actitud artística del México antiguo que Paul Westheim ha definido como "el realismo mítico" (Westheim 1965 228). Es decir, las partes esenciales del jaguar que destaca Cuadra tienen, además de una potencia zoológica realista basada en la observación cuidadosa del mundo natural, una fuerte carga mitopoética. Se trata de la creación de un animal sagrado y peligroso que, en las palabras de Elizabeth P. Benson, "denotaba un poderoso *status* político, militar y religioso para los indígenas precolombinos" (Benson 46). Por eso, la simbolización del jaguar es un proceso analógico que establece vínculos *literales* entre el animal y la naturaleza de la que forma parte: la piel *es* "musgo sensitivo y viviente" y los ojos encendidos "en las cuencas vacías del jaguar" (Cuadra 1984b 63-64) *son* astros. La última imagen estelar del poema y el grito de los rebeldes que le precede —"¡dioses!... leeremos en los astros/la oculta norma del Destino" (Cuadra 1984b 64) — demuestran, claro está, las correspondencias que existen entre lo celeste y lo terrestre pero también la suma importancia de la astronomía para las culturas indígenas, como señala Westheim: "La observación de las estrellas, su aparición y desaparición, su regularidad y sus aberraciones — esto es la base de todo el conocimiento de la vida, del pensamiento, sobre todo del pensamiento religioso" (Westheim 1965 11). Por medio del jaguar y los ritos que lo celebran, los astros llegan a la tierra y rondarán hambrientos por las florestas de la noche para siempre.

Westheim asevera que, como la meta del arte del México antiguo "es la de crear símbolos, tiene que emplear elementos formales que expresan lo inexpresable, lo incomprensible, lo que no se puede captar por medio de los sentidos. Utiliza la fórmula, el signo de virtud mágica, y, por eso, una forma asociada con la realidad o lo no-simbólico simplemente no le sirve a su propósito". El símbolo, sigue Westheim, deshace lo representado para llegar a un entendimiento de significados más hondos: "Gracias al símbolo, la imaginación se convierte en algo productivo, capaz de concebir lo inconcebible, lo divino". Finalmente, es por medio del proceso de la simbolización, según Westheim, que el arte prehispano "alcanza su forma espiritualizada pura, una expresión no de la naturaleza sino de la ley natural que el cielo revela al arte, en el cual se percibe lo eterno y se ancla la forma teogónica" (Westheim 1965 44-45).

Simbolizar en el arte indígena y en *El jaguar y la luna* significa, entonces, esencializar y luego también *convencionalizar*, o sea, destacar ciertos rasgos y después exagerarlos o simplificarlos o estilizarlos hasta que sean (por lo menos para nuestros ojos occidentales contemporáneos) formas abstractas en las representaciones. En cuanto a los diseños de la Cerámica Luna (cuyo nombre proviene del apellido del dueño de la hacienda cerca del pueblo de Moyogalpa en la isla de Ometepe donde J. F. Bransford estudió esta cerámica en 1881), Lothrop cree que, "aunque son tomados de prototipos animales, aparecen por lo general como netamente geométricos, y las formas de los animales sólo pueden ser reconocidas por medio del estudio de los pasos de la convencionalización que los produce" (Lothrop 1926 387).

La relación entre lo pictórico y lo escrito en *El jaguar y la luna* representa un movimiento complejo de la tradición oral a su transformación en algo visual (lo cual produce los diseños de la cerámica indígena) que Cuadra a su vez convierte en textualidad en sus poemas. Sobre el impacto de esta estrategia de escribir, José Coronel Urtecho ha dicho lo siguiente en una de sus *Tres conferencias a la empresa privada*:

> *Pero a mi ver, el más estrecho contacto poético de lo contemporáneo con lo precolombino lo ha establecido Pablo Antonio Cuadra en su realmente mágico y talismánico pequeño libro de poemas* El jaguar y la luna, *traducido por Thomas Merton y publicado recientemente por la ya famosa Unicorn Press de Carolina del Norte. En ese libro nicaragüense y pre-nicaragüense, claramente enigmático y casi ideogramático o casi jeroglífico, es a mi parecer donde realmente se conjugan los signos y los dibujos de la cerámica aborigen de Nicaragua con las palabras y los conjuros o las encantaciones que la lengua nicaragüense no ha podido callar y ha venido tratando de decir y en realidad diciendo, desde hace mil años en nahual y en español, es decir en nicaragüense* (Coronel Urtecho 115).

En poemas como "Una nueva cerámica india", "Escrito junto a una flor azul", "Vaso con jaguar para el brindis", "El mundo es un redondo plato de barro", "Urna con perfil político", "Urna Nahoa para una mujer", y "Poema en la noche de aniversario de dos amantes" Cuadra insiste en esta relación explícita entre cerámica y poema, buscando la manera de animar por medio de la palabra escrita un objeto que para los indígenas estaba vivo en términos espirituales. Los diseños convencionalizados de la cerámica no son de ninguna manera estáticos sino formas cuyas cualidades kinéticas Cuadra reconoce y desarrolla como si fueran una serie de breves películas (al contrario de lo que sucede en el poema de Keats sobre los amantes congelados que aparecen en una urna griega). Este proceso, para el artista y también para el poeta, como explica Cuadra, depende de la capacidad creativa de poner el signo en movimiento:

> *El artista nicaragüense estiliza sus formas disminuyendo cada vez más sus asociaciones con la realidad. Por un proceso de purificación de las formas naturales llega al signo: a lo esencial del objeto. La sobriedad de esas líneas esenciales estimula la imaginación, lo sumerge mágicamente en el acto creador del Arte.* (Cuadra 1969 40)

Estos signos en los poemas de *El jaguar y la luna* muchas veces describen las dificultades fundamentales de la existencia humana:

> *Entonces*
> *vino un hombre*
> *con su mecapal lleno de ollas*
> *— Esta tinaja tiene*
> *un signo nuevo — dijo*
> *y la alcé en las manos*
> *y vino el llanto*
> *a mis ojos: el signo*
> *estaba escrito*
> *con la sangre del pueblo.*
> (Cuadra 1984b 67)

> *En el glifo*
> *del puro existir*
> *mis signos*
> *vienen del olvido*
> *y van a lo inefable*
> (Cuadra 1984b 71)

Los signos, entonces, son irreductibles, sí, pero inquebrantablemente trágicos y enigmáticos.

Lothrop también destaca un rasgo distinto de la escultura nicaragüense: "en el arte de los pueblos mexicanos y los Mayas una *figura animal* se retrata con una cabeza humana entre sus fauces; las estatuas nicaragüenses representan una *figura humana* con su cabeza encerrada entre las fauces de un animal que lleva en su espalda" (Lothrop 1926 91). Cuadra define este concepto mitobiofílico del *alter ego* en el arte aborígen pre-nicaragüense como:

> *el* otro *como fundido con el ser humano, o encaramado sobre la espalda, la cara humana dentro de las fauces del animal, o el animal agobiando — como una carga sobre la cabeza y hombros — al hombre... Los Zinacantecos y Chamulas de Chiapas — tan vecina culturalmente de la Nicaragua chorotega —, todavía creen que Dios coloca la misma* chulel *en el embrión del hombre y en el de su* nahual *al nacer, y que lo que le suceda al hombre le sucede a su* chanul *(que puede ser coyote, mono, jaguar, etc.*(Cuadra 1991b 1 & 2).

La identificación personal del ser humano con las estrategias de adaptación de una especie específica a través de la cultura oral y las tradiciones como el *nahual* ayudan a eliminar el aislamiento del mundo natural desde el nacimiento, borrando las fronteras entre lo humano y lo más que humano y produciendo una valoración positiva de lo silvestre en el léxico de las culturas indígenas y sus formas de cuidar y trabajar la tierra. Además, como afirma Paul Shepard:

> *La fauna interior revela un dominio de animales intermediarios dinámicos que encarnan y representan lo que normalmente le permanece oculto al ser consciente. Confirman el ser como* vivo *en su interior —una comunidad de seres que son congruentes con el mundo vivo exterior que necesitan para desarrollarse como individuos en términos cognitivos* (Shepard 1993 282).

La transformación, la experiencia del *alter ego* como espíritu acompañante o co-esencia — ese contacto múltiple con lo que Shepard llama *therioform others* —, a diferencia de lo estático, se acerca más a las cualidades proteicas de la vida que debe entenderse como un proceso amplio, biocéntrico, y no exclusivamente humano. Según Elizabeth P. Benson, "las criaturas con cabezas de animales y un cuerpo humano, que tienen gestos humanos y llevan ropa humana pueden ser ritualmente enmascarados y/o seres humanos chamánicamente transformados, o, lo más probable, seres míticos que fueron imitados en los rituales, ya que los rituales son por lo general una nueva actuación del mito" (Benson 9). Todo esto juega un papel clave en *El jaguar y la luna*, libro en que la poesía misma facilita el movimiento fluido de seres transformados y simbolizados entre distintos planos de existencia.

Donde mejor se aprecia este desdoblamiento del yo en *El jaguar y la luna* es en "El dolor es un águila sobre tu nombre", donde el hablante lírico es un guerrero que intenta entender su relación con el *alter ego* que lo acompaña siempre, incluso contra su voluntad:

> *¿De quién es mi dolor, si lo rechazo*
> *y me pertenece? Cargo*
> *a mi espalda el águila y su ojo*
> *fija a mi nombre el ser. Mas soy*
> *el otro que huye de su garra y llevo*
> *a mi espalda el águila. Libertad*
> *es tormento.*
> *Aferrada a mi carne*
> *su garra me despierta*
> *para asegurarme que vivo.*
>
> *Pero su grito es mortal.*
> (Cuadra 1984b 81)

En este poema, Cuadra abandona cualquier trato superficial de este fenómeno, como, por ejemplo la configuración simplista del *alter ego* como guardián protector para, al contrario, indagar en la compleja psicología de la relación entre la figura humana y su co-esencia conflictiva. El águila del mito azteca, el que aparece en la bandera mexicana, es el águila dorada (*Aquila chrysaetos*), símbolo del poder militar. Según Elizabeth P. Benson, los guerreros del águila tomaban cautivos para el sacrificio y se guardaban los corazones de los sacrificados en "cajas del águila" (*cuauhxicalli*). Alimentar al águila con ofrendas de sacrificio era una manera de nutrir al sol (Benson 79). En el poema de Cuadra, el dolor que proviene de la garra más que humana expresa la certeza de la existencia del yo que depende de esta presencia feroz (casi de una manera simbiótica) que le mantiene al hablante lírico atrapado pero vivo mientras experimentan juntos el mismo destino.

Otro poema en que aparece el águila en *El jaguar y la luna* es "El mundo es un redondo plato de barro", donde los cuatro puntos del globo contienen diferentes animales que le amenazan al yo, y el Norte (¿los Estados Unidos con sus sucesivas invasiones militares de Nicaragua?) se asocia con Águilas que "aniquilan tu historia" (Cuadra 1984b 87). Aquí las figuras del murciélago, el caimán, las águilas y el jaguar, no cumplen el papel de aliados en ningún sentido de la palabra. Más bien representan la adversidad que deja indefenso al ser humano, despojándole de su intimidad.

El jaguar, por ser un símbolo tan importante, aparece múltiples veces en este poemario, comenzando con "El nacimiento del sol" en que los antepasados escuchan su rugido como un recuerdo del peligro constante de la vida mientras presencian el rostro ardiente de la primera madrugada. En "Mitología del jaguar", el jaguar se asocia con una violencia irracional en la forma de una "opresora dualidad" que "unió al crimen el Azar", un "Misterio regulando el exterminio" (Cuadra 1984b 64). Algo parecido sucede en "Vaso con jaguar para el brindis":

> *¡Puso en el barro su marca hostil*
> *pero armoniosa*
> *y yo con cieno y sangre*
> *repito sobre el ánfora*
> *la zarpa!*
> *¡Tal un racimo de cólera*
> *apretado sobre la tierra*
> *para el vino del ebrio azar*
> *que tu muerte celebra!*
> (Cuadra 1984b 85)

"La luna es un poeta embriagado" repite el tema de la ebriedad, pero esta vez en relación con la poesía. En este poema es el complejo metafórico de luna-poeta-alucinante palabra que el jaguar devora sin son ni ton con sus "fieros colmillos luminosos" (Cuadra 1984b 75). Surge este poema de Cuadra precisamente a raíz de la destrucción de la belleza poética. En "La mirada es un lejano perro que aúlla", el jaguar aparece como rey y perverso mago que se encarga de mandar a los ojos del hablante lírico los dos rabiosos cachorros de la lujuria:

Pero, dije — pasada mi juventud — al perverso mago:
"Encadena mis cachorros. Fatigado
quiero descansar bajo los árboles."

"Déjalos — repuso —. Morderán
el tobillo de la diosa que te abandona.
Mi hermana, la manchada Luna, goza
cuando un cansado corazón se apresura."
(Cuadra 1984b 117)

Aquí se nota una polifonía simbólica mayor ya que el jaguar sale de su papel de devorador armonioso para actuar con cierto humor irónico.

En su estudio comprensivo *The Cult of the Serpent: An Interdisciplinary Survey of Its Manifestations and Origins*, Balaji Mundkur sostiene que la presencia de la serpiente en el pensamiento religioso de las antiguas culturas mesoamericanas indígenas es incluso más importante que la del jaguar. Mundkur explica que aunque "los felinos y los reptiles eran imaginados a veces en conjunto" (Mundkur 143) en los panteones precolombinos, "desde el período más temprano de Monte Albán y los Olmecas hasta el período azteca, las deidades principales del agua, el sol, las cuatro direcciones del espacio, y la fertilidad agrícola parecen haber sido serpientes o deidades con algún atributo ofídico" (Mundkur 147). Dice, además, en relación con las formas zoomorfas híbridas, que "el grado al cual la lengua bífida, la escama supraocular, los cascabeles y sus asociaciones glíficas originales sean el factor común en las representaciones de animales híbridos, la serpiente parece haber entrado en el pensamiento religioso con más fuerza, aunque sea a veces de una manera críptica, que cualquier otro animal, incluso el jaguar" (Mundkur 148-149).

El comentario de Pablo Antonio Cuadra sobre la Estela de la Serpiente que pertenece a la colección del Colegio Centro América de Granada ilumina a la perfección el esfuerzo de Cuadra de crear a través de la palabra escrita en "Retrato de serpiente" un poema concreto, mejor dicho, un poema de piedra, al estilo de esta estela:

La estela nicaragüense es un monolito cuadrangular con un panel en el centro, alargado y enmarcado y con la figura en relieve de una serpiente de enorme y poderosa cabeza con las fauces abiertas y la lengua bífida. La serpiente está en posición erecta y su cuerpo, que parece brotar del interior del panel, está esculpido en dos únicas ondulaciones de admirable ritmo y economía. Todo el sobrio relieve es como un letra — una "S" viperina — una coma móvil, estilizada, que reduce a su última esencia plástica al reptil (Cuadra 1969 41-42).

El poema de Cuadra que nace de esta observación tan detallada de una escultura indígena es tan larga que no cabe en solamente una página de *El jaguar y la luna* y, por eso, se desliza entre dos:

Vi
en tu
OjO
la fija
espera del cadáver.
Fría
fija
pupila que mira sin ver,
Ve
sin tiempo: víbora, vid
de tétano
enrosca pámpanos agónicos
al fálico sostén
"Ondula
y se desliza. Estoy aquí
o allá.
En mi principio".
Raíz
de mi rebeldía
por donde sube, en savia, la mortal respuesta.
Oh
vieja portadora de la felicidad:
Veneno.
Vi
en tu
ojo
mi
ojo
odiando en ti lo que amo.

(Cuadra 1984b 65-66)

La serpiente se convierte en otra especie de *alter ego* parecido a la relación escultórica entre el yo y el águila que mencionamos antes, aunque esta vez el poeta tendrá que "terminar la obra" al imaginarse emergiendo chamánicamente entre las fauces ofídicas. Benson destaca que las serpientes simbolizan el cosmos y actúan como guardianes del espacio sagrado. Un líder espiritual, por eso, puede representarse adentro o saliendo de un reptil "para demostrar que existe tanto en el mundo sobrenatural como en el natural" (Benson 105). Esta capacidad dualista se asocia con el jaguar también, y la serpiente, otra figura primordial clave, está presente en el momento de su creación en "Mitología del jaguar":

> *Pero el fuego miró aquello y lo detuvo:*
> *Fue al lugar donde el "sí" y el "no" se dividieron*
> *— donde bifurcó su lengua la serpiente —*
> *y dijo: "Sea su piel de sombra y claridad."*
> (Cuadra 1984b 63)

"En el calor de agosto" es un poema en que la simbolización de la serpiente pierde su riqueza de significados indígenas al reducirse simplemente a un emblema cristiano del Mal en la forma de una tiranía que renacerá de nuevo:

> *Como las rondas de ángeles que Fra Angelico pintó junto al establo,*
> *vi a los gráciles, gárrulos y excitados pájaros lacustres*
> *danzar con ingenua alegría*
> *alrededor del cadáver de la serpiente,*
> *como si el Mal hubiera con su muerte terminado para siempre.*
> (Cuadra 1984b 95)

Mucho más rica en cuanto a las posibles interpretaciones simbólicas es la joya enigmática "El desesperado dibuja una serpiente" donde un encuentro amoroso se frustra cuando un gavilán cósmico levanta entre sus garras un sendero-serpiente por donde venía la amante:

> *Subí a la colina*
> *al salir la luna.*
>
> *Juró que vendría*
> *por el camino del Sur.*
> *Un gavilán oscuro*

levantó entre sus garras
el sendero.
(Cuadra 1984b 111)

La serpiente bien podría considerarse un símbolo también de la estética del Movimiento de Vanguardia en Nicaragua tal como la ha definido Cuadra en relación con Coatlicue, una diosa azteca de la tierra que tiene un rostro compuesto de dos cabezas de serpiente y que llevaba una falda de serpientes entrelazadas:

> *Resumiendo: nuestro camino en realidad era un trenzado conjunto de varios caminos. Por eso yo definí nuestra Vanguardia en una fórmula ideográfica:*
>
> Picasso + La Coatlicue.
>
> *Es decir:* Picasso, *la invención de lo nuevo en su registro máximo.*
>
> *Y la* Coatlicue, *(la estatua de la diosa de la Tierra de la escultura azteca) significando la recuperación y la invención de lo viejo hasta las más oscuras y lejanas raíces del pasado indio y la voz de la tierra (Cuadra 1988b 140).*

Uno de los símbolos más antiguos del mundo más que humano, entonces, contribuye a la formulación de una ruptura continuadora artística que marcó toda una generación y cambió la historia de las letras de Nicaragua e Hispanoamérica también.

Un variante serpentino importante es la serpiente emplumada, entidad doble mesoamericana que, para Enrique Florescano en su estudio *El mito de Quetzalcóatl*, representa "una síntesis de opuestos: conjuga los poderes destructores y germinadores de la tierra (la serpiente) con las fuerzas fecundantes y ordenadoras del cielo (el pájaro)" (Florescano 14). Según Cuadra, esta manifestación de Quetzalcóatl simboliza una "cifra de la materia y del alma, de los dos reinos del hombre y de su simultáneo y permanente ascenso y descenso; de pájaro que baja a reptil, y de reptil que aspira a trascenderse en pájaro (Cuadra 1969 40). Puede que sea un diagrama cósmico del cielo y la tierra y cómo se interpenetran, ya que, como nos recuerda Elizabeth P. Benson, la evolución demuestra cómo las escamas de los reptiles se convirtieron en las plumas de los pájaros (Benson

113). Puede que la misma convencionalización artística y su contraparte literaria, la sinécdoque, faciliten la transferencia intercambiable de unidades esenciales de un padrón a otro, resultando en la creación de criaturas híbridas como, por ejemplo, la figura compuesta de Quetzalcóatl (véase Lothrop 166).

Pero la simbolización de Quetzalcóatl a lo largo de muchos siglos e innumerables asimilaciones y transformaciones de un panteón indígena a otro retiene una tremenda polifonía que no se limita a la imagen de la serpiente emplumada como destaca Florescano:

> *Al menos en Mesoamérica, la combinación de un dios y un héroe civilizador produjo un venero de imágenes sin fin. Quetzalcóatl es su gran figura mítica, evocadora de la sabiduría y la civilización, y también la más ubicua y cambiante de las personalidades: tiene la cualidad de renacer en todas las épocas y de mostrarse en cada una de ellas con un rostro distinto, siempre nimbado por el aura ancestral, pero recubierto con nuevos significados y una carga anímica que entrevera anhelos del presente con reverberaciones del pasado* (Florescano 13).

Cuadra intenta establecer vínculos entre este dios proteico indígena y figuras de la tradición judeo-cristiana como Abraham y Cristo:

> *Quetzalcóatl en América era una figura abrahámica. Una promesa de redención. Una espera del deseado. Abraham tiene una patria, pero el Señor lo llama al exilio (en esto hay una fascinante analogía con la figura de nuestro Tamagastad Quetzalcóatl), lo desprende de su pasado para darle un futuro nuevo, una tierra prometida donde nacerá la plenitud de toda esperanza.* (Cuadra 1991b 33-34)

En cuanto a las relaciones entre Quetzalcóatl y la figura de Tamagastad entre los aborígenes nicaragüenses, Eduardo Zepeda-Henríquez señala que este dios puede considerarse "la inmortalizada virilidad de un pueblo", agregando que "esta divinidad solar había sido el caudillo que encabezó la marcha de los antepasados del pueblo niquirano hacia nuestro país, y él era igualmente el capitán divino que auxiliaba a los suyos en la guerra, para defender aquel territorio como una "patria" definitiva" (Zepeda-Henríquez 1987 16-17).

En una entrevista que le hice a Cuadra en enero del 2000, le pregunté si la historia de Nicaragua del s. XX se podría concebir como una lucha entre Quetzalcóatl, benefactor de la civilización humana, y el dios bélico Tezcatlipoca. Cuando le consulté también si en su opinión el remordimiento forma una parte importante de la identidad nicaragüense, Cuadra me respondió de la siguiente manera:

> *Claro que sí. Y con frecuencia quien ha predominado es Tezcatlipoca, aunque en general, la mayoría del pueblo nuestro sigue esperando — y ha luchado con heroísmo por esa esperanza — el retorno del reino de Quetzalcóatl aunque ahora son los ángeles los que lo anuncian a los pastores y les indican que el verdadero salvador donde reclina su maravillosa y divina humildad es en un pesebre. En cuanto al Remordimiento Histórico, me tocas una tesis que siempre me ha apasionado porque, por coincidencia, tanto la fe en Quetzalcóatl como después la fe en Cristo fueron movimientos de conciencia de mucha fuerza para presionar rectificaciones y revoluciones en nuestros pueblos. Y creo que este fuego no se ha apagado ¡Dichosamente! Se tiene remordimiento cuando se conserva encendida la luz de la conciencia* (White 2000 73).

Este conflicto fundamental se manifiesta en "La Pirámide de Quetzalcóatl" en que el dios civilizador, harto de los ríos de sangre de las personas sacrificadas por un estado indígena violento y opresor (que se compara abiertamente en el poema con la tiranía de los años cincuenta en Nicaragua), se dirige a Tezcatlipoca y luego se exilia:

> *—"Abandonaré este país de mierda."*
> *—"Monotza" – dijo*
> *Enderézate.*
> *Volverán a confundir el orden*
> *con el temor. En vano*
> *despejé sus corazones de la oscura servidumbre!*
> *— He de partir.*
> Sangre en el primer escalón.
> *Sangre de los aplastados por la palabra*
> *Exigieron grandeza*
> *y alimentaron de sometimiento la potestad.*

Criaron gigantes para gemir bajo su peso.
— He de partir.

[...]
—Tezcatlipoca, le dije: Yo soy Quetzalcóatl
¿por qué te duele mi inocencia?
(Cuadra 1984b 125-126 & 127)

Al final del poema, con sus fluidos mundos donde dos sistemas simbólicos distintos coexisten de una manera sincrética, Quetzalcóatl desciende de la pirámide y se endereza los pasos hacia el mar de acuerdo con el mito. Al llegar, habla el dios-poeta al borde de la desaparición: "Era ya oscuro/cuando vi a Nuestra Señora hacia el Oriente sobre la alta luna" (Cuadra 1984b 128). El poema termina con una voz sagrada en forma de cuerpo celestial-Virgen que le pide a Quetzalcóatl volver a ayudar a su pueblo hambriento.

Florescano sostiene que la diseminación de las múltiples transformaciones de Quetzalcóatl se lleva a cabo a raíz de la disolución del reino de Tula en el s. XIII que produjo una ola de migraciones del centro hacia el sur de Mesoamérica:

> *En los años que siguen a la caída del reino de Tula la figura de Quetzalcóatl se multiplica y su simbolismo se vuelve más complejo. Desde entonces, sus antiguos significados son constantemente reinterpretados y fundidos con otras tradiciones. Su figura múltiple y ubicua se emparienta con Ehécatl, el dios del viento, y con el rico simbolismo de Venus, con los cultos de la renovación vegetal y con los mitos de la realeza y la vida eterna* (Florescano 21).

Cuadra recoge esta simbolización celestial en "Códice de abril" que pertenecía a *El jaguar y la luna* antes de integrarse a *La ronda del año*. En este poema, el fuego purificador de las quemas del mes de abril (que posibilita la regeneración con las aguas de mayo) se asocia con Quetzalcóatl y su transformación en Venus frente al mar:

Tomó sus aderezos y se los fue revistiendo,
su atavío de plumas de quetzal, su máscara de turquesas.
Y cuando estuvo aderezado, él por sí mismo se prendió fuego
y se encendió en llamas: es por esta razón llamado

"el encendido". Y cuando ardió
y cuando se alzaron sus cenizas
vinieron las aves de bello plumaje a contemplarle,
las que se elevan, las que se ven en el cielo
la guacamaya de rojas plumas, el azulejo, el tordo fino,
los loros, las oropéndolas y el luciente pájaro blanco.
(Cuadra 1997a 144)

Este cuerpo celestial que encarna la esperanza encuentra su reflejo estelar en "Interioridad de dos estrellas que arden", uno de los poemas más logrados de *El jaguar y la luna*. Según Paul Westheim en su estudio sobre el arte del México antiguo, tanto las mujeres que mueren en el parto como los guerreros que pierden sus vidas en combate constituyen una clase privilegiada de almas (Westheim 1965 24). En este poema de Cuadra, guerrero y madre se convierten en dos estrellas dialogantes:

Al que combatió por la Libertad
se le dio una estrella, vecina
a la luminosa madre muerta al alumbrar.
— ¿Fue grande tu dolor? –preguntó
el Guerrero.
— No tanto como el gozo
de dar un nuevo hombre al mundo.
— ¿Y tu herida — dijo ella —
fue honda y torturante?
— No tanto
como el gozo de dar al hombre un mundo nuevo.
— ¿Y conociste a tu hijo?
— ¡Nunca!
— ¿Y conociste el fruto de tu lucha?
— Morí antes.
— ¿Duermes? — preguntó el Guerrero.
— Sueño — respondió la madre.
(Cuadra 1984b 83)

En las profundas simetrías de esta breve conversación humana y a la vez más que humana cabe toda una filosofía que se puede leer fácilmente en el libro del cielo nocturno.

En *El jaguar y la luna* hay otras constelaciones que explican la naturaleza mítica del cosmos como, por ejemplo, los ojos peligrosos del jaguar que ya mencionamos y el sol despótico de "La carrera del sol". Pero las estrellas en "Las muchachas que juegan construyen una astronomía mágica" son los juguetes de las diosas jadeantes Rosana y Venus cuya competencia contribuye al movimiento del universo y sus "astros/ligeros, dulces, dóciles astros" (Cuadra 1984b 101). El título implica que la magia cósmica (tan entretenida en el poema para los dioses que aplauden) está basada en los juegos infantiles. Se puede entender el recuerdo del encuentro amoroso en "Oda a la estrella de la tarde" como el oxígeno imprescindible de la luz universal, eterno y pasajero a la vez, que se reduce a un simple juego de palabras: "brisa" y "brasa" (Cuadra 1984b 119).

El aire que sopla en "Oda al viento de septiembre" se asocia con otro tipo de amor: el amor libertario (el 15 de septiembre es el día de la Independencia en Nicaragua) que es fundamental para la creación. Aquí la "mujer de brisa" ilumina el ardiente hablante lírico, poeta, trabajador de la palabra que actúa en conjunto con los muchos poetas de la Patria, navegantes del cielo que reciben "el polen estelar" y repiten el nombre de este "viento constante": "¡Libertad!" (Cuadra 1984b 124).

A lo largo de *El jaguar y la luna*, Cuadra rechaza tenazmente cualquier fuerza tiránica que intente amenazar y borrar esa libertad, como lo hace, por ejemplo, en los poemas "Urna con perfil político", "La carrera del sol", "En el calor de agosto", "La pirámide de Quetzalcóatl" y, sobre todo, en "Escrito en una piedra del camino cuando la primera erupción...", donde aparece el volcán como símbolo del poder ciego y monstruoso. Cuadra explica las imágenes centrales de este poema clave de su obra:

> *Resulta interesante como signo de destino que la huella más antigua de un pie humano en Nicaragua sea la huella de un pie que huye. Las huellas de Acahualinca nos hablan de primitivos indígenas que, quizá, bajaron del Norte persiguiendo al bisonte, cazadores peregrinos que abandonan Managua — ¿y desde entonces cuántas veces el nicaragüense deberá partir? — porque otro dios, un volcán iracundo, arrojando fuego y lava, los obligó a emprender la huída* (Cuadra 1969 52).

Para confirmar el sentido político de esta simbolización del mundo más que humano, conviene volver ahora a la correspondencia entre Cuadra y

Merton, comenzando con una carta (en español) de Merton del 13 de octubre de 1958:

> *Explíqueme también el admirable poema sobre Acahualinca ("Escrito en una piedra del camino cuando la primera erupción..."). Fr Lawrence ya me contó un poco de la historia. Es un poema magnífico, y un ejemplo admirable de la actualidad aún política de sus temas indios! Me gusta muchísimo esa fusión profética del pasado y del presente, dándole al poema un carácter de eternidad, un aspecto muy religioso y solemne! Hoy día tenemos todos que hacer frente a la realidad terrible del volcán. Lo ha hecho de una manera magnífica y providencial el poeta ruso Pasternak, cuya novela más o menos autobiográfica, Dr Zhivago, acabo de leer. Recibí también una carta de Pasternak que me conmovió muchísimo. Es muy cristiano.*
>
> *Pasé unas tardes muy agradables debajo los árboles silenciosos traduciendo sus poemas — un trabajo, como todo trabajo monástico, consagrado, lo que merece la seriedad profunda de la obra. Me alegro tanto de su originalidad e independencia espiritual en tomar y utilizar la tradición religiosa india como nuestra propiedad cristiana. Tenemos una deuda enorme que devolverles a los indios, y al menos debemos empezar con reconocer la riqueza espiritual del genio religioso indio. He leído en varios libros traducciones inglesas de poemas Maya y Azteca, y si existe una colección de poemas indios en español, quisiera mucho tenerla* (Carta de Thomas Merton a Pablo Antonio Cuadra del 13 de octubre de 1958).

Cuadra le contesta de inmediato el 1 de noviembre en una carta realmente conmovedora que destaca las dificultades de la vida en Nicaragua y de su propia vida profesional como periodista en *La Prensa* justo en la época en que Cuadra componía los poemas de *El jaguar y la luna*:

> *Debo agregarle una pregunta ¿Sabe usted, querido Padre Merton, lo que significa para mí, precisamente en estos días en que hemos sostenido una lucha cansada y lacerante por la libertad — la libertad elemental y tosca del mundo político y su prensa —, lucha entre amenazas, incomprensiones y un horizonte de injurias ("ladra muy lejos del río"), sabe lo que significa*

recibir una carta suya y saber que usted, "debajo los árboles silenciosos" estuvo traduciendo monásticamente, consagradamente, mis poemas? — ¿Sabe usted el alivio maravilloso que me causa su frase "hoy día tenemos todos que hacer frente a la realidad terrible del volcán" refiriéndose a mi poema sobre Acahualinca? Hay ciclos de días largos en que sufro como verdadera obsesión más que el deseo, el tormento de encontrar una salida a esta obligación de dirigir un diario, obligación de cargar con todos los sucesos de cada día que el poeta desea ignorar o eludir, obligación de ser momentáneo, fugaz, efímero, de volverse vocero y escriba de lo inmediatamente caduco y excremental del mundo, cuando el poeta, contra-corriente, lo que hace instintivamente es espigar lo permanente, salvar lo poco eterno de cada acontecer, nadar desesperadamente hacia las fuentes y alejarse precisamente de lo que el periodismo nos acerca (Carta de Pablo Antonio Cuadra a Thomas Merton del 1 de noviembre de 1958).

"Escrito en una piedra del camino cuando la primera erupción..." recuerda inevitablemente "Marzo — o la lectura del cronista" que aparece en *La ronda del año*. En ambos poemas, el volcán atenta contra la humanidad de una manera violenta e irracional. En "Escrito en una piedra...", sin embargo, cuando el pueblo entero grita, "¡No viviremos bajo el dominio de la ciega potencia!" (Cuadra 1984b 97), la solución que se propone es el exilio:

¡Quebraremos nuestras piedras de moler,
nuestras tinajas,
nuestros comales,
para aligerar el paso de los exilados!

Allí quedaron nuestras huellas,
sobre la ceniza.
(Cuadra 1984b 97-98)

Algo semejante ocurre en "La pirámide de Quetzalcóatl", un poema de denuncia: el exilio permanece fuera del marco del poema pero queda como algo pendiente e inevitable (a pesar de las posibles dudas del protagonista) por causa del conocido contenido del mito. En "Marzo", como hemos comentado en el capítulo anterior, la guerrillera contemporánea muerta, cuyo cadáver en la morgue aparece en la televisión, se presenta en el poema como una sacrificada más que se ofrece al volcán inútilmente, y la voz del antiguo Cronista recomienda otra vez la distancia:

> *Aléjate, pues, de este mes marcial (El futuro es amor).*
> *La guerra no hace nuevo al hombre viejo.*
> *Aléjate*
> *de las civilizaciones abiertas por la espada.*
> (Cuadra 1997b 134)

Lo que permanece a través de las simbolizaciones del mundo más que humano en *El jaguar y la luna* es un equilibrio precario entre lo pasajero y lo eterno: un poeta que pregunta "¿por qué termino y queda entre vosotros mi canto?" (Cuadra 1984b 73), un poeta consciente de que tanto su vida como su canto están ensartados en un hilo delicado como un collar de esmeraldas, un poeta, al final, perecedero e inmortal cuyo canto se escuchará "en labios de muchachas/que bajarán/al río" (Cuadra 1984b 77). Los símbolos vivos del jaguar, la serpiente, el águila que el poeta conoce por medio de relaciones chamánicas y biofílicas se contrastan con otro símbolo que algunos niños desnudos levantan del fango hediondo al borde de aguas contaminadas por los desechos de la sociedad contemporánea: "el pesado cisne muerto" de Rubén (Cuadra 1984b 94). Cuadra, al compararse con Darío, cuya exotiquez queda lejos en el Oriente, dice, "posiblemente corregir la ruta de lo exótico y dirigir la brújula hacia la nueva constelación chorotega de *El jaguar y la luna*, sea, en principio, el único mérito de mi libro: una buena intención en el cambio de estrellas" (Cuadra 1988b 133). En *El jaguar y la luna* Cuadra se apropia no sólo "de la psicología india sino de su 'voluntad de arte' para poder expresar al indio en indio", y agrega:

> *La inspiración directa de las formas poéticas de este libro son los dibujos de la cerámica chorotega y las esculturas indias llamadas del "Alter-ego" de las islas de nuestro Gran Lago. Me propuse hacer en palabras lo que mis antepasados expresaron plásticamente. Penetrar al objeto y extraer su esencia, llegando a veces a la composición por la descomposición, y proponer esa esencia en una adivinanza que, cuando se despeja, dejo siempre pendiente una última y misteriosa adivinización: un Mito* (Cuadra 1988b 141).

Si "el nicaragüense en su arte aborigen es un peregrino de las formas" (Cuadra 1969 44), Cuadra sabe recogerlas en el viaje arqueográfico de *El jaguar y la luna* para historiar y, al mismo tiempo, dejar intacto el enigma del cosmos por medio de la simbolización del mundo más que humano.

4. LA GEOPSIQUE DEL GRAN LAGO Y SUS ISLAS EN *CANTOS DE CIFAR Y DEL MAR DULCE*

CUANDO se lee *Cantos de Cifar y del mar dulce*[1] de Pablo Antonio Cuadra con la biota en vez de *Homo sapiens* como el enfoque principal, el resultado es un aprecio por un espacio que funciona como una entidad pensativa cuya geopsique y sistemas vitales definen una totalidad integrada que tiene una relación mutuamente interactiva en términos productivos y destructivos con todos sus habitantes. En cuanto a los seres humanos, el Gran Lago de Nicaragua y sus islas transformados en poesía les ofrecen múltiples formas de concebir la vida y la muerte. Algunos protagonistas de este poemario, como Cifar y el Maestro de Tarca, dialogan con el medio ambiente y comparten el conocimiento derivado de este intercambio con nosotros los lectores. No hay que olvidar el título completo de este libro tan importante en la obra pabloantoniana, porque los cantos no son exclusivamente de Cifar sino también del mar dulce que los genera y los coloca en la lengua de un hombre cuyas palabras nacen de esta geografía lacustre. David Abram, en su extraordinario libro *The Spell of the Sensuous: Perception and Language in a More-Than-Human World*, señala que "el lenguaje como fenómeno corporal se acumula en *todos* los cuerpos expresivos, no sólo en los humanos. Nuestra propia capacidad de hablar, entonces, no nos aparta del paisaje animado sino que nos inscribe

---

1. Se publicaron separatas de los *Cantos de Cifar* en la revista mallorquina *Papeles de Son Armadans* (números 156 (1969) y 181 (1971)). Ahora, *Cantos de Cifar* consta de más de 80 poemas — unos 50 en la edición de 1971, 78 en la edición de 1979, y tres poemas más para la edición definitiva publicada por Libro Libre en 1985.

aún más en sus chirridos, susurros, y profundidades sonoras" (Abram 80). Abram agrega que "al final, no es el cuerpo humano únicamente lo que genera la estructura profunda del lenguaje, sino el mundo sensual en su totalidad" (Abram 85). Intentaremos demostrar a lo largo de este capítulo que el Gran Lago y sus islas, como cada lugar terrenal, además de tener su propia psique, personalidad e inteligencia, como sostiene Kent C. Ryden, también hablan por medio de las personas que lo habitan (Ryden 182). En *Cantos de Cifar y del mar dulce*, Cuadra ha creado una poesía *ecoléctica* que expresa la experiencia de un sitio específico que el poeta conoce bien y ama. Este libro, además, es un buen ejemplo de lo que Lawrence Buell define como "un texto medioambiental" porque el Gran Lago no sirve simplemente como instrumento enmarcador sino como una presencia que indica que la historia humana está implicada en la historia natural, un fenómeno que caracteriza todavía más a *Siete árboles contra el atardecer*, como analizaremos más a fondo en el próximo capítulo. El medio ambiente en la literatura de esta orientación, agrega Buell, aparece como un proceso dinámico y cambiante no como algo constante o estático (Buell 1995 7).

Cuadra propone que se considere el Gran Lago como un océano en miniatura y sus aguas como parte de un paisaje navegable global. Destaca las semejanzas geográficas y culturales entre el Cocibolca (nombre indígena de este mar interior de Nicaragua que podría significar "lugar de la serpiente") y el Mediterráneo en la sección de *El nicaragüense* que se entitula "Homero y el Gran Lago":

> *Navegando leí por primera vez la Odisea de Homero, y nunca he cruzado desde entonces, el Lago — cosa que hago por lo menos una vez cada año — sin volver a saborear las vivencias de esas lecturas homéricas y de encontrar nuevas relaciones poéticas entre el mundo de Ulises y el mundo de nuestra gente lacustre.* (Cuadra 1987b 156)

Enfocándose en la relación psicogeográfica entre estas dos regiones del mundo, Cuadra asevera que, tal como el Mediterráneo de Ulises:

> *El gran Lago también posee, por su posición geográfica, por la corriente del desarrollo histórico y por el juego de sus vientos esa división entre el "aquí" civilizado y el "allá" legendario y utópico. Los vientos dominantes que por cierto vienen de Grecia — los Alíseos —, las "Brisas" y "Lestes" que dicen nuestros*

marinos, coincidiendo con el movimiento de la historia, han construido una orilla de playas arenosas, de separación nítida, civilizada, entre el agua y la tierra, en las costas que van desde Granada hasta el Sur de Rivas. Es la ribera de la vida urbana. La orilla de la realidad. Enfrente la costa es fangosa; es la orilla donde todavía subsiste lo ilimitado entre tierra y agua, el seno de las formas todavía caóticas y germinales donde pueden brotar todas las imaginaciones. Luego, hacia el Sur, el Lago se sumerge en la selva; se abre paso hacia el mar sin término, transcurriendo por toda esa zona virgen donde acecha la fábula, la leyenda, el misterio. Son las orillas de la irrealidad y del Sueño. El Sur y el Río" (Cuadra 1987b 159-160).

José Emilio Balladares habla de "las lejanas islas, colocadas por manos misteriosas en la línea divisoria de la realidad y el sueño..." (Balladares 69) y Eduardo Zepeda-Henríquez sostiene que las islas del Gran Lago "pueden simbolizar el nacimiento nicaragüense, como surgidas de aquellas aguas dulces; pero, asimismo, el riesgo de perder la propia identidad, que equivaldría a la muerte (Zepeda-Henríquez 1987 181).

"El aserradero de la danta" parece acontecer en uno de esos espacios limítrofes de convergencias entre lo arcaico y lo contemporáneo. En este poema, Cifar y el español con quien trabaja, cortando los troncos de los cedros con una rústica sierra circular, se sorprenden cuando una danta (*tapirus bairdii*, o tapir, un mamífero casi exterminado en Centroamérica, véase Fowler 116-117) aparece de la selva, se tropieza, y cae encima de la sierra en movimiento, lo cual produce su muerte sangrienta. Luego en seguida, los dos hombres se dan cuenta que la danta iba huyendo de un predador que le perseguía:

alguien gritó
y volvimos el rostro:
Allí
al borde de la selva
el tigre confuso
molestos los ojos
por el sol
miraba.
(Cuadra 1985a 69)

La historia narrada por Cifar en el poema se presenta con una aparente neutralidad que oculta un sentido ético obvio. El poema no intenta establecer la culpabilidad sino un escenario en que el mundo humano y más que humano se chocan violentamente. Se entiende de inmediato, por lo menos, que el interés humano no es el único interés legítimo en el mundo que el texto describe. Los hombres que quieren sobrevivir económicamente cortando y cargando madera presencian una muerte inesperada por causa de su tecnología importada al sitio. El tigre que se asoma de la selva a estos representantes de una civilización que poco a poco están eliminando su *habitat*, resulta tan sorprendido que los hombres. Pero ¿cuál es el próximo paso en cuanto a la interpretación del texto cuyo marco narrativo deja todo en este momento de encuentro y asombro mutuo? ¿Cabe preguntarnos cuántos cedros, tigres y dantas quedan ahora en las selvas nicaragüenses cerca del Lago? ¿Qué piensan los habitantes humanos actuales en esta región de la biodiversidad y las especies amenazadas? Puede que este poema sirva para abrir un nuevo diálogo ecocéntrico, porque, según David W. Orr en su libro *Ecological Literacy: Education and the Transition to a Postmodern World*:

> *Los lugares son laboratorios de diversidad y complejidad, mezclando funciones sociales y procesos naturales. Un lugar tiene una historia humana y un pasado geológico: forma parte de un ecosistema con una variedad de microsistemas. Es un paisaje con una flora y fauna específicas. Sus habitantes forman una parte de un orden social, económico y político: o importan o exportan materiales combustibles, agua y desperdicios. Tienen innumerables vínculos con otros lugares* (Orr 129).

Cuadra no indaga en estos asuntos explícitamente en los *Cantos de Cifar*, porque prefiere acercarse al espacio lacustre que describe en términos relacionados precisamente con lo civilizado y lo legendario, lo real y lo irreal, aunque estas categorías dificilmente existan en estados químicamente puros.

Todas estas ideas nos preparan perfectamente para el viaje hacia lo desconocido y lo irracional donde aparecen las mujeres anónimas y con nombre de *Cantos de Cifar y del mar dulce* que son hechiceras y que se asemejan a las figuras que le atrapan y detienen a Odiseo en el poema épico de Homero. Según Seth L. Schein, las aventuras en *La Odisea* suelen representar "lo humano" como masculino y los "placeres" y "peligros" como femeninos porque son el producto de la imaginación masculina. El crítico vincula estas aventuras directamente con el cuerpo de agua que se navega y dice, además, que consisten en:

> *figuras femeninas no-humanas que amenazan al héroe o su regreso a casa. Ellas, según Odiseo, muchas veces son monstruosas, y su amenaza es literal o simbólicamente sexual: momentos específicos del peligro general de ser tragado, absorbido, ocultado, o aniquilado contra lo cual él lucha de una manera constante. En este respecto son versiones vividamente imaginadas del mar mismo en que Odiseo está perdido* (Schein 20).

Cuadra prefiere concentrarse en la belleza femenina como base de la magia sexual tan atrayente a Cifar debido a su imaginación masculina, sobre todo en el poema "Manuscrito en una botella" en que "la muchacha de vestido rojo" (obsesión de Cifar) refleja su contraparte odiséica Circe que transforma a la tripulación de Odiseo en cerdos en su isla encantada:

siempre pasaba por la isla de la muchacha de vestido rojo
hasta que un día entré en la bahía de su isla
y eché el ancla y salté a tierra
y ahora escribo estas líneas y las lanzo a las olas en una botella
porque ésta es mi historia
porque estoy mirando los cocoteros y los tamarindos
y los mangos
las velas blancas secándose al sol
y el humo del desayuno sobre el cielo
y pasa el tiempo
y esperamos y esperamos
y gruñimos
y no llega con las mazorcas
la muchacha vestida de rojo.
(Cuadra 1985a 53-54)

Es de admirar la sutileza a través de la cual Cuadra expresa la metamorfosis: basta un verbo (gruñir) y la no-llegada de la comida en la forma de mazorcas. El movimiento también de un yo singular a una primera persona plural también contribuye al paralelo con la *Odisea*. En la vida isleña, puede que este trance intertextual tan potente sea fácil de reconocer pero al mismo tiempo resulta dificilísimo evitar para el poeta encantado por la belleza enigmática del verbo. Atrapado, transformado, y hechizado por el proceso creativo, el poeta lanza sus palabras a la geopsique de la metacomunicación no para pedir socorro sino simplemente para compartir un poema con sus lectores.

Del agua misma nace la poesía, y Cuadra establece vínculos entre este fenómeno y la niñez. En el último poema de los *Cantos de Cifar*, Cuadra habla de ciertas similitudes con Grecia por medio del "viejo Lago/y sus hexámetros" (Cuadra 1985a 138). Pero es en el comienzo extraordinario de "Septiembre: el tiburón" donde Cuadra define mejor la estrecha relación entre la poesía como sistema fonológico y el cuerpo líquido del Lago:

Creyeron los de la lengua mangue que la Noche,
todavía doncella, tropezó cuando transportaba
el ánfora de la luna. Y derramó estas aguas pálidas, dulces, donde el niño
que yo fui
se asoma por mis ojos
y lee sin cansancio el arcaico himno
de las olas — en el Principio
fue el verso — olas: estrofas
para idiomas inéditos, ritmos
que modelaron, como un caracol
el laberinto del oído.
(Cuadra 1997a 187)

En los *Cantos de Cifar*, es este mismo niño que navega las aguas del mundo inconsciente de la poesía donde persiste el asombro juvenil ante las misteriosas armonías y simetrías del medio ambiente lacustre :

> *El niño*
> *que yo fuí*
> *no ha muerto*
> *queda*
> *en el pecho*
> *toma el corazón*
> *como suyo*
> *y navega dentro*
> *lo oigo cruzar*

mis noches
o sus viejos
mares de llanto
remolcándome
al sueño.
(Cuadra 1985a 73)

Volviendo por un momento a la imagen en "Manuscrito en una botella" de la palabra poética de un individuo que flota a la deriva en la superficie vasta del agua, cabe señalar lo que me dijo el poeta mismo en una entrevista sobre el origen de los poemas que son el enfoque de este capítulo:

> *En el caso del libro* Cantos de Cifar *que concebí en mi mente como una parte de mi canto al campesino, al navegante, a los dos... no me gustaba lo que realizaba. Yo quería que estos poemas tuvieran otro estilo del que exigía mi canto campesino. Entonces se me quedaron inéditos, es decir, inexpresados, hasta que un día, yendo, navegando hacia donde Ernesto Cardenal en Solentiname, me brotó uno de los cantos de Cifar y ése fue el principio de un torrente de poemas. Fue el libro más grueso que hice y más rápido pero había tenido una retención de dique. Curiosamente, me publicaron esos poemas por primera vez como parte de la Colección "El Toro de Granito" en Ávila: el Lago tan abierto editado entre las grandes murallas medievales de Ávila, pero murallas que tenían como una copa el licor de lo universal* (White 2000 74-75).

Al parecer, entonces, los primeros *Poemas nicaragüenses*, poesía netamente terrenal, nacieron cuando el poeta andaba a caballo (véase Cuadra 1986 63) y los poemas acuáticos de los *Cantos de Cifar* encontraron una forma rítmica de entrar en el mundo mientras Cuadra navegaba en el Gran Lago.

Me confieso incapaz de quitarme de la mente la extraña relación analógica entre el Gran Lago tal como Cuadra lo construye y lo imagina en términos literarios y el planeta Solaris de la novela del mismo nombre de Stanislaw Lem que fue trasladada al cine en 1972 por Andrei Tarkovsky y por Steven Soderbergh en 2002. En estas obras magisteriales, cuyas profundidades psicológicas son imposibles de sondear (¡afortunadamente!), el globo capta los pensamientos de los cosmonautas y científicos que lo estudian y, desde su superficie viscosa, erige versiones gigantescas de los temores y sueños más íntimos de estos seres humanos como una especie de terapia comunicativa. Son ideas, por cierto, no muy lejos de la Teoría Gaia de Lovelock, en que nuestro planeta actúa como un super-organismo. La última imagen chocante y ambigua de la película es la de una isla que surge desde el planeta líquido como un refugio donde se puede buscar la manera de coexistir con los problemas ontológicos en un hermoso ambiente natural. La casa bajo la lluvia vital y suave que Solaris ha inventado es un homenaje imaginado y real a la vez al hogar homérico que anhelamos en nuestros sueños.

Todo lugar está cargado de significados personales, históricos, míticos y legendarios. Y Cifar, evidentemente, no es la única entidad que contribuye a la narración y creación subsiguiente de estos sitios aislados y rodeados por las aguas del mar dulce: en "La isla del encanto", por ejemplo, Carmen les cobra caro a los marineros que llegan a la "isla de las canciones" a visitarla en sus botes y barcas y después vuelven a otras islas donde viven con sus familias:

En El Anono, la Isla de los Cruces,
un marinero como Eladio
inapetente y pálido
bosteza en el tapesco.
En la Isla de Plátanos
Felipe está encendido
en fiebre: por las noches
se remueve y grita
con negras pesadillas.
En la Isla del Menco
nació movido
el hijo de Rosario.
En Tinaja, Lago abierto,
cayó en melancolía
Magdaleno. Apaleó
a la mujer y a los hijos
No navega ni come.
(Cuadra 1985a 87-88)

El efecto negativo de los encantos es tan "globalizado" y tan obviamente la culpa de Carmen ["una mujer de cabellos rubios/entre mujeres de cabello negro" (Cuadra 1985a 87)], que las que forman la comunidad femenina se juntan y hacen recurso a la violencia para resolver el problema que comparten:

> *Las mujeres de las islas*
> *cruzan de noche las aguas.*
> *De lejos, sus hombres — los jugados*
> *de cegua — ven arder la Isla del Encanto*
> *por sus cuatro costados.*
> (Cuadra 1985a 88)

No es necesariamente una acción violenta contra la promiscuidad masculina en sí sino un ataque contra la geopsique de un sistema simbólico basado en el antiguo pensamiento indígena de la región lacustre que representa Carmen y su isla.

De la misma manera, "La isla de la mendiga" demuestra la potencia de la cultura folklórica indígena persistente. Este poema, que posee los versos más largos del poemario y el fuerte sentido narrativo de una leyenda completa, describe las capas temporales coexistentes de la región, ya que la isla de La Zanata antes se conocía como Nechoca-tename, nombre indígena que significa la isla de los gritos. Aquí hay otra semejanza con la antigua cultura griega que Cuadra admira tanto. Según afirma J. V. Luce en *Celebrating Homer's Landscapes: Troy and Ithaca Revisited*, "solemos hacer una línea tajante entre la mitología y la historia, pero los antiguos griegos no tenían esta costumbre, y lo que nosotros podríamos considerar un acontecimiento mítico era acordado por lo general una ubicación geográfica precisa" (Luce 39). En el caso de este poema de Cuadra, hay dos mujeres (las hijas de Celso) que llegan dos veces a la isla. La primera vez, conocen a "una bella mujer de tersa faz y larga cabellera/una hermosa muchacha de ojos dorados nublados por el llanto" (Cuadra 1985a 120) y, la segunda, buscando a su hermano naufragado Cristóbal, encuentran a "una anciana de faz hundida y desdentada/con los ojos secos y fijos y sin tiempo" (Cuadra 1985a 121). Curiosamente, la llegada a la isla de Cristóbal parece apaciguar a la mendiga ["No volvió la mendiga a agitar sus harapos" (121)], como si el hombre fuera una ofrenda a una exigente diosa que luego devora (¿sexualmente?) al hombre y entierra sus restos en la isla como parte de un culto a la muerte. Después de este acto ritual de sacrificio humano, la diosa ya no tiene que asumir el disfraz atractivo de la juventud y asume su forma atemporal de la vejez eterna. Puede que esta interpretación sea demasiado especulativa, pero, en todo caso, no hay que ignorar la presencia indígena anterior en el Gran Lago. Las estatuas de la Isla Zapatera, por ejemplo, según señala Jorge Eduardo Arellano "fueron concebidas y elaboradas en una edad temprana de la prehistoria de América: cuando una cultura hasta ahora escasamente conocida (los Chorotegas) poseedora de un profundo culto funerario, decidió convertir la isla del Gran Lago de Nicaragua en su principal centro ceremonial" (Arellano 1997 103).

Antes de volver al tema del Lago como sitio predilecto de un ecocentrismo indígena, habría que señalar otra vez cómo la imagen de la mujer influye en el movimiento de Cifar por el paisaje que de alguna manera le genera un modo de habitar su mundo. Por ejemplo, el sentido de cautiverio producto del hechizo que caracteriza "La isla de la mendiga" también define "La Noche". Este poema, que menciona un barco "atestado de cerdos" (imagen común del sistema económico lacustre), nos obliga a preguntarnos si hay una presencia de los mismos seres humanos metamorfoseados que aparecen en "Manuscrito en una botella", donde se conoce la isla de la mujer vestida de rojo. "La noche" multiplica la imagen del principio femenino atrapador en los *Cantos de Cifar*:

En este puerto desvencijado
soportando la soledad
y la lluvia. En este puerto
muerto
esperando mi liberación
(¡Navegaría en cualquier madero
podrido, en cualquier barco
atestado de cerdos!)
porque, llegué en la noche
y miré desde la proa las lejanas
luces y escuché los cantos
que bajaban con el viento
y ví cruzar el muelle
a una bella mujer desconocida
de que nadie me da razón en este puerto.
(Cuadra 1985a 65)

Hay numerosos rasgos indígenas que se conservan en los poemas de *Cantos de Cifar y del mar dulce* como nos recuerda Cuadra desde el principio de la vida del poemario cuando dice en "El nacimiento de Cifar" que "hay una isla en el playón/pequeña/como la mano de un dios indígena" (Cuadra 1985a 41). Otro ejemplo interesante es "La doncella", un poema en el que se asocia la virgen Lucía con la estrella matutina, y la pureza con la capacidad de sembrar bien:

> *En la Isla del Güis*
> *Lucía*
> *la matutina*
> *es virgen*
> *Como una estrella*
> *madruga.*
>
> *Cuando se baña*
> *mariposas blancas*
> *la circundan.*
>
> *Los sembradores*
> *la buscan*
> *para escoger*
> *la semilla.*
>
> *Es mano pura.*
> (Cuadra 1985a 50)

El antropólogo John Holmes McDowell, en su descripción etnográfica de la labor agrícola de los Kamsá, un grupo indígena colombiano, dice que los hombres se encargan de la limpieza y la desyerba de la tierra además de las actividades en torno a la cosecha, mientras la tarea de las mujeres consiste en todo lo que tiene que ver con la siembra, un acto, según McDowell, de una enorme importancia *espiritual*:

> *Se aprecian las mujeres que tienen "una buena mano"; los pájaros y los ratones no comerán las semillas que estas mujeres siembran, asegurando de esta manera una cosecha abundante. Estas mujeres tienen la costumbre de ingerir medicina visionaria bajo la vigilancia de un curandero indígena que "cura" sus manos* (McDowell 207).

Seguramente se trata de una práctica ampliamente diseminada entre distintas culturas indígenas americanas pero cabe especular si lo que describe Cuadra en "La doncella" no demuestra influencias de los Chibcha que emigraron desde Sudamérica al lugar que hoy se conoce como Nicaragua.

La contraparte de Lucía como estrella matutina es Inés en "La estrella vespertina", donde Cifar describe la muerte de una mujer como el resultado trágico de un incendio, relacionándola con un cuerpo celestial:

> *¡Ya era tarde! Como una Y griega*
> *escarlata escrita sobre mi sueño*
> *la ví desnuda correr*
> *y hundirse entre las olas.*
> *Hablo de Inés.*
> *Siempre hablo de Inés*
> *cuando la triste y vesperal estrella*
> *baja a las ondas*
> *y su desnudo ardor baña en las aguas.*
> (Cuadra 1985a 63)

El poema tiene evidentes resonancias con todas las historias asociadas con la muerte y la resurrección de Quetzalcóatl que mencionamos antes en nuestro análisis de *El jaguar y la luna*. Corresponde también a la sabiduría del Maestro de Tarca, cuyas palabras provienen de una larguísima tradición folklórica y arqueoastronómica con raíces indígenas:

> *En el cielo estudia*
> *las sazones del tiempo*
> *dijo el Maestro*
> *de Tarca:*
> *Estrellas altas*
> *velas bajas.*
> *Estrellas tristes*
> *por la lluvia gimen.*
> *Estrellas corridas*
> *al viento convidan.*
> (Cuadra 1985a 122)

Como señala Kent C. Ryden, "el folklore *vivifica* la geografía, otorgándole una vida llena de significados y revelándola como un socio hondamente conocido y activo en la vida" (Ryden 57). "Las bodas de Cifar" es un poema con fuertes características folklóricas de origen indígena que ejemplifican el afán ecocéntrico de convertir al lago (con su agua "virginicida") en personaje dramático, sobre todo cuando Cifar se ve obligado a consumar su relación matrimonial con su nueva esposa para calmar el mar (no tan) dulce:

Zarpamos
cuando rompían los albores
pero Octubre
levantó los vientos.
Ráfagas, turbiones,
olas
rayos
el lago embravecido
y negro nos golpeaba a muerte
el barco y nos rompía
las velas y las drizas.
Al caer de la tarde
el huracán bramaba.
— ¡Mierda! — gritó Eladio — ¡nos hundimos!
Pero el viejo Paz, sereno
con su brazo único al timón
dijo a los hombres:
— "Está el Lago cebado
la lancha es virgen
y la mujer doncella".
Abrieron entonces la escotilla y nos metieron
al oscuro vientre:
olía
a brea el maderamen.
Tumbé a Ubaldina aterrada
y más que el amor
las olas me ayudaron.
(Cuadra 1985a 80-81)

El crítico José Emilio Balladares afirma también el protagonismo repentino del lago en este poema:

> *Así, en "Las bodas de Cifar", magnífico cuadro de tormenta lacustre que entrevera supersticiones indígenas y de la antigüedad pagana. Utilizando con singular acierto enfoque y técnicas dramáticas —personajes introducidos con rápidas pinceledas, acción y diálogos entremezclados con coherente agilidad —, ofrece el poeta la estampa, tentativamente bucólica, de unas bodas marineras, con las plateadas ondas del agitado lago como telón de fondo. Mas, súbitamente, el telón de fondo se trueca en protagonista central, introduciendo su apasionada voz de ráfagas y turbiones en el nupcial coloquio* (Balladares 67).

La ubicación geográfica específica, entonces, facilita la creación de una identidad compartida que se expresa a través de rasgos folklóricos. Ryden explica que el folklore revela la sutileza del conocimiento local de la naturaleza, transmite la historia íntima de un lugar, ayuda a crear un sentido fuerte de identidad personal y grupal, e indica la profunda afectividad entre los residentes locales que habitan y contemplan un entorno físico (Ryden 62-66).

Las cualidades de la geopsique del Gran Lago y sus islas pertenecen a un paisaje invisible que determina en gran parte la naturaleza de su protagonismo. El Lago, por ejemplo, ejerce su influencia dramática como suministrador de la vida y de la muerte y también del impulso erótico que los une. Además de participar en la escena sexual que mencionamos en relación con "Las bodas de Cifar" (en la que el agua no sólo exige el acto sexual a cambio de las vidas de los que navegan en el barco sino que impulsa rítmicamente la unión de Cifar y su esposa), el Lago le ofrece a Cifar un panorama numeroso de blancos eróticos fuera del matrimonio por medio de una serie de mujeres observadas por Cifar y presenciadas también por la superficie del agua. "Cancioncilla de febrero", por ejemplo, describe algo que ocurre durante el "mes enamorado e inconstante" cuando del Elequeme brotan sus "flores sexuales" (Cuadra 1997a 121):

> *Este febrero*
> *celeste*
> *y loco*
> *tiene un barco*
> *para mujeres*
> *solas.*

Lleva
su carga
por las costas
Pájaros, garzas
velas blancas
y novias
Los marineros
cuentan
las olas
pero es corto
el mes
para tantas
esperanzas.
(Cuadra 1985a 64)

Aún cuando el objeto femenino se encuentra en tierra, el agua es un testigo como en "Muchacha en la ribera" donde Cifar despierta a una chica mientras la espía a escondidas:

Mira! ...No has hecho caso
y sus párpados se han abierto;
sorprendida se ha lanzado
detrás de las amapolas
Con las garzas que ya vuelan
entre sombras verdes
y rayos de sol
su trigueña pierna
recoge y esconde.
(Cuadra 1985a 62)

"Canción para unas muchachas" recuerda la imagen que utiliza Cuadra para concretizar el deseo rabioso en "La Mirada es un lejano perro que aúlla" en *El jaguar y la luna*:

Esas muchachas que se creen solas
danzan desnudas en la chispeante arena
al ritmo de las olas.
Qué haré cuando otra vez las mire,
cuando en la noche llegue y quietas
contemple su timidez, sentadas

a la luz de la lumbre y mi oscuro
y terco corazón saltando como un perro,
muerda el recuerdo de sus cuerpos desnudos?
(Cuadra 1985a 46)

A diferencia de estos encuentros no realizados, es el Lago que le presenta a Cifar a Mirna, la prostituta, en "Canción de la naciente luna":

Una mujer desnuda
ahogándose — grita —
en las aguas

Al recogerla
en la lancha
sus pezones tiemblan.

No se me borre nunca
esta hora, cuando la naciente luna
iluminó a Mirna
en mi barca!
(Cuadra 1985a 104)

Cifar le salva la vida y queda tan encantado con la posibilidad de satisfacerse con ella en términos sexuales que no menciona las circunstancias que le han llevado a Mirna a encontrarse en una situación tan peligrosa. Cabe preguntarse, sin embargo, si Mirna, sin ropa, es la víctima de un cliente violento y homicida que le ha tirado a bordo desde una lancha decadente como la de "El Pirata" donde Cifar, en el próximo poema, la ve "bailando/entre el enjambre de estrellas" (Cuadra 1985a 106). En todo caso, la obsesión masculina de Cifar, como se ve claramente en el poema "Mirna", le motiva a arriesgarse la vida en una tormenta para poder reunirse con ella:

Llamando perras
a las violentas olas
insultando al negro
viento del poniente
rompió dos veces la vela
y atravesó el temible
playón de Enero

porque Mirna, la prostituta
le esperaba en el puerto.
(Cuadra 1985a 113)

Cifar conoce a Mirna cuando ella está al borde de la muerte y la saca desnuda de las aguas como un regalo sexual. Después, Mirna forma una parte del paisaje lacustre erótico de Cifar con otros principios femeninos en otras islas y otros puertos — todos conectados a través del Lago funcionando como alcahuete líquido y traicionero.

A veces tienen nombre, como Fidelia, raptada por Cifar en su barca rápida y mantenida en su propia isla:

De la chopa
sale Fidelia peinándose
al fresco del alba
Se vino anoche
conmigo. Me dispararon
tiros, me echaron
lanchas veleras. Pero
"La Sirena" corre.

Tengo una isla para ella.
(Cuadra 1985a 70)

Con los años, la relación entre Cifar y Fidelia (que nace a raíz de la violencia) perdura y produce una familia paralela como se cuenta en "Nostalgia de Cifar", un poema que abarca el tema principal de *La Odisea* que es el regreso:

"A veces la lancha
huele a muelle"
dijo Cifar, añorando
a Fidelia, deseando
volver al hogar y ver
al hijo que ya remaba en las islas.
Regresaban los cormoranes
volvían las garzas
chillando en busca de sus nidos.
(Cuadra 1985a 112)

La idea que emerge en este poema es la del Lago como una fuerza ocultadora (semejante al sentido etimológico de Kalypso, "la que esconde") que protege los múltiples hogares que ha creado Cifar con distintas mujeres. Cifar, como pre-héroe, no intenta volver, como Odiseo, a su Ítaca única donde tendrá que matar a todos los pretendientes de su arquetípica mujer fiel, sino que seguirá su viaje, regresando perpetuamente a numerosos focos de su vida marinera, dejando morir a los hombres que le ponen cuernos con sus amantes (Eufemia, por ejemplo, cuya furia en otro poema se asemeja a "las olas furiosas y los vientos/negros de Octubre" del Lago (Cuadra 1985a 59)) como acontece en "La muerte de Anselmo":

Arrojado por el viento
dio en las piedras
del Dientón oculto
y defondó la barca

Su grito
perforó la noche

— ¿Eschuchas, Cifar, escuchas?
¿No es Anselmo?

("Cuando te vas
— me lo dijeron —
Anselmo ancla en tu puerto
Duerme en tu lecho")

...pasé de lejos...!
(Cuadra 1985a 95)

La muerte y la vida se juntan para formar la dualidad de un ecosistema único que propicia la rica biodiversidad que sostiene la vida (véase Fowler 122-124), como se puede apreciar, por ejemplo, en "El Maestro de Tarca (VI)":

Aconsejando
a los pobladores de las aguas
el maestro de Tarca
nos decía
— En el verano la tierra es seca
y el agua está en su reino:

toda aventura te permite
el espejeante lago
todo alimento te ofrece
benévolo
(aunque teme
siempre
su inmotivada furia).
(Cuadra 1985a 89)

Los gaspares, los cangrejos, los huevos de ñoca y tortuga, las sardinas (aún podridas se convierten en comida para los pobres en "Viento en los arenales"), las mojarras, los guapotes y las guabinas que se citan en este poema le alimentan a la gente isleña.

Por otro lado, sin embargo, las mismas aguas también albergan a cierta fauna que no se come sino que devora a los pobladores —repentinamente en algunos casos, o poco a poco en otros como sucede con la pepesca:

el más pequeño
pez
del lago
en ciertas aguas
enfurece
busca el culo del hombre
ágil se introduce
y sube
y sube
y devora
el corazón indefenso.
(Cuadra 1985a 79)

También existe el tiburón de agua dulce (fenómeno impresionante de la evolución de esta región) y el lagarto, símbolos del Poder malévolo tanto en los *Cantos de Cifar* como en los poemas sobre los meses de septiembre y enero en *La ronda del año*. Los tiburones acompañan a Cifar desde el primer momento de su existencia, atraídos por la sangre al sitio donde nace. Un miembro de la misma especie está presente en "Calmura" también:

Arsenio, granuloso
cliente del burdel de Lalita

desesperado de calor
se tira al Lago. Y vemos
la rápida
aleta del tiburón.

Al grito de espanto
como un eco
aflora del fondo
en silencio
la mancha roja.
(Cuadra 1985a 75)

El mítico monstruo de "El gran lagarto" funciona como un dios indígena que hay que alimentar y apaciguar con ofrendas vivas:

Día a día
se cruzaba las aguas a devorar los cerdos
y ganados. Acabó con ellos
devoró a los perros
y una tarde — a la vista de todos —
se llevó un niño.
(Cuadra 1985a 77)

Tal como sucede a raíz del volcán en "Escrito en una piedra del camino cuando la primera erupción..." de *El jaguar y la luna*, el dios iracundo de "El gran lagarto" provoca el exilio. Según Cifar, que apenas se escapa con la vida después de su intento fracasado de matar a El Viejo cuando el monstruo tumba su bote a coletazos, dice:

Y así acabó la historia.
Los cobardes
despoblaron el pueblo.
(Cuadra 1985a 78)

En otros poemas de los *Cantos de Cifar*, Cuadra utiliza la misma estrategia de simbolización del mundo más que humano que se analizó en el capítulo anterior al comparar el Lago con figuras felinas que es lo que ocurre en "El miedo":

...El Lago
irritado
y pardo
ruge
y su pesada zarpa
hace crujir
tu lancha. (Cuadra 1985a 92)

También sucede en "Consuelo para la madre del pescador" cuando el poeta dice que las olas han devorado al hijo de la madre "a traición — como el taimado/jaguar que nunca/se amansa a la caricia" (Cuadra 1985a 84). El Lago, nos informa Cuadra en el mismo poema, consiste en aguas que "se alimentan/de lágrimas" (84).

En "Despedida", la conciencia de la mortalidad en cada beso se convierte en la corriente en constante inquietud que fluye por casi todos los poemas de *Cantos de Cifar y del mar dulce*. El miedo que subyace "Despedida" y también "La partida" proviene de personajes femeninos que conocen el Lago y saben que sus aguas producen los numerosos ahogados que se describen en poemas tristes como "Voces", "Piolín", "El vaquero de Apompoa", "Canto que hizo Cifar en la vela del angelito" y, por último, "Pescador" en que el poeta dice:

Un remo flotante
sobre las aguas
fué tu solo epitafio.
(Cuadra 1985a 137)

Cifar, en todo caso, es valiente, y su meta como poeta-cantor del Lago a pesar de sus "aguas homicidas" no podría ser más clara como explica en "Dijo Cifar":

Cantaré a los héroes
Celebraré a los hombres
cuya estatura supere
la estatura de los demás mortales.

Pero conocí la tempestad
la furia de los vientos
la ceñuda impasividad
de las aguas homicidas.

Cantaré — me dije entonces —
a los hombres que trabajan
en el Lago. A los humildes
navegantes. A los pescadores.
Sus diarias hazañas
se ignoran
porque la pobreza se empeña
en rodearlas de silencio.
(Cuadra 1985a 48)

Es un proceso, sin embargo, que requiere de un agudo sentido no tanto antropocéntrico (por lo menos al principio) como ecocéntrico, porque, como dice Kent C. Ryden, "al contemplar un lugar, contemplamos a nosotros mismos" (Ryden 40). Es más, se llega a la mentalidad de la población lacustre a través de la geopsique del Lago y sus islas.

¿Quién es Cifar, entonces, cuyo nombre en lengua árabe significa "viajero"? Aunque Cifar Guevara es un personaje histórico verdadero del Lago de la juventud de Cuadra, el autor de los *Cantos de Cifar* me dijo en una entrevista que apenas lo conoció:

Quien me dio, más que nadie los recuerdos y vivencias de él, fue Juan de Dios Mora. De él hablo en los Cantos. *También escuché historias de Cifar de otros marineros que conocí en el lago. En sustancia y en sus líneas esenciales, el personaje es mío. Pero es real también. Yo creo que esa forma de crear el personaje es universal; que nunca el escritor, salvo si se lo propone, es fiel a una persona real. (Uno no puede ser fiel siendo otro). Pero sí. El escritor no puede menos que meter algo de sí mismo, su propia alma o sus imaginaciones que van envolviendo la figura ajena y haciéndola otra... Eso que pone el autor sobre la persona de Cifar que conoció es más de tipo mitológico. Trataba precisamente de crear un tipo mítico. En el sentido que resumiera, como anti-héroe, o como pre-héroe al hombre del lago... Pero trato de crear, a través de él, o con él, un elemento más humilde y marginado, una épica "naif", primitiva, con las características del marinero con que conviví durante mi juventud.* (White 1994 108-109).

Juan de Dios Mora aparece en toda su gloria arrugada con un inmenso bigote blanco, sombrero de paja, guayabera impecable y vieja guitarra bien manoseada y tocada en una foto de la edición de los *Cantos* de 1979 (una edición que, si no recuerdo mal, fue destrozada en gran parte cuando los somocistas incendiaron los edificios de *La Prensa* ese mismo año). En *El nicaragüense*, Cuadra afirma que Juan de Dios Mora, a su vez, también pertenece a una categoría tipológica:

> *Fue un pre-héroe. Es decir, uno de esos ejemplares humanos (que abundan marginados en América) cargados de potencialidad, llenos de energía vital, pero que quedan — como un gran poema oral que nadie recogió — inéditos para la historia. La Odisea vino a escribirse cuando miles de Ulises habían llenado las islas del Egeo de leyendas anónimas* (Cuadra 1987b 168).

En este mismo artículo que se llama "En la muerte de un marinero de nuestra mar dulce" Cuadra hace varias declaraciones sobre Juan de Dios Mora que confirman algo importante en cuanto a la relación entre el ser humano y el medio ambiente que habita: como señala Ryden, "a veces un personaje eminente local se eleva al rango de héroe folklórico porque, debido en gran parte a su dominio de las condiciones ásperas del terreno local, es alguien que cristaliza la experiencia geográfica local" (Ryden 91). Cuadra dice, por ejemplo, que a pesar de sus acciones realmente notables, lo de Juan de Dios Mora "era la simple y cotidiana hazaña de vivir en el país de las aguas. País que conocía de memoria, con su geografía en los ojos, no sólo en lo visible de sus puertos, islas, playas, ensenadas y acantilados, sino en lo invisible de sus corrales, escollos, profundidades y nidos de peces" (Cuadra 1987b 169). "Con Juan de Dios Mora", afirma Cuadra, "se entierra un pedazo de patria erosionada por la pobreza y el olvido. Se hunde una isla antigua de vida, cantos, rebeldías y leyendas" (Cuadra 1987b 171). Cuadra lo presenta en su elegía como "un aristócrata del anonimato" porque "pocas familias cuentan con tantos pergaminos que registren, a través de los siglos, su permanencia y su alianza con un lugar y con un destino nicaragüense como los Mora de Zapatera" (Cuadra 1987b 171-172). O, como dice Cuadra en "In memoria":

Hoy vuelve
el navegante.
Sus huesos

en una caja
de madera.
¡Su único
naufragio
en tierra!
(Cuadra 1985a 124)

Existe en este espacio lacustre de los *Cantos de Cifar*, que se define en términos no sólo humanos sino ecológicos también, un sentido de mitohistoricidad construida. Por un lado, la geografía produce poemas como "El barco negro", "Belarmino" y "La isla de la mendiga", además de la serie de textos atribuidos al Maestro de Tarca: el tiempo cíclico se manifiesta como barcos y marineros fantasmales, un hombre que se fue a comprar plátanos y, "cuando regresó/habían pasado 100 años" (Cuadra 1985a 108), "una anciana de faz hundida y desdentada/con los ojos secos y fijos y sin tiempo" (Cuadra 1985a 121), y una voz sabia que se dirige a sus oyentes desde una especie de trono indígena, "sentado en la piedra del Águila" (Cuadra 1985a 51). Por otro lado, el medio ambiente lacustre genera "El rebelde", "Tomasito, el cuque" "Anades" y "Las islas", poemas que relatan eventos cuasi-históricos en cuanto a su especificidad temporal y también proféticos en términos de su capacidad de describir acontecimientos sociopolíticos que se empiezan a divisar en el horizonte. Coexisten estas dos concepciones temporales por medio del espacio, sobre todo cuando el Maestro de Tarca afirma y profetiza la esperanza en los dos siguientes poemas de los *Cantos de Cifar*:

En el rencor del Lago
me parece oír
la voz de un pueblo.
(Cuadra 1985a 103)

En Solentiname,
archipiélago de las codornices
pereció Tamagastad
contra los escollos de la Venadita.
Allí lloró la tribu a su héroe.
Allí todavía lloran los que pasan
esperando una antigua promesa.

Allí dice la leyenda
que ha de volver a su pueblo
con una palabra nueva.
(Cuadra 1985a 134)

Tamagastad-Quetzalcóatl, en el segundo fragmento que pertenece a "Las islas", poema dedicado a Ernesto Cardenal, ahora se ubica claramente en la geografía del Lago. La esperanza que este dios trae a su pueblo con su regreso profetizado toma la forma de un lucero ardiente al amanecer. Demuestra a la perfección, de acuerdo con las ideas de Lawrence Buell, cómo los pueblos y las culturas son "productos ecocontextuales" (Buell 2001 130).

Es precisamente en *Writing for an Endangered World: Literature, Culture and Environment in the U.S. and Beyond*, donde Buell postula las cinco dimensiones del estar conectado a un sitio ("*place-connectedness*"), una de las cuales, curiosamente, consiste en un modelo metafórico que se puede aplicar en términos literales a *Cantos de Cifar y del mar dulce*: un archipiélago de locales, algunos muy remotos entre sí, que se habitan de una manera simultánea. Es una manera muy eficaz de resumir la naturaleza de la geografía lacustre de este poemario de Cuadra, mejor, por ejemplo, que un segundo modelo de áreas concéntricas de afiliación cuya intimidad se disminuye mientras más se aleje uno de un punto céntrico (porque, como hemos dicho, *Cantos de Cifar* carece de una Ítaca odiseica). Una tercera dimensión que propone Buell es la de una imagen compuesta o acumulada de todos los lugares importantes para una persona o un pueblo a lo largo del tiempo (un "*timescape*"): sitios que se interiorizan de una manera subjetiva para crear hitos de identidad ("*identity markers*"). Este modelo también ilumina la poética ecocéntrica de Cuadra, un poeta muy consciente de la presencia de los rasgos persistentes y cambiantes de las antiguas culturas indígenas del Lago y su relación con lugares específicos. Buell señala la importancia de lugares ficticios y virtuales en un cuarto modelo que ayuda a entender a Cuadra como poeta y creador que utiliza el artificio del lenguaje para generar a los protagonistas humanos y más que humanos de *Cantos de Cifar y del mar dulce*. La quinta (y última) dimensión que presenta Buell trata los sitios poco estables pero independientes que toman nuevas formas continuamente, un modelo que caracteriza no sólo la precariedad de la vida a corto plazo en lugares debilitados por la extrema pobreza sino también las verdades geológicas de Mesoamérica (véase Buell 2001). Todo esto nos ayuda a ampliar cierta terminología crítica gastada que se suele usar para analizar la poesía de Pablo Antonio Cuadra que, al final, construye la identidad personal y social no a través de la ideología sino por medio de un profundo ser y estar en un contexto físico-espacial dominado (en el caso de *Cantos de Cifar y del mar dulce*) por la geopsique del Gran Lago y sus islas en Nicaragua. Estos poemas narran la historia de un viajar, pero también el viajar de una historia, una relación entre el lenguaje poético y el espacio.

5. EL MUNDO ECOCÉNTRICO EN *SIETE ÁRBOLES CONTRA EL ATARDECER*

SEGÚN Guillermo Yepes Boscán en su introducción a *Siete árboles contra el atardecer* (1980), Pablo Antonio Cuadra ha conseguido plasmar a través de la ceiba, el jocote, el panamá, el cacao, el mango, el jenísero y el jícaro, "la totalidad de lo real nicaragüense" que consiste, dice el crítico venezolano, en una fértil unión de "naturaleza, historia, hombre y mito; pasado y presente, pero también un porvenir posible" (Yepes Boscán 36). El enfoque de este capítulo será literario, claro, pero con un acercamiento centrado en la tierra, destacando así la suma importancia del sitio, del espacio imaginado de los poemas que funcionan como intermedios entre lo humano y lo más que humano. El resultado es un libro-mundo de poesía ecocéntrica basada, según Cuadra, en "la precisión lingüística" de la botánica (White 82).

En *Siete árboles contra el atardecer*, Cuadra demuestra lo que podría considerarse una doble filiación constituída por la *topofilia* y la *biofilia,* términos ecocéntricos que hemos utilizado en capítulos anteriores. La primera, según Yi-Fu Tuan, se compone de todos los vínculos humanos afectivos con el medio ambiente material (Tuan 93), y la segunda, en las palabras de Stephen R. Kellert y Edward O. Wilson, consiste en la necesidad de los seres humanos, como parte de la evolución, de relacionarse profunda e íntimamente con la biota viva de la naturaleza con el fin de poder realizarse en términos estéticos, intelectuales, cognitivos, e incluso espirituales (Kellert y Wilson 20-21). Es decir, los árboles en el libro de Cuadra tienen una realidad científica que corresponde a su especie y un ecosistema complejo de una región cuyas fronteras no respetan necesaria y exclusivamente los parámetros de Nicaragua como país. Los siete *dramatis personae* denominados formalmente o en los poemas mismos o en las notas que los acompañan tienen un innegable valor simbólico (como es de esperar en el mundo metafórico de la poesía), pero también una realidad y una vitalidad literales, más allá de lo literario. *Ceiba pentrandra*, *Spondias purpurea*, *Sterculia apetala*, *Theobroma cacao*, *Mangifera indica*, *Pithecellobium saman* y *Crescentia cujete* forman una parte de la rica biodiversidad del lugar que habita el poeta y ayudan a combatir la homogeneidad y la uniformidad sin alternativas de lo que Vandana Shiva ha llamado los "monocultivos de la mente" (Shiva 7).

¿Quiénes son estos protagonistas y por qué los escogió el poeta? El marco dramático definido por la referencia a la obra *Los siete contra Tebas* de Esquilo determina, lógicamente, el número de actores. Cuadra, al utilizar esta obra trágica de la antigüedad clásica como herramienta analógica para crear un contexto macrocósmico, establece una relación compleja entre la flora centroamericana y la defensa de la ciudad de Tebas. Los poemas de *Siete árboles contra el atardecer* son escritos entre 1977-1978, años que corresponden a la insurrección contra la dictadura de Somoza, un conflicto fratricida que encuentra su reflejo en la guerra entre los dos hermanos Eteocles y Polyneices. En un epígrafe de Esquilo, Cuadra aclara el vínculo metafórico del título de su libro de una manera sorprendente si uno piensa en el panorama decididamente humano que se desarrolla a lo largo de la obra teatral del dramaturgo griego: "Las torres se mantienen en pie y nos escudan; las habíamos asegurado con defensores poderosos y cada uno de ellos ha guardado la puerta que le estaba encomendada" (Cuadra 1987a 12). Es decir, los árboles de Cuadra se asemejan a las torres de la ciudad que permanecen intactas después del ataque fallido de los guerreros extranjeros de Argos (los Epigonoi) encabezados por uno de los hermanos (Polyneices). Si se sigue la analogía más allá del nivel de una descripción de una guerra civil, *Siete árboles contra el atardecer* profetiza y afirma el triunfo del orden establecido contra *lo extranjero* de las fuerzas insurreccionales que vienen de afuera, lo cual no corresponde, evidentemente, al terreno histórico de Nicaragua a partir de 1979, un tema que se va a abarcar más adelante al analizar "El Jenísero". Una estrategia parecida caracteriza "Poema del momento extranjero en la selva" de *Poemas nicaragüenses*, que describe otro período de grandes conflictos de la historia de Nicaragua del siglo XX: la invasión de las tropas norteamericanas, su ocupación de Nicaragua durante los años veinte y treinta, y su lucha contra el heroico General de hombres libres, Augusto César Sandino. En este poema no hay ninguna referencia concreta humana a los guerrilleros sandinistas de esa época. Más bien es la flora y fauna de Nicaragua que se encargan de derrotar y expeler a los invasores extranjeros.

Pero volvamos a dos similitudes más entre *Siete árboles contra el atardecer* y *Los siete contra Tebas*. Primero, tanto en la obra de Cuadra como la de Esquilo existe una enorme preocupación topofílica. Es la tierra, precisamente, que nutre los árboles defensores de Cuadra. Esquilo, por su parte, metaforiza la tierra como madre y nodriza de los habitantes de Tebas y dice, además, que los ciudadanos y la ciudad que deben defender están enraizados en la tierra como plantas. Según William G. Thalmann, Esquilo establece la importancia del ciclo natural que provee a la vida la estabilidad, uniendo así a sus habitantes por medio de vínculos afectivos a un lugar específico, algo que hace Cuadra a la perfección a través de toda su obra poética (Thalmann 43). La segunda semejanza importante que habría que destacar es el signo trágico que marca ambas obras. Los dos hermanos (hijos de Édipo) heredan no sólo el poder civil que provoca la guerra y la destrucción potencial de la ciudad entera sino la maldición de la Casa de Laios, que se va a cumplir de todas maneras. Efectivamente, al final de la obra, al negar el entierro de Polyneices, se perpetúa un conflicto que siempre ha sido *contra la naturaleza*. Thalmann asevera que los dos hermanos, que se describen metafóricamente como plantas, no pueden florecer en términos vitales como sus conciudadanos (Thalmann 47). El sacrificio produce resultados positivos pero se convierte en algo no exento de una tragedia mayor. A pesar del optimismo fundamental de *Siete árboles contra el atardecer* (porque, después de todo, permanecen y sobreviven los árboles como testigos y recipientes de la historia), Cuadra presenta el retrato de un pueblo, oprimido y fuerte, sí, pero condenado a sufrir las consecuencias desastrosas de conflictos fratricidas constantes.

Sin embargo, los árboles de esta obra, según lo explica el poeta en un prólogo, "ofrecen en sus maderas un bálsamo restañador de heridas, o reavivan, con su follaje y sus frutos, la memoria de la misión libertaria del hombre y su dignidad inclaudicable" (Cuadra 1987a 10). Estas siete especies de árboles se convierten en hitos de una sensibilidad espacial que se desarrolla temporalmente a lo largo de un sentido de la historia derivado de la vida individual y, a la vez, ubicado más allá del individuo. No me refiero al espacio universal y abstracto, sino al espacio concebido como algo más concreto, o sea, un sitio, el espacio situado, un lugar específico cargado de mito, historia y memoria personal. Cuadra intenta hacer visible en el mapa de sus poemas estos elementos de un paisaje invisible. Según Kent C. Ryden, "el sentido de un lugar es el resultado gradual e inconsciente de habitar un paisaje por mucho tiempo, familiarizándose con sus propiedades físicas, acumulando una historia dentro de sus parámetros" (Ryden 38).

En todos los poemas de *Siete árboles contra el atardecer*, hay un yo disuelto en el medio ambiente que considera que el escribir poesía es un acto ecológico, como dice en "El Jocote": "Escucha, pues este poema, sembrador de árboles" (Cuadra 1987a 47). El hablante lírico sabe que contemplar un lugar facilita una meditación sobre uno mismo como individuo y también la humanidad en su larguísima relación con un ecosistema. El poema "La Ceiba" comienza con los progenitores de la población actual de Nicaragua subiendo "al gran árbol el día en que abre sus frutos" y soplando "sus semillas aéreas para trazar la ruta del éxodo" (Cuadra 1987a 39). Después de nombrar varias especies de aves que ayudan a definir la compleja biodiversidad de Centroamérica, el poeta compara el alto vuelo de las semillas de la ceiba con "los pensamientos de los pensadores" (Cuadra 1987a 39). Recuenta los comentarios maravillados de los cronistas principales — Landa, Gómara, Oviedo, Núñez de la Vega — que mencionaron en sus escritos la ceiba como árbol sagrado, como principio organizador del espacio de los indígenas, un árbol, según este último,

> *que tienen los moradores*
> *de esta tierra en todas las plazas de sus pueblos*
> *y debajo de ellos hacen sus cabildos*
> *y los sahúman con braceros porque tienen por asentado*
> *que de las raíces de la Ceiba les viene su linaje.*
> (Cuadra 1987a 39)

Pero la ceiba es también un hito fantasmal en la vida de Cuadra, sobre todo en el momento de la crisis ecológica del terremoto de 1972 que destruyó la ciudad de Managua e incluso la casa (con su ceiba) donde nació el poeta. Es la potente imagen de la estabilidad destrozada y el equilibrio desarraigado:

Yo he recordado su sombra antigua recorriendo esta ciudad
en ruinas.

En la Calle Candelaria donde estaba mi casa
— hablo de la vieja casa donde yo nací —
ya no queda piedra sobre piedra...
Yo he recordado su antigua sombra aquí donde no hay amor
suficiente
para levantar estas piedras.
(Cuadra 1987a 40)

Esta destrucción significa un desplazamiento, un exilio que refleja otro más antiguo, el destierro de la psique desorientada al perder su centro. Así se manifiesta la orfandad temporal del individuo por medio de un árbol que para los Maya era el *Axis Mundi*, lo que organizaba y sostenía el cosmos en siete planos celestes rectangulares (véase Fowler 95-96). En otras circunstancias, la Madre Ceiba, entendida como "la dádiva y el orden", acompaña a la humanidad de la niñez hasta la muerte porque de su madera el pueblo hace "una embarcación de una sola pieza/y esa embarcación es su cuna cuando inicia su ruta y es su féretro cuando llega a puerto" (Cuadra 1987a 41). Entre estos dos puntos de la vida humana la ceiba es una presencia permanente porque el pueblo, usando "el algodón liviano y sedoso de su fruto" fabrica "sus almohadas/donde reclina su descanso y elabora sus sueños" (Cuadra 1987a 40).

Lo que hace Cuadra en todos estos poemas es crear un paisaje por medio de lo vivido con la precisión botánica objetiva y sus propias experiencias subjetivas. En una entrevista que le hice al poeta en enero de 2000, fecha en que celebraba el aniversario de su matrimonio con Adilia Bendaña Ramírez en 1935, Cuadra dice: "Lo que quiero decir es que cada árbol tuvo su razón de ser en mi vida. El jocote, por ejemplo, es una especie de alcahuete, porque fue ahí al pie del árbol donde besé a mi mujer por primera vez. (Lo digo en el poema). Hay una leyenda antigua, una metáfora sensual en torno a ese árbol que bota sus hojas para dar el fruto como la mujer se desnuda para darse: Es el árbol del amor" (White 81). Esta realidad científica y biográfica le da una nueva connotación literal a las relaciones afectivas entre el ser humano y la tierra contenidas en la idea de la topofilia. "El Jocote" describe una correspondencia entre el amor humano y un ciclo natural en que figura hasta un verbo inventado por el pueblo a raíz de las características de este árbol:

Por eso el amor nace en esta tierra cuando los jocotes dan su fruto
y los muchachos y las muchachas van a jocotear a los patios y a
las huertas
y es bajo los árboles que se aman.
(Cuadra 1987a 45)

Para el poeta, entonces, el jocote se convierte en el guardián de un acontecimiento singular en su vida:

¡Gloria a Dios por una muchacha de quince años
y su lindo vestido que la cubría de alegres flores!...
— ¿Por qué tú no bajas? ¡Soy poeta!
Y bajó ella. Y al ceñirla
vi que los traviesos Tlamachas, pequeños como colibríes
habían colocado el árbol cargado de frutas
en el lugar exacto de mi primer beso.
(Cuadra 1987a 45-46)

El poeta nos informa que la palabra jocote tiene su origen etimológico en *xocotl* que en la lengua Náhuatl significa "fruta". Dice Cuadra además que es:

la fruta por excelencia — la fruta
de los cien sabores. Porque las hay verde-dulces y las hay amarillas
y existe el jocote llamado Tronador y el Boca-de-perro
y el Guaturco y el Ismoyo
y el Jocote de Lapa y el de Bejuco
y el de Jobo y el de Venado
y los hay — dice Joseph de Acosta — "unos que llaman de Nicaragua
que son muy colorados y pequeños
que apenas tienen carne que comer
pero eso poco que tienen es de escogido gusto
y un agrillo tan bueno o mejor que el de la guinda"
(Cuadra 1987a 46)

Lo que hay en este fragmento es el rescate imprescindible, a través del conocimiento popular, de una rica biodiversidad que, evidentemente, hay que aprender a cuidar y proteger, ya que la riqueza natural, cultural y lingüística depende de esta pluralidad. Como aseveran Gary Paul Nabhan y Sara St. Antoine en un aporte sobre la extinción de la experiencia, "No cabe la menor duda que la diversidad lingüística y sus reservas asociadas de conocimiento científico popular han sido tan amenazadas en el siglo XX. que la misma diversidad biólogica" (Kellert y Wilson 243).

El panamá será siempre el enorme árbol capaz de resistir vientos y huracanes que tenía Cuadra al lado de su casa en la orilla del Gran Lago de Granada. Además de recordarle su amistad con la crítica panameña Gloria Guardia, el árbol, que bajo su "inmensa lámpara verde da luz a la asociación y a la simplicidad", proporciona al poeta una manera de invocar la vida de los pescadores de esa zona biótica y la (otra vez) impresionante biodiversidad del lago (véase Fowler 122-123):

Oyes el ruido sordo del bote arrastrado por los pescadores a la arena,
las voces que se avivan a la sombra del gran árbol.
Tiran de la red a la playa y las mujeres
ríen contando y escogiendo los pescados.
Aún salta el Sábalo. Colea agónico el Guapote.
Boquea la Machaca, la Guavina, el Bagre.
Ensartan en bejucos las Mojarras de colores.
Pelan el Gaspar y sube
el humo azul. Los niños
pepenan semillas del árbol y las tuestan al fuego.
(Cuadra 1987a 51)

El poema demuestra a la perfección las conexiones y la dependencia mutua entre distintos ecosistemas y cómo los seres humanos se alimentan de la naturaleza. Esta relación también tiene un origen mítico: según cuenta el poema de Cuadra, el panamá protege al hijo del Pez Gaspar de un Jaguar que lo va cazando, encerrándolo en su tronco. Más tarde, la madera del árbol guía las manos de un pescador que logra:

cavar el tronco y ahuecarlo con fuego
y el hombre echó el tronco al agua y vio que navegaba como el Pez Gaspar
y el hombre construyó la primera canoa.
(Cuadra 1987a 52)

La sobrevivencia del ser humano, entonces, depende de la capacidad de adaptación a la biodiversidad con sus realidades animadas y a la vez científicas. No hay en este poema ningún esfuerzo de idealizar el paisaje, de crear un *locus amoenus* abstracto en el sentido renacentista europeo que carece de coordenadas temporales y espaciales. De hecho, en todos los poemas de *Siete árboles contra el atardecer* el lector se encuentra en la presencia de un medio ambiente con rasgos físicos reales y siempre sabe el dónde y el cuándo de su vivencia del mundo ecocéntrico que construye el poeta.

Nuestra convivencia con la naturaleza, siendo los humanos parte de ella, implica una serie de relaciones agro-económicas y políticas, un fenómeno que se manifiesta con cualidades parecidas a lo largo de la historia humana: el trabajo intensivo de monocultivos apreciados por su valor remunerativo muy alto y un sistema político basado en la militarización para proteger estos intereses económicos. Según Cuadra, "El Cacao" señala el paralelo que existe entre el antiguo mundo indígena de los Nahuatl y el mundo contemporáneo globalizado y dominado por la moneda de los Estados Unidos. "El Cacao," dice Cuadra, "era el árbol de Nicaragua por el cual se apoderaron los Náhuatl de esa zona, porque los Nicaraguas dominaron y tuvieron el poder del Cacao, dólar vegetal" (White 82, véase también Fowler 108-110, 159, 162-171). En el poema, Cuadra dice, "Ahora somos materia prima. Los precios del Cacao en las pizarras de la bolsa de Wall Street./Y Ezra, en su canto: 'Con usura el campesino no consume su propio grano'" (Cuadra 1987a 58). La extrema riqueza de la naturaleza tiende a producir el colapso total de la moralidad, y este vacío ético suele producir sistemas políticos injustos y violentos. El poema cuenta la llegada desde el norte del pueblo exilado de los Náhuatl al sur donde habitaban los Chorotegas que también fueron peregrinos. Es por medio del engaño y la traición, según el poema, que los Náhuatl consolidan su poder político y económico:

Pero llega la noche
Y entonces con su lengua de pájaros los nahuas imitan al búho.
Y cantalean: "Tetec-Tetec" (cortar, cortar)
Y los otros responden: "Iyollo-iyollo" (corazones, corazones)
Y esta fue la señal y cayeron sobre los cargadores
Y luego que los pasaron a cuchillo cayeron sobre nosotros
Y nos despojaron de lo mejor de nuestras tierras — ¡todo el sur del cacao! —
Y apenas fueron dueños de sus árboles
usaron sus semillas como moneda.
No bebió el pueblo ya más cacao
(Cuadra 1987a 61)

La comercialización y valoración excesiva de las semillas produce no sólo la corrupción ética sino también la pérdida de costumbres y conocimientos tradicionales tal como el consumo del tiste, "que se hace del cacao y del maíz", ni hablar del hambre como consecuencia de todo monocultivo en una sociedad injusta. El resultado es un empobrecimiento general de la vida, porque, al final, todo tiene su precio y todo se vende:

Y se vende un conejo por 10 almendras
Y por 2 almendras se adquiere una paloma
Y el valor de un esclavo es 100 almendras.
Y una mujer vende su cuerpo por 10 cacaos.

"Quiero decir que ninguna cosa hay que no se venda".

Cacao:
dólar
vegetal.
(Cuadra 1987a 61)

En este poema, no estamos muy lejos de las actitudes mercantiles existentes actuales (sobre todo la idea de la naturaleza como una fuente inagotable de recursos) aunque sí ha aumentado la capacidad humana para atentar contra el mundo natural, un fenómeno debido en gran parte a los tremendos defectos en nuestros sistemas educativos. Según David W. Orr en su libro *Ecological Literacy: Education and the Transition to a Postmodern World*, "Durante los últimos 500 años, nuestras ciencias, ciencias sociales y humanidades también han estado empeñados en extender y celebrar el deseo humano de dominar la naturaleza. Sin embargo, se ve que la manera por la que dominamos la naturaleza es una ilusión peligrosa y paradójica" (Orr 145). En este sentido, ¿habrá algunas lecciones del pasado? Mario Satz, refiriéndose a *Toltecayotl* de Miguel León Portilla, señala que antes de la Conquista todos los hombres, mujeres y niños estudiaban sin distinción en la *calmécac*, o escuela: "El corazón del nahua debía fortalecerse mediante el estudio de los códices que articulaban su vida a la flora y fauna de Mesoamérica" (Satz 21). Por cierto, la lectura interdisciplinaria de libros como *Siete árboles contra el atardecer* podría servir para iniciar una nueva especie de alfabetización ecológica que incluye, por supuesto, un conocimiento científico básico sobre la propagación diversa del reino vegetal.

"El Mango" narra una de las casi innumerables versiones de los viajes de las plantas, algo que en este caso para Cuadra fue toda una revelación: "En cuanto al mango, yo tuve una conversación con Armando Morales el pintor y después él me escribió una carta en la cual me decía que me fijara que el mango lo habían traído de la India. De ahí seguí la pista y efectivamente: lo habían traído del extranjero aunque habían quedado en Nicaragua como nacionales por su inmensa reproducción, en nuestra tierra y ésa fue la razón por la cual escribí el poema" (White 82). El mango, entonces, es sólo un ejemplo más de lo que los científicos llaman *adaptive radiation*, o sea, la diseminación de una especie a diferentes nichos ecológicos, un proceso fomentado por el viento, el agua, los pájaros, los animales y también, claro está, por los seres humanos. Cuatro de las plantas de América que han tenido un impacto global son de la misma familia *Solanaceae*: la papa, el tomate, el chile/pimiento y el tabaco. Ya hemos hablado de la violencia en torno al cacao tal como Cuadra abarca el tema en su poema. Según mi colega el etnobotánico Carlos Ramírez Sosa, el maíz (llamado originalmente *Teosente*, la variedad silvestre del maíz de Mesoamérica) es el único cultivo tal vez que no ha creado la esclavitud y la miseria humana. Cuadra ha dicho lo siguiente sobre la importancia fundamental de esta planta:

> *El maíz fija al hombre a la tierra. El pensamiento es campesino. Por eso el* Popol vuh *— que es el génesis de América — y otras leyendas americanas sobre la creación del hombre, dicen que* el hombre fue hecho de maíz. *También la ciudad — que es ya la civilización — es hija del maíz.* (Cuadra 1988b 16)

No es el caso, evidentemente, con el algodón (*Gossypium* spp.), el café (*Coffea arabica*) (cuyo viaje comienza en Etiopía, Yemen, y Java, sigue a Europa y luego continúa, por medio de varios poderes coloniales, a Martinique, Suriname y Centroamérica) y la caña de azúcar (*Saccharum officinarum*) (que viene de la Nueva Guinea, se cultiva después en la India y más tarde en Hispaniola, Brasil y la colonia francesa de Louisiana). Estas son plantas que cambiaron la historia humana en términos positivos y también, por supuesto, muy negativos.

El mango para Cuadra pertenece a toda una serie de árboles en movimiento a lo largo de la historia (humana y no-humana) que de alguna manera refleja las peregrinaciones de los habitantes de América en el sentido continental. En un diálogo consigo mismo en "El Mango" el poeta dice:

Pero tú sabes de árboles. Sabes de sus maderas y de sus memorias.
Has seguido, siglo tras siglo, sus lentas caravanas.
Los has visto en las selvas, junto a los grandes ríos
cubiertos con sus manos verdes de enredaderas y parásitas
huyendo, con sus aves, al exilio. Inmóviles
peregrinan. Invisibles sus pasos
preceden a las civilizaciones.

Tú sabes de árboles. Conoces
los árboles nativos que ayudaron a levantar la tierra. Pastores de ríos.
Árboles tan nicaragüenses como el Pochote
que aún hecho leña si se entierra en su tierra, retoña.
Y conoces también los forasteros
como el abundante Icaco que llegó del Senegal,
o la Granada de Argel, ó el inmenso Fruta de Pan de las Molucas,
o el Mango que llegó a Nicaragua del lejano Hindostán.
(Cuadra 1987a 65)

Cuadra construye una narrativa que ubica en una casa en Granada el primer mango nicaragüense, y el árbol con sus frutas genera en su nueva tierra nuevos pájaros míticos, lo cual demuestra perfectamente cómo los mitos (al igual que las plantas) tienen la capacidad de adaptarse y propagarse en diferentes sitios geográficos:

Y en el patio el mango, el primer mango.

— Oído he — decía — contar a los alfaquíes
que este fruto es el avatar de un ave misteriosa;
llámanla Jatayu
— rey de los pájaros indostanos —
rojo y negro porque sus alas quemó el sol;
que debe ser del género del Fénix, de los árabes,
cuyo nido es de fuego"
Y los indios
trasmitieron esta leyenda pero la variaron
contando que el mango devolvía en frutas
el alma o "yulio" del Chichiltote
— el llameante pájaro votivo de los Chorotegas —
(Cuadra 1987a 66)

La historia de este mango inicial termina también en llamas cuando William Walker, el infame filibustero de los Estados Unidos, quema toda Granada al retirarse de la ciudad en 1856.

Pero hay más mangos que, al propagarse, se convierten en amigos entrañables de la humanidad. Y recuerdo perfectamente cuando don Pablo Antonio me regaló una bolsa llena de flameantes, jugosos, pegajosos y dulces mangos del árbol de su casa en Las Colinas en julio de 1982 cuando le entrevisté; y había otro mango cargado de frutas todavía verdes que era un testigo de la ceremonia en el Instituto de Cultura Hispánica cuando el poeta me nombró miembro correspondiente de la Academia Nicaragüense de la Lengua en enero del 2000. Así funciona la memoria personal en relación con los árboles que sirven como una brújula para orientar la vida de uno hacia la generosidad. Según Cuadra, "en el árbol el hombre aprende a dar: ramas o brazos cargados de frutos, cargados de dones; es el mandamiento del corazón de la tierra expresado en árbol" (Cuadra 1991 17). Tal como dice al final de "El Mango", el poeta sabe aprovechar de la amistad de este compañero vegetal que parece ser un miembro querido más de la familia:

Profesa un verde familiar.
Nace en tus islas.
Te acompaña en tus caminos con sus alamedas
En tu patio crece,
hospeda
tus pájaros indios
y teje con brisas y cigarras
— como una hamaca —
tu siesta.
(Cuadra 1987a 69)

Existe un fuerte sentido familiar también en "El Jenísero", poema dedicado al padre del poeta, el doctor Carlos Cuadra Pasos. Según Cuadra:

> *Hasta hace poco existía un Jenísero cerca de la casa que tengo en el lago. Ya se secó. Hay otros jeníseros pero ése me revivía un recuerdo de infancia. Mi padre tuvo una hacienda que se llamaba "La Punta" un poco delante de donde yo tengo la casa de recreo y allí digo en el poema que venía con el General Mena y pasábamos por ese jenísero que más o menos quedaba donde estaba todavía cuando escribí el poema. En el poema hablo de eso, que venía el General Mena hablando con mi padre y yo venía tras ellos en un caballito que me había regalado un señor de Granada, un caballito en el cual yo aprendí a ser jinete"* (White 82).

El poema remite a un período de la historia de Nicaragua que se caracteriza por los conflictos fratricidas entre los seguidores de los dos partidos políticos principales del país, los Conservadores (de Granada) y los Liberales (de León). Cuando le pregunté a Cuadra en una entrevista sobre el espíritu corporativista que se manifiesta en algunas obras que el poeta publicó en los años treinta me dijo lo siguiente:

> *Es una pregunta que abarca uno de los nudos más difíciles de mi vida en el mundo ideológico porque durante la primera juventud mía nosotros estábamos viviendo los finales de una guerra civil en Nicaragua. Incluso yo estuve sirviendo en un hospital, como joven, atendiendo allí a los heridos de la guerra civil y recuerdo lo que me impresionó un general que era amigo de mi casa que tenía perforado el pulmón y los gritos de dolor que daba. Todo eso me hizo repeler la guerra civil y un poco equivocadamente le repudiábamos el hecho de la guerra civil a la existencia de partidos políticos porque en realidad la guerra civil era entre los Liberales y los Conservadores. Esos dos partidos se habían formado sobre la base de dos tribus rivales: León y Granada, Chorotegas y Nahuas. Y entonces la lucha de los partidos se había hecho una lucha tribal.* (White 75)

En "El Jenísero", el árbol se convierte en algo más que un testigo pasivo de las guerras fratricidas que marcan la historia humana, sea el mundo mesoamericano indígena o el nicaragüense de los siglos XIX y XX. Como dice el General Chamorro, conversando con el padre del poeta, refiriéndose al jenísero por donde pasaban (junto con el poeta como niño) a caballo:

— *"Este gigante vio pelear a los Timbucos y los Calandracas.*
De estas ramas mandó colgar Anduray, cuando la guerra del 54,
a Braulio Vélez, el correo de don Fruto
que se tragó una carta antes de entregarla a los leoneses...
Todo se paga;
también al pie de un jenísero pereció Anduray desangrado cuando la Batalla de las Tortillas".
(Cuadra 1987a 75)

Es decir, estamos en la presencia viva de una inmensa e innegable fuerza paterna capaz de proteger y tranquilizar a la humanidad dispuesta a las acciones más agresivas y destructivas. Según Cuadra:

Porque el Jenísero fue creado
para cubrir lo que se ama
para establecer bajo sus ramas el espacio de la vida
¡potestad pacífica erigida contra lo Terrible!
(Cuadra 1987a 78).

En una nota que acompaña este poema, Cuadra ofrece una idea tal vez no tan enigmática si uno piensa en la situación política polarizada de Nicaragua en el período incierto y violento de 1977-1978:

> *En su oficio 'contra el atardecer' al Jenísero se le puede aplicar la frase de Esquilo en* Los Siete contra Tebas*: "...él no permitirá que una lengua insolente y extranjera se desate dentro de nuestras murallas, ni que penetre por las puertas de Tebas un hombre cuyo escudo enemigo representa la imagen de la Esfinge, bestia feroz, el más odiado de los monstruos..."* (Cuadra 1987a 87)

Seguramente Cuadra no se refiere al inglés en el sentido dariano de "¿Tantos millones de hombres hablaremos inglés?" sino, como me explicó Cuadra en una entrevista de julio de 1982, al ruso o al chino o al español cubanizado de "un sistema totalitario importado" (Arellano 1994 111). "A lo que nos oponemos," dijo Cuadra además, "es a un estatismo que se nos crezca como un monstruo. No queremos otra vez gigantes, así se llamen Stalin, Mao o Fidel" (Arellano 106).

En su estudio fundamental *The Environmental Imagination: Thoreau, Nature Writing and the Formation of American Culture*, Lawrence Buell habla de la importancia del lector que sabe preguntarse: ¿Cómo actúan los textos como cargadores o agentes de la ecocentricidad? ¿Logra el autor renunciar el mito de la separación humana de la naturaleza? ¿Abandona (o por lo menos cuestiona) el texto los enfoques más básicos de la literatura como, por ejemplo, los personajes y la conciencia narrativa humana tradicional? (Buell 1995 143) En *Siete árboles contra el atardecer,* cada personaje-árbol-poema demuestra cómo la cultura humana está conectada al mundo físico, afectándolo, siendo a la vez, afectada por él. Esta antología vegetal, una verdadera comunidad imaginada de Cuadra, abre un diálogo con sus miembros presentes y además otro con las especies no-incluidas, pero que habitan también el mismo ecosistema. Conny Palacios ha hecho un estudio notable de la obra de Cuadra a través de la perspectiva de una pluralidad de máscaras por medio de las cuales el poeta asume la voz de diferentes personajes que incluyen, entre muchos otros, el chamán, el historiador y el botánico (Palacios 113-130). Siguiendo la idea que expresa A. David Napier en *Masks, Transformation and Paradox* en cuanto a las máscaras Barong de Bali, yo diría que Cuadra fabrica sus caretas sagradas de la misma madera de las especies que actúan en *Siete árboles contra el atardecer* (Napier 210-212). Al cubrirse, transformarse y nutrirse de estos árboles, el asombroso yo del poeta se multiplica en estos poemas, uniéndose con el poder fundador de la naturaleza, sobre todo en "El Jenísero" cuando Cuadra dice:

El rayo: dibujo eléctrico del gran árbol del cosmos.
Cierras los ojos al deslumbre y al abrirlos ha nacido el Jenísero.
Este es el trono de la tormenta.
Pero he aquí que yo he extendido mis ramas y he fundado un reino pacífico.
(Cuadra 1987a 73)

Si "La Ceiba" ayuda a crear la arquitectura materna del cosmos, "El Jenísero" forma su contraparte paterna, describiendo cómo "en la cátedra de este árbol se sienta el sol a distribuir justicia" (Cuadra 1987a 73). Tanto en este poema como en los otros de *Siete árboles contra el atardecer*, los árboles son múltiples centros de conocimiento cuyo razonamiento vertical conduce al pensamiento horizontal. Cuadra habla de "los pueblos y caseríos naciendo alrededor de los árboles:/Nagarote del jenísero. Camoapa de los Chontales. El Paso. El Sauce. El Guapinol" (Cuadra 1987a 77). En este poema Cuadra cita algunos versos de "La agricultura de la zona tórrida" (1826) de Andrés Bello, lo cual cabe muy bien en "El Jenísero" porque Bello, al construir por primera vez en la poesía hispanoamericana un paisaje reconociblemente *americano* (convirtiéndolo así en el antecedente literario más importante del *Canto general* de Neruda), recomienda la agricultura y no la guerra para fomentar la independencia política y cultural en las nuevas repúblicas. En el caso específico del poema de Cuadra, algo muy importante sucede con "los viejos pueblos acampando bajo el jenísero": el árbol se transforma en un sitio por excelencia de la creación y mantenimiento de la cultura popular a través de la tradición oral:

Jenísero: palacio de reyes descalzos coronados por la pobreza:
bajo tu sombra se detienen los peregrinos
— Romeros de nuestro Padre Jesús de Apompoá
Promesantes de Nuestra Señora la Virgen del Viejo

De Nuestra Señora la Virgen del Hato
De Nuestro Señor el Cristo de Esquipulas
Pueblo procesional
desunciendo sus bueyes
desensillando sus bestias
asando el tasajo en el chisporroteo de la fogata
cantando, contando leyendas, inventando las nuevas palabras del amor y de la tierra.
(Cuadra 1987a 77)

Las ideas de Kent C. Ryden, refiriéndose al legado de la población aborigen de Australia, también se aplican a la ecopoética de Cuadra en Nicaragua a pesar de las diferencias evidentes entre los dos paisajes: la tierra, esculpida por los Seres Antiguos y los Sueños "ya es una narrativa, un artefacto de la inteligencia" (Ryden 44). Cuadra, además, quiere seguir la antigua *Songline* de una región, cantando y también escuchando el canto de la creación de un mundo.

Si el Jenísero crea un centro, un círculo de verdura que excluye "lo ciego, lo siniestro, lo tenebroso" (Cuadra 1987a 78), el Jícaro se transforma en otro foco de vitalidad redonda que es el ombligo. Como destaca Gutierre Tibón en su fascinante estudio intercultural *El ombligo, como centro cosmico: una contribución a la historia de las religiones*, "*xícalli* es la jícara, receptáculo de ombligo por su redondez y largo pedúnculo, que se parece a un *xicmecáyotl*, 'mecate de ombligo', o sea cordón umbilical" (Tibón 51). En cuanto a la estructura geográfica de Tenochtitlán, dice Gutierre que "el centro de la ciudad debía ser el templo primitivo, construido sobre el *xicco*, la piedra ombligo de Me-Xicco", la ubicación central precisa de la cultura del sacrificio humano del imperio de los Aztecas (Gutierre 187). Según Cuadra en *El nicaragüense*, esta idea también corresponde a la región geográfica sincrética que hoy se conoce como Nicaragua: "Hemos sido colocados en un centro mediterráneo: en el ombligo del nuevo mundo" (Cuadra 1987b 16). El sentido etimológico de la palabra *Jícaro* juega un papel importante en el poema sobre este árbol que cierra *Siete árboles contra el atardecer*, ya que, en las palabras de Cuadra, "El Jícaro canta la muerte de Pedro Joaquín Chamorro asesinado durante la dictadura de los Somoza" (White 82). Tal como en los otros poemas, el poeta utiliza en "El Jícaro" el lenguaje preciso de la botánica (véase Fowler 96-97), pero esta vez intentando establecer una relación entre los rasgos físicos del árbol (con sus frutos "como cabezas de hombre") y su actuación como personaje dramático en el poema:

Sobre este árbol escribo:
"Crescentia cújete"
"Crescentia trifolia"
"Xicalli" en náhuatl
jícaro sabanero
de hojas como cruces:
fasciculadas, bellas
hojas de un diseño sacrificial;
memorial de mártires
"árbol de las calaveras"
(Cuadra 1987a 82)

El epígrafe de "El Jícaro"("En memoria de Pedro Joaquín Chamorro/ cuya sangre preñó a Nicaragua de libertad") (Cuadra 1987a 81) establece el comienzo de una serie de metáforas cuidadosamente construidas para corresponder a uno de los mitos centrales del *Popol vuh* que narra la historia de Ixquic, "Sangre de Mujer". Una nota del texto explica que Chamorro, "compañero del autor en la dirección del diario *La Prensa*, [fue asesinado] cuando iba a su trabajo en la mañana del 10 de enero de 1978" (Cuadra 1987a 87). Cuadra quiere dejar claras las coordenadas temporales que subyacen el poema, fechándolo en Managua, 1978, el mismo año de este crimen que aún permanece no resuelto y sumergido en las aguas turbias de múltiples teorías de conspiración. El horror y dolor de la tragedia son muy personales y también compartidos de una manera masiva y popular: "¡Oh sombras! ¡He perdido un amigo!/ Ríos de pueblo lloran junto a sus restos" (Cuadra 1987a 81). Según los vínculos metafóricos con el *Popol vuh* que el poeta afirma en su poema, Chamorro se compara con Uno Hunahpú (el padre de los gemelos Hunahpú e Ixbalanqué) y Nicaragua se asocia con Ixquic (la madre de estos mellizos heroicos). La sangre del sacrificio de Chamorro se asemeja en el poema a la saliva de Uno Hunahpú que en la narrativa del *Popol vuh* escupe en la mano de Ixquic, dejándola preñada de los gemelos, cuyo destino consiste en liberar a los seres humanos de los señores de la muerte de Xibalba, "Lugar de Miedo". Uno y Siete Hunahpú mueren engañados por los señores del inframundo antes de poder desafiarles en el juego de pelota. Se sacrifican, pero los señores de Xibalba colocan la cabeza de Uno Hunahpú en un jícaro, otro árbol prohibido del conocimiento, y es allí donde se encuentra con la atrevida y valiente doncella Ixquic quien, según el poema de Cuadra,

saltó sobre la prohibición de los opresores
Y se acercó al árbol.
Se acercó para que el mito nos congregara en su imagen:
porque la mujer es la libertad que incita
y el héroe, la voluntad sin trabas.
(Cuadra 1987a 83)

El Jícaro, entonces, forma parte de un paisaje que habla, participa en la fundación de una cultura libertaria, dejando su testimonio en un poema del siglo XX (a través del *Popol vuh*) al decirle a Ixquic:

"En mi saliva te he dado mi descendencia.
Porque la palabra es sangre
y la sangre es otra vez palabra".
(Cuadra 1987a 83)

Kent C. Ryden habla de distintos niveles de significación que se sobreponen en el mundo físico. El proceso se realiza por medio de los mitos y el conocimiento folklórico que transmiten la historia invisible de un lugar y crean un fuerte sentido de identidad individual y comunitaria (Ryden 62-66). En el caso de este poema de Cuadra, el autor utiliza el jícaro, árbol mítico de la antigua cultura Maya, sí, pero también emblema vivo y presente en el paisaje de Nicaragua, para facilitar la transformación de Chamorro como figura histórica a héroe mítico. Esto se explica porque, en las palabras de Mircea Eliade, "El evento histórico en sí, por importante que sea, no permanece en la memoria popular; su recuerdo tampoco ilumina la imaginación poética a menos que el evento histórico específico se acerque estrechamente a un modelo mítico" (Eliade 42). El resultado de esta transformación es una especie de inmortalidad y, además, de esperanza para futuras generaciones, como afirma Cuadra en "El Jícaro":

Y así comenzó nuestra primera civilización
— Un árbol es su testimonio —
Así comienza, así germina cada vez la aurora
como Ixquic, la doncella
que engendró del aliento del héroe
a Hunahpú e Ixbalanqué
los gemelos inventores del Maíz:

el pan de América, el grano
con que se amasa la comunión de los oprimidos.
(Cuadra 1987a 84)

En el verbo "amasar" queda latente la idea de las *masas*, y el mártir ubicado en el árbol del sacrificio genera la posibilidad de la comunión, del triunfo general sobre la muerte, de la colectividad oprimida que al final forja su libertad.

Uno de los aspectos más importantes de *Siete árboles contra el atardecer* es cómo establece su "ecopoética". Según Jonathan Bate, se puede entender este término etimológicamente como "un hacer de la morada", ya que la palabra viene del griego *poeisis*, hacer, y *oikos*, la casa o el lugar de vivir (Bate 75). Al construir el sitio querido que habita, Cuadra no ignora en sus poemas el amplio valor etnobotánico terapeútico de las especies de árboles que describe en su libro. Un antecedente importante de este acercamiento a la naturaleza de Mesoamérica, sobre todo las plantas medicinales de los pueblos de habla Náhuatl, es la vasta obra enciclopédica de Fray Bernardino de Sahagún *Historia general de las cosas de la Nueva España* del siglo XVI, que, según el gran investigador mexicano Ángel María Garibay K., "es también obra de los mismos indios" aunque toma como modelo de organización la *Historia Natural* de Plinio (Garibay 561-586). Uno de los informantes indígenas de Sahagún, el que se encarga de todas las relaciones de las enfermedades y remedios (además de toda la Zoología), no es anónimo: de alguna manera, Pedro de San Buenaventura está presente en los poemas de *Siete árboles contra el atardecer*. A propósito de un proyecto semejante de evangelización colonial a través de la extracción del conocimiento indígena de las plantas sagradas, el poeta chicano contemporáneo Francisco X. Alarcón contrapone el trabajo de coerción violenta del sacerdote Hernando Ruiz de Alarcón en *Tratado de las supersticiones y costumbres gentílicas que oy viven entre los indios naturales desta Nueva España* (1629) al lanzar como remedio poético sus propios *Snake Poems: An Aztec Invocation* (Alarcón).

Cuadra incluye en sus poemas muchas referencias a los usos medicinales de estas siete especies, basándose en fuentes históricas. En "El Jocote", por ejemplo, cita a Gonzalo Fernández de Oviedo y su *Historia general y natural de las Indias*:

"Estando yo en la provincia de Nicaragua – escribe —
se bautizó un cacique, señor de la plaza de Ayatega
y este cacique en cierta batalla fue degollado por enemigos y lo
dejaron por muerto
pero sus indios recobraron su cuerpo y quitaron la corteza a un
ciruelo de estos
y se le aplicaron a la herida y con aquello soldó y sanó
y yo le vi y le hablé
y era cosa para espantar verle al cacique la garganta
y las cicatrices y burujones por donde lo habían degollado"
(Cuadra 1987a 47)

Cuadra dice que "panamá" en la lengua Náhuatl significa "farmacia" o "venta de medicinas":

porque el indio descubrió que su semilla tostada tiene el sabor del
maní y alimenta y cura,
descubrió que su semilla molida produce un fino aceite,
que la concha de su fruto picada y cocida es un efectivo emoliente
contra el reumatismo y los golpes endurecidos.
Luego la ciencia analizó su fruto y descubrió la Cortisona.
(Cuadra 1987a 53)

En cuanto al cacao, dice Cuadra, "Oviedo, el Cronista, lo encuentra: 'precioso y sano'/ 'E dicen los indios que bebido el cacao en ayunas, no hay víbora / o serpiente que los pique'" (Cuadra 1987a 57). Para confirmar que el mundo de los remedios naturales es vastísimo y complejo, basta consultar libros como *Plantas medicinales del estado de Yucatán* de Rosa María Mendieta y Silvia del Amo y *Aztec Medicine, Health and Nutrition* de Bernard R. Ortiz de Montellano con su bibliografía extensa y un apéndice con una evaluación empírica de más de 60 hierbas medicinales aztecas con sus nombres indígenas y científicos. Un libro como *Siete árboles contra el atardecer* perfectamente puede servir para abrir un diálogo sobre dos temas contemporáneos sumamente polémicos e importantes: las plantas transgénicas y los derechos de propiedad intelectual, un fenómeno que suscita (según Paul E. Minnis) preguntas como, ¿Quién es el dueño del conocimiento etnobotánico? y ¿Cómo deben beneficiarse económicamente los pueblos indígenas de la venta de sus tradiciones culturales? (Minnis 5). Últimamente han surgido muchos intentos a nivel internacional de crear un marco legal para resolver este asunto ético, político y económico, entre ellos el excelente libro de los peruanos Jorge Caillaux Zazzali y Manuel Ruiz Müller *Acceso a recursos genéticos: propuestas e instrumentos jurídicos.*

Lo que construye Pablo Antonio Cuadra en *Siete árboles contra el atardecer* es todo un mundo ecocéntrico. Nos ofrece la oportunidad de considerar la base biofísica de su respuesta estética a una parte determinada del paisaje nicaragüense, es decir, siete especies de árboles. Debido a su manera de existir almacenando la experiencia, estos árboles-poemas conservan en su lugar *literalmente* el suelo y la memoria locales. Al hablar sobre la pérdida de la narrativa de la flora y fauna (*the loss of floral and faunal story*), Gary Paul Nabhan y Sara St. Antoine afirman lo siguiente: "Hasta que las tradiciones científicas indígenas trasmitidas oralmente no sean tratadas con el mismo respeto que la ciencia occidental, la *monoculture* (la palabra "culture" entendida como *cultura* y también como *cultivo*) euro-americana continuará extinguiendo una diversidad de respuestas humanas adaptivas al medio ambiente local y, como consecuencia, puede que la biota sea afectada de una manera negativa también" (Nabhan y St. Antoine 248). Mientras tanto, ¿en qué quedamos en cuanto a la esperanza? Jonathan Bate propone que la poesía, en términos muy literales, es el canto de la tierra y se pregunta si el poeta no es una sub-especie clave (*keystone sub-species*) de *Homo sapiens*, o sea, el poeta, como una criatura aparentemente inútil pero que es potencialmente el salvador de ecosistemas (Bate 231). En este sentido, los poemas de *Siete árboles contra el atardecer* son canciones de la *sustentabilidad.* Como ha dicho Cuadra, "Cuando se hace un árbol-poema, la escritura puede enfrentar su creación: haciendo la semilla de un árbol con sus propias leyes de crecimiento, floración y fruto; o haciendo el árbol tal cual, soberano pero inmóvil. El poema seminal no cesa de engendrarse" (Solís 147). Estos poemas representan también una técnica mnemónica para recordar quiénes somos, de dónde venimos y, sobre todo, a dónde vamos si no logramos aprender a enraizar el lenguaje en la tierra y cuidar lo que nos sostiene.

6. DIÁLOGOS Y RECIPROCIDAD CON EL MUNDO EN *EL NICÁN-NÁUAT* Y *EL INDIO Y EL VIOLÍN*

EN sus dos libros *El nicán-náuat* y *El indio y el violín*[1] Pablo Antonio Cuadra vuelve a tomar la idea de lo indígena como una manera de vivir en un mundo en que el ser humano se completa sólo a través del diálogo y la reciprocidad con el medio ambiente que le rodea. Aunque bien se podría considerar su obra maestra anterior *El jaguar y la luna* en conjunto con *El nicán-náuat*, y *El indio y el violín* como una serie de libros que expresan el desarrollo cultural indígena antes, durante, y después de la llegada de los españoles a Mesoamérica, prefiero evitar un enfoque exclusivamente antropocéntrico para destacar cómo funciona el intercambio y la afectividad entre los seres humanos y el mundo natural que habitan tal como se presentan en los dos poemarios pabloantonianos tardíos. En *El nicán-náuat*, el poeta intenta recuperar una forma de ser y estar en el mundo (que se ha perdido y que a la vez ha persistido) por medio de la figura histórica indígena del cacique de Nicaragua que mantuvo largas conversaciones con el capitán

---

1. *El nicán-náuat*, el último libro mayor de Pablo Antonio Cuadra, se publicó en *El Pez y la Serpiente* 30 (julio-agosto 1999): 41-96. *El indio y el violín*, una serie de quince poemas escritos en los años ochenta, fue publicado en forma definitiva en *El Pez y la Serpiente* 36 (julio-agosto 2000): 3-30. En una nota introductoria a este breve poemario, Pedro Xavier Solís dice: "Si *El nicán-náuat* es el libro de nuestros orígenes ambientado en el increíble momento del encuentro de dos mundos, *El indio y el violín* es el libro del comienzo del mestizaje" (pág. 4).

español Gil González cuando éste último llegó a la región de Nicoya y el Gran Lago en abril de 1523.[2] Según Miguel León-Portilla:

> *El diálogo que entonces tuvo lugar fue en extremo interesante ya que precisamente versó sobre asuntos tocantes a la religión. Más que información acerca de las creencias de los nicaraos, puede percibirse, a través de lo que transcribió González Dávila, la curiosidad y perspicacia del cacique indígena que le propuso cuestiones de muy difícil respuesta.* (León-Portilla 1972 16-17)

Cuadra inventa el personaje emblemático de Mondoy en *El indio y el violín* como una manera de destacar la dualidad de ciertos valores en torno al mestizaje. Veremos que estas figuras literarias humanas se complementan y alcanzan expresarse plenamente sólo por medio de lo más que humano, o sea, la serie de fenómenos intersubjetivos que experimentan de tipo biofílico y topofílico, tal como hemos definido estos términos en relación con *Siete árboles contra el atardecer* en el capítulo anterior.

Cuando le pregunté a Cuadra en una entrevista sobre la importancia del título de *El nicán-náuat*, la figura del cacique y los diálogos entre los indígenas y los españoles que se reconstruyen en el poemario, el poeta me respondió:

> *El título revive una forma de titular algunos de sus textos del hombre* náhuat. *Nica-náua ("hasta aquí los nahuas") es el nombre de nuestra Patria, que, con el tiempo y el mestizaje, se convirtió en Nicaragua. Mi poemario se propone la resurrección del cacique (de su tiempo y de su hábitat) porque es, para mí, el hombre que inicia por el diálogo—por su famoso diálogo con Gil González Dávila—un puente de comprensión (e incluso de admirable simpatía: "Nunca indio alguno habló así a nuestros españoles" dice Oviedo) entre dos civilizaciones, entre dos culturas cuya fusión será la esencia radical de nuestra identidad nicaragüense.* (White 2000 72).

---

2. Veánse Molina Argüello y, sobre todo, Fowler pág. 193 para las fuentes históricas (europeas) y las referencias bibliográficas que documentan este encuentro.

Cuadra destaca el individuo indígena en su poemario pero sin ignorar el contexto mayor de la historia y la ecología que le han formado.

Esta estrategia corresponde al modelo de *The Cultural Evolution of Ancient Nahua Civilizations: the Pipil-Nicarao of Central America*, el extraordinario estudio de William R. Fowler, Jr., cuya meta principal consiste en una reconstrucción etnográfica de la historia, la cultura y las adaptaciones de los Pipil-Nicarao a base de la ecología cultural, las interacciones entre las sociedades humanas y el medio ambiente que habitan. Según Fowler:

> *El concepto del medio ambiente en la ecología cultural abarca el hábitat (el paisaje, el clima, los suelos y los minerales), las comunidades bióticas, y otras sociedades humanas. La cultura puede considerarse el mecanismo adaptivo principal actuando como intermedio entre las poblaciones humanas y sus medioambientes a través de un intercambio dinámico de materia, energía e información.* (Fowler 11)

Fowler indica que, además de los elementos ecológicos que influyen en la evolución cultural, hay factores históricos y modos de producción que, en su conjunto, generan el cambio social (Fowler 13).

Cuadra intenta unir la ecología y la historia por medio del renacimiento del cacique que dialoga tanto con los españoles como con el mundo que habita. Al querer hacer hablar en primera persona la figura del cacique de Nicaragua, Cuadra nos remite a toda la polémica en torno a la subalternidad, el testimonio y la voz del "Otro". Para Cuadra, urge recrear la persona individualizada, su voz, su vida, su tiempo, su hábitat, como el poeta ha dicho, precisamente porque escasea esta información. Lo que hace Cuadra, al final, es ficcionalizar un testimonio casi ausente, inventar una crónica del líder de una población marginada por la experiencia colonial. John Beverley indica que "el problema del testimonio es de hecho también uno de representación y representatividad" y agrega que la estrategia literaria en un libro como *El nicán-náhuat* es "una construcción literaria colonial o neo-colonial de un "otro" con el cual podemos "hablar" (que habla con nosotros), suavizando nuestra angustia ante la realidad de la diferencia (y del antagonismo) y afirmando la naturalidad de nuestra situación de recepción" (Beverley y Achugar 7). El proyecto de Cuadra, de acuerdo con esta perspectiva de Beverley, bien podría considerarse un "compromiso por buscar y restaurar la especificidad del subalterno como sujeto de la historia" (Beverley y Achugar 9).

De ahí, entonces, nace el interés intenso de Cuadra en los estudios históricos constructivistas geniales de Carlos Molina Argüello (1921-1998) en que el historiador nicaragüense consigue establecer algunas verdades novedosas (a pesar de una asombrosa falta de datos) basadas en una revisión rigurosa y deductiva de una diversidad de documentos existentes de la época. En una carta personal al poeta, afirma que el nombre del cacique de Nicaragua es toponímico:

> *El nombre Nicaragua, lo he publicado y lo confirmó una vez más después de muchos años, es por origen y por uso histórico lo que se dice un topónimo; es el nombre del pueblo de la orilla del Gran Lago a donde llegó el capitán Gil González Dávila y le recibiera de paz el cacique o indio que allí señoreaba. La afirmación que hago, de ser nombre de lugar y no de persona, no admite contradicción... yo suelo decir: "el pueblo de Nicaragua, alias San Jorge"* (Molina Argüello 10).

Propone, además, que el verdadero nombre del cacique, el que corresponde a su día natalicio, es "5 Muerte"[3]:

> *El "gran cacique" del pueblo de Nicaragua con quien se encontró el capitán Gil González en abril de 1523, se llamaba* MACUILMIQUIZTLI, *"5 Muerte", en razón del día de su nacimiento, como estuvo en uso entre la gente de su nación* (Molina Argüello 32).

Molina Argüello afirma también que no hay ninguna mención oficial europea de una sublevación de la población indígena, lo cual significa en su opinión que el cacique de Nicaragua aceptaba pacíficamente el nuevo dominio político y religioso de los españoles:

> *La tierra del cacique de Nicaragua, lo mismo que la de Nicoya, ambas en la entrada y principio de la nueva conquista, eran ganadas de paz y tenidas en fidelidad segura.* (Molina Argüello 12).

---

3. Véase Fowler pág. 193. Según Fowler, el título "cacique" es una palabra de los Arawak en el Caribe que los españoles llevaron a Mesoamérica. "Teyte", que quiere decir "señor", es el título usado por los Nicarao. "Tlatoani", o "el que tiene la palabra", cuya forma plural es "tlatoque", se usaba entre los pipiles y significa líder supremo de un estado/gobierno importante. Fowler dice que el título "tlatoani" no existía entre los Nicarao.

De hecho, Fowler, citando a González y Cereceda, dice que "Nicaragua fue uno de los contribuidores más generosos a la expedición de González Dávila", suministrándole por lo menos el equivalente de 15,000 pesos de oro (Fowler 193).

Basándose, entonces, en estas afirmaciones, y rellenando los huecos lamentables de las fuentes españolas, Cuadra crea una versión literaria de un enigma humano indígena clave que habla en primera persona. Siempre es un riesgo adoptar una máscara y hablar como si uno fuera otro, pero el lector, por supuesto, suele confiar en la presencia de un yo como práctica discursiva. El resultado es una figura dotada de la magia y la verisimilitud de la palabra hablada. Excluido de la historia oficial, este nuevo y, a la vez, antiguo cacique de Nicaragua nace de nuevo después de encontrar en Cuadra una especie de "letrado solidario" (para usar el término de Hugo Achugar) que le ayuda a ingresar en el espacio histórico-literario que anteriormente le fue negado. Achugar menciona las convenciones y artificios de la literatura como algo que contribuye al "efecto de oralidad/verdad". Destaca la idea de Coleridge de una "*willing suspension of disbelief*", "es decir, ese estado de receptividad y credulidad por parte del receptor por el cual acepta la ficción y que constituye, al decir de Coleridge, la 'fe poética'" (Achugar 63).

En "El informe", el primer poema de *El nicán-náhuat*, Cuadra intenta construir una imagen física del cacique de Nicaragua, darle un cuerpo ubicado geográficamente para que el lector pueda ver al rey salir de las aguas del Gran Lago después de bañarse por la mañana y luego cruzar la playa al volver a su pueblo:

Salió el Cacique de las aguas matinales
y volvía al pueblo cruzando arenas bajo el palio de tela cárdena
transpirando, moviéndose con el paso solemne de tantos años
rey
hijo de rey. "Cinco Muerte" — su nombre — hijo de Xostónal
el que expandió el imperio del cacao — moneda vegetal —
y con el cacao impuso el náhua como "lingua franca":
no el gorgeante náhuatl de Tezcoco
con sus consonantes enjaulando pájaros,
sino el arcaico, el que habló Tamagastad el dios barbado...
(Cuadra 1999a 43)

Cuadra afirma que la forma de lengua Náhuatl que habla el cacique es arcaica para establecer un vínculo entre el cacique y la versión nicaragüense de Quetzalcóatl: Tamagastad, el benefactor, el hombre hecho dios, "la inmortalizada virilidad de un pueblo", según Eduardo Zepeda Henríquez que agrega, "y esta divinidad solar había sido el caudillo que encabezó la marcha de los antepasados del pueblo niquirano hacia nuestro país, y él era igualmente el capitán divino que auxiliaba a los suyos en la guerra, para defender aquel territorio como una "patria" definitiva" (Zepeda Henríquez 1987 17).

En "El informe", Cuadra habla además del poder económico del cacique que tiene su origen en el cacao del istmo de Rivas, una historia que se cuenta más detalladamente en *Siete árboles contra el atardecer*. La importancia del cacao como "moneda vegetal" produce una *lingua franca* en el territorio del cacique pero este dialecto de la lengua Náhuatl se distingue del Náhuatl de Tezcoco. Se trata de un fenómeno que tiene que ver con la idea de pertenecer a un pueblo peregrino como "hijos de un destino exódico", según dice el poeta (Cuadra 1988b 16). Fowler describe los Pipil-Nicarao como sociedades migratorias fronterizas híbridas que mantienen algunos rasgos del estado dominante céntrico de su origen pero que también adoptan características de los pueblos periféricos que caen bajo su dominio territorial (Fowler 260).

Cada rey intenta demostrar su linaje real como base de legitimidad, y Cuadra, el narrador omnisciente, quiere establecerlo en "El informe":

el náhua en que cantó Tutecotzimí
el rey poeta, señor de los pipiles
el peregrino
padre de Ticomega el guerrero
que batalló con los mangues y les arrebató las tierras del sur,
padre de Ticomega el tirano
padre de Xochi-tonal, el signo florido,
el que engendró a Machil-Miquiztli o Cinco-Muerte
(Cuadra 1999a 43-44)

Pero esta búsqueda de una identidad legítima también se relaciona con el largo proceso de descubrir al indio en la poesía nicaragüense que comienza con la labor arqueopoética de Rubén Darío en su poema "Tutecotzimí" en que dice el poeta, "al cavar en el suelo de la ciudad antigua": "Mi piqueta/ trabaja en el terreno de la América ignota" (Darío 317).

Es más, Cuadra procura construir la imagen del cacique de Nicaragua como un gran mecenas de las artes:

el rey filósofo
todos padres y abuelos atados a sus artes
cada generación un estilo
— cerámica policroma / cerámica plúmbea /
loza luna / ánforas con trípodes para los sueños del grano fermentado /
urnas funerarias para el feto de la nueva vida —
un sello
como me dijera después Fray Pobreza:
"Médicis del otro mundo, florentinos de agua dulce"
(Cuadra 1999a 44)

Como hemos señalado en el capítulo sobre *El jaguar y la luna*, Cuadra considera que la llamada "Cerámica Luna" es una especie de arte experimental que le atrae como creador iconoclasta y uno de los fundadores del vanguardismo en Nicaragua:

Estudiando el arte y sobre todo la cerámica de nuestras dos culturas más desarrolladas, la chorotega y la nahua, en el momento de la invasión española, más bien encontramos una voluntad de arte emancipadora o, por lo menos, experimentalista de nuevas formas. Si, como dice Lothrop, la cerámica "Luna" florece un poco antes y alrededor de la venida de los españoles y es, por tanto, el último estilo antes de la Conquista, quiere decir que, frente a la cultura española que se acercaba a un punto clásico (inevitablemente rígido en sus cánones) nuestro indio descubría el gozo "vanguardista" de liberar sus formas y de experimentar simplificaciones, enmascaramientos y correspondencias plásticas de una osadía que nos obliga a saltar los tiempos y a compararlos con los de Paul Klee o Picasso.

En el diálogo mismo entre Gil González y el cacique Nicaragua — que "agudo era y sabio en sus ritos y antigüedades", según Gómara — si son auténticas como parecen las preguntas que copia el cronista, el cacique muestra una inquietud intelectual, una curiosidad, que podemos llamar científica, por las causas de las cosas y un espíritu liberal e irónico que concuerda con la mentalidad que sugiere la cerámica (Cuadra 1988b 81).

Cuadra también utiliza la figura del cacique para exaltar las culturas de la región del Gran Lago, entonces, a base de una perspectiva "vanguardista" (que supuestamente se encuentra en la cerámica[4]) apreciada y apoyada por el cacique mismo como afirma Cuadra en el hermoso y enigmático poema "Cerámica Luna", una especie de *ars poetica* del vanguardismo nicaragüense:

Hemos ido al origen.
Vuestros pinceles regresan con el misterio.
Que el Conejo no sea conejo,
sino el fruto de la magia que creó al Conejo
Que el Conejo no sea conejo,
sino el pensamiento del conejo sobre el conejo
Que la figura del Conejo no sea la que el conejo mira en el agua
al atravesar el río,
sino la que el Conejo ve en su sueño
al atravesar la noche.

Se escuchó entonces, un murmullo
entre los viejos descendientes de los hábiles toltecas
cultivadores de la policromía
y de la estilizada perfección.
Y se extendió el murmullo
entre los nicoyanos, gente mangue
    — que asimilaron todas las culturas
    y todas las culturas superaron —
    un murmullo de protesta, un discreto
    murmullo que llegó hasta el oído del Cacique

---

4. Véase Fowler pág. 68. Fowler, citando un estudio de Wolfgang Haberland de 1964 dice lo siguiente sobre la cerámica Luna cuyo centro de origen se encuentra en la Isla de Ometepe: "Mientras algunos estudiosos ven rasgos mesoamericanos en esta cerámica, otros encuentran vínculos estrechos entre los motivos decorativos de Luna y las tradiciones selváticas sudamericanas. Una derivación extra-mesoamericana para esta cerámica aparentemente se apoya a través de su distribución entre diferentes sitios. Considerando la evidencia de la cerámica, la ocupación de la Isla de Ometepe durante el período tardío de la pre-conquista parece representar una intrusión de un grupo no-mesoamericano, posiblemente de la Costa Atlántica de Nicaragua, y parece poco probable que los Nicarao tuvieran la isla bajo su control."

y el Cacique de Nicaragua se volvió a Metz-Tochtli:
"Diles que hemos detenido la tradición
cuando la tradición se hizo rutina,
que hemos ido a los orígenes
donde la tradición es aventura"

Y subió las gradas sonriendo
y canturreando:
"Zan ye huitz
ye huitz
in papalotl"
Ya viene, ya viene
la mariposa!

*NOTA (del copista)
Tochtli, el que anida en la Luna
y se nutre de su luz de leche
— el que invocan los bebedores a las puertas del alba —
reveló a los hombres este secreto de la mujer-astro
"Lo mismo que yo muero y renazco
los hombres morirán para renacer".
Pero sólo la Luna y los poetas conocen
el agujero de la Liebre.
(Cuadra 1999a 52-53)

La primera estrofa del poema articula lo que mencionamos en cuanto a la simbolización del mundo más que humano que se manifiesta en los poemas de *El jaguar y la luna*, sobre todo en "La luna es un poeta embriagado" donde:

> *El bebedor nocturno ha bebido*
> *la alucinante*
> *palabra*
>   *ha bebido*
> *la ardiente oscuridad*
>   *y cae.*
> (Cuadra 1984b 75)

Es la poesía misma que el jaguar devora en este poema, lo cual produce una "cólera estelar" (Cuadra 1984b 76), o sea, estrellas que brillan y se perciben por medio de su belleza enigmática asociada con el mundo irracional de los sueños.

En "Cerámica Luna", Metz-Tochtli, cuyo nombre significa "Conejo de la Luna" (Véase Molina Argüello 29), recibe un mensaje del cacique sobre la verdadera aventura de los orígenes míticos destinado a los creadores/ artistas de todos los distintos grupos étnicos del dominio de Nicaragua. El mensaje contiene el secreto de la vida, sólo poseído por la Luna y los poetas, un secreto que se encuentra en el mundo inconsciente que se ubica en el poema metafóricamente en un espacio subterráneo, el agujero de la Liebre, ¡como si hubiese algún poeta capaz de acompañarle al cacique y participar en una escena alucinante de *Alicia en el país de las maravillas*! ¿Cómo se explica lo que canturrea el cacique al subir las gradas del espacio sagrado del templo? La mariposa, como explica Garibay, es un símbolo doble: representa la encarnación del guerrero muerto y también el poeta que perdura a través de la belleza de su canto:

> *Ya viene, ya viene la mariposa,*
> *viene volando, viene abriendo las alas,*
> *sobre las flores va y viene:*
> *Bebe la miel: ¡que se deleite:*
> *ya su corazón brota flores!*
> (Garibay 102)

Lo eterno también se concibe como la búsqueda perpetua del Dador de la vida como afirma Cuadra en "Interrogaciones del Tlatoani en una puesta de sol" por medio de una imagen del mundo natural:

> *Pero hay que buscar al Dios que se inventa a sí mismo*
> *El destino del hombre es buscarlo*
> *Ir tras Él como quien va en pos de alguien*
> *siguiendo entre las flores su perfume...*
>
> *Ansié de veras encontrar un mensaje*
> *en la rápida brisa, el ala susurrante*
> *de un dios concebido como mariposa...*
> (Cuadra 1999a 68)

Aquí, curiosamente, tanto el buscador como el Buscado divino se unen en una forma única: una delicada criatura alada.

Se sabe, además, que en otro poema de *El nicán-náuat*, "El guerrero", el cacique se revela como alguien que encarna la misma dualidad simbólica que aparece en "Cerámica Luna":

Bajo la voz.
Llevo conmigo un pensador
que debe ocultarse a los hombres.
Ser hombre para el Guerrero es ser ministro de la Muerte
Me volverían la espalda mis galpones
si descubren agazapado debajo de mi piel de leopardo
al Poeta que escondo. El Guerrero
piensa con los testículos. El Poeta
levanta sus palabras y trata de alcanzar la altura de su frente.
(Cuadra 1999a 58)

Es en la forma soñada del Conejo por el conejo que aparece en un sueño nocturno o las palabras de un canto en lengua Náhuatl que invocan una mariposa al cruzar los labios del cacique como poeta (¡y no guerrero!) que el ser humano encuentra una manera de comenzar un diálogo con el mundo más que humano. Son, precisamente, estas relaciones biofílicas que le permiten completarse y alcanzar su plenitud espiritual.

Hemos visto cómo el arte influye en la construcción literaria del cacique en *El nicán-náuat*, sobre todo en cuanto a las formas visuales simbolizadas de la cerámica que le ayudan a entender su hábitat. Pero, en "El informe", el arte también facilita una comprensión del tiempo del cacique que pronto cambiará de una manera radical. Es el artista Chicue-iatonal (Ocho-Agua) que le cuenta al cacique de la llegada de los europeos, dibujando su barco como un signo asombrosamente kinético en la arena con la rama de un espino, pincel natural. Explica lo desconocido en términos negativos por medio de lo conocido:

Y Chicue-iatonal tomó una fina rama de Espino
la desbastó y dibujó en la arena una descomunal canoa
embanderada de telas que el viento henchía
y me dijo: En toda la sinuosa costa
tus súbditos entierran consternados sus piraguas
y se esconden balbuciendo
las palabras popolocas del miedo.
No. No era la gran balsa del Inca con sus mercaderes de almendras

de cacao
ni la canoa de los arponeros sutiabas
— ancha, cobada a fuego de un solo inmenso tronco —
no era la gran piragua incrustada de jades de los mayas chontales
que llegó perdida y hambrienta a la bahía azul de los pelícanos
No. Y trazó redondas en el costado de las gigantescas canoas
las bocas oscuras por donde a veces vomitaban
doméstico y poderoso, con su voz de furia, el rayo
(Cuadra 1999a 44-45)

Al final, el arte le revela al cacique la naturaleza de una realidad temporal que muchas veces los europeos han querido despojarle a la población indígena del continente americano al negarles una historia, la historia de sociedades dinámicas en un contínuo proceso de evolución:

Y el rey pensó. Y yo Tlatoani dije:
El Tiempo ha cruzado el mar

El signo que has trazado en la arena
hace huir al suspicaz Destino.
Hace temblar la Historia.
Un tiempo desconocido ha venido a barrer el tiempo conocido.
(Cuadra 1999a 45)

Además de utilizar los aspectos visuales que acabamos de mencionar, Cuadra representa al cacique de Nicaragua en *El nicán-náuat* a través de una negociación sutil entre la oralidad y la escritura. Las palabras atribuidas al cacique en poemas como "Preludio y rescate de algunas estrellas", "Interrogaciones del Tlatoani en una puesta de sol", "Del Cacique de Nicaragua a Diriangén", "Conversación del Tlatoani Nicaragua con Fray Miseria sobre el viento" y "Lo que dijo el Tlatoani a Andrés de Cereceda" no se basan en el lenguaje coloquial sino que retienen un tono solemne no ajeno, por un lado, a la práctica discursiva ritualizada y formal, y, por otro lado, al sentido culto y estilizado que se asocia con la cultura impresa del libro.

De hecho, "Preludio y rescate de algunas estrellas" borra las fronteras entre lo intervocal y lo intertextual, ya que en este personaje-poema el cacique habla en primera persona y demuestra una conciencia de su entrada en el futuro a través del artificio de Cuadra. El poema se relaciona, por cierto, con los numerosos poemas estelares de Cuadra, como, por ejemplo, "Interioridad de dos estrellas que arden" de *El jaguar y la luna*, las antífonas de *La ronda del año*, "En Tikal" de *El indio y el violín*, y tantos otros, todos con sus vínculos claros entre el cielo y la tierra (aunque no en el sentido cristiano que caracteriza "El códice de la ceniza"). "Preludio..." es una especie de autorretrato sideral del cacique que ya conoce a su "letrado solidario", Pablo Antonio Cuadra, autor de su resurrección:

> *Me muestro como soy*
> *sabiendo que un poeta*
> *me recupera...*
>
> *Soy palabra y el poema me pronuncia.*
> (Cuadra 1999a 46-47)

En cuanto a su relación con una población indígena de antaño, y siendo un poeta hispanoamericano contemporáneo, aquí Cuadra toma un paso bastante riesgoso, más allá del Neruda de "Las alturas de Macchu Picchu" donde el poeta chileno invoca los espíritus de la cultura incaica y pide que hablen por su boca. En "Preludio...", el Tlatoani ya tiene voz y rellena la mente y el cuerpo del poemario de Cuadra, su *alter ego*, porque la verdad es que el poema es el espacio que facilita una ocupación corporal mutua entre el ser recreado y su creador. Cuadra demuestra, además, que si uno no puede referirse a las constelaciones en términos íntimos y terrestres, resulta imposible entenderse cabalmente y responder a ciertas preguntas ontológicas no exentas de inquietudes políticas modernas en el caso de la Estrella Roja:

¿Qué destino marcan
las cinco estrellas que me fueron dadas
por el orden sideral?
La Estrella del Tigre, verde en sus ojos, rencor de los humillados.
La Estrella Blanca, donde arde la adusta soledad del mando.
La Estrella Amarilla, la de los exilios y los pies descalzos.
La Estrella Roja y su dura insignia que mata al más amado y aleja al próximo.
La Estrella Azul, mística y parpadeante
porque atraviesa las tinieblas hasta el azul de los dioses.
(Cuadra 1999a 46)

Es decir, para conocer al cacique y para que el cacique conozca a sí mismo, hay que mirar hacia afuera, hacia arriba, y, a la vez, hacia adentro de acuerdo con la idea de nuestra reciprocidad con el mundo.

En este sentido, la segunda sección de "Interrogaciones del Tlatoani en una puesta de sol" es uno de los poemas más profundos y atrevidos de toda la obra poética de Cuadra. Antes de seguir, sin embargo, recomiendo que el lector, utilizando todos los sentidos corporales, medite un momento sobre la diosa Náhuatl de la tierra, Coatlicue, con su cabeza de dos tremendas serpientes en contínuo movimiento hipnótico, su amarga boca (¿o sexo?) de infinita capacidad devoradora, su falda de culebras entretejidas (y de escamas tan lisas) y también su cinturón de calaveras que hacen una extraña música cuando la diosa se mueve entre el maíz y los intensos olores de lo que crece y lo que muere. En este poema el cacique se manifiesta como un ser angustiado por su mortalidad y dispuesto a conocer los secretos más íntimos de la tierra que es el comienzo y el fin de todo lo humano:

Ansié de veras levantar su falda de serpientes y calaveras
a Coatlicue, diosa de la Tierra: su ternura
en el brote de las milpas y las flores
caía marchita ante su hambre traga-carroña.
Ansié de veras ver debajo de su falda
el rostro de mis amigos. ¡Sólo polvo!
¿Alguien ha oído decir que los amigos regresan?
¿Imaginan un dios que se olvida de sus amigos?
¡Oh melancólica Tierra, esposa del Tiempo! ¿Acaso
dios se deshace bajo el furioso calor del Astro?

Ansié de veras saber si hay Alguien que esté por encima del polvo.
(Cuadra 1999a 68-69)

Estas preguntas fundamentales se formulan exclusivamente por medio de un diálogo con la tierra. El Tlatoani buscará y tal vez encontrará respuestas a sus inquietudes sólo a raíz de este contacto ecocéntrico. Sin embargo, ¿quién, realmente, se atrevería a levantar la falda de Coatlicue?

Aunque *El nicán-náuat* se presenta ostensiblemente como un libro de diálogos entre indígenas y europeos, el cacique de Nicaragua y Gil González (entre otros españoles militares y religiosos), los poemas más bien son monólogos o conversaciones paralelas de escaso intercambio, incluso en la conversión de Nicaragua. Lo que hay son promesas de comunicación que, al fondo, no se cumplen y una confianza exagerada pero admirable en la palabra compartida como, por ejemplo, cuando el cacique se dirige a su aliado bélico Diriangén[5]:

> *¿No se hizo la palabra para robar los secretos del mundo?*
> *¿No fue convencido por la palabra el dudoso Nanahuatzin*
> *para quemarse en la hoguera*
> *y revivir el sol y la luz que nos alumbra?*
>
> *¿No arrebató a la hormiga*
> *por la palabra*
> *el secreto del maíz rojo*
> *del maíz blanco*
> *del maíz amarillo,*
> *nuestro Quetzalcóatl, dios dialogante?*
> *Y él dijo: nada es difícil de hacer*
> *si el hombre se aconseja de sus pensamientos.*
> *¿Acaso somos prisioneros de lo que somos?*
> *No dejaré que ellos digan: "No supieron pensarnos".*
> *Hablaré con los desconocidos.*
> (Cuadra 1999a 73)

Los cuatro muchachos indígenas de Nicoya capturados y enseñados el castellano por los frailes que acompañaban a los soldados de Ponce de León fueron los intérpretes, dice Cuadra:

> *en el más notable diálogo entre la flecha y la espada*
> *fueron sus lenguas*
> *fueron los traductores del amargo y misterioso texto del Mar*
> *¡palabras! migratorias palabras*
> *que cambiaron para siempre la casa de los dioses.*
> (Cuadra 1999a 75)

---

5. Véanse Cuadra 1998 y Molina Argüello. En un artículo de 1972, Cuadra lamenta haber simplificado la historia de Nicaragua en su búsqueda de "hombres-símbolos": "En el caso de nuestros dos caciques-símbolos, la realidad histórica ha sido mutilada para que ellos se conviertan en signos contrapuestos: Nicaragua, el filósofo que pacta. Diriangén, el guerrero que resiste" (pág. 10). Molina Argüello, sin embargo, insiste en el pacifismo del cacique de Nicaragua.

En "El Diálogo", Cuadra reinventa la voz de Pedro Mártir de Anglería que le escribe al Papa sobre el contenido de la conversación entre Nicaragua y Don Gil González de Ávila, diciéndole:

> *Trasmito ahora las altas cuestiones*
> *que inquietaban al Cacique*
> *y la respuestas del Capitán de Ávila*
> *pues en todas las historias de este Mundo Nuevo*
> *ninguna ha comenzado*
> *como la historia de esta provincia*
> *gobernada por un Rey Filósofo.*
> (Cuadra 1999a 76-77)

El cacique, sin embargo, como bien se sabe, se reduce en la versión europea a una serie de preguntas que no encuentran respuesta, quizás porque, como implica Pedro Mártir de Anglería en el poema, Gil González posee sólo "un viejo catecismo" (Cuadra 1999a 77) y un nivel de inteligencia bastante rústica en relación con Nicaragua. En la segunda sección de este poema, sin embargo, el cacique se dirige al fraile y se suelta, cuestionando su fe indígena, sobre todo la necesidad del sacrificio humano:

> *Yo amé lo inmenso*
> *pero mi corazón dudoso*
> *pregunta al alfaquí extranjero:*
> *¿Tan débil es Dios que necesita*
> *el humano licor a corazón abierto?*
> *Mis pasados — en su fe — sacrificaban*
> *libélulas*
> *mariposas*
> *colibríes...*
> *nunca al hombre, señor de la natura*
> *Pero venció el militar*
>   *corazón de los guerreros*
> *y derramó en la piedra*
> *el misterio de la vida:*
> *¡Extranjero!, ¿puedes señalarme*
> *lo inmenso sin crueldad?*
> (Cuadra 1999a 79)

Es de suponer que el cacique que renace en este poemario entiende que van triunfando otros militares corazones de otros guerreros que esclavizarán a toda una población indígena en el nombre de "una extraña deidad/ con la debilidad del hombre/ y la omnipotencia de Dios" (Cuadra 1999a 73).

Para el cacique, dialogar con los españoles y convertirse al cristianismo significa perder su capacidad de mantener un diálogo con el mundo en que el paisaje animado por todo un panteón de dioses indígenas facilita la reciprocidad. En "Conversación del Tlatoani Nicaragua con Fray Miseria sobre el viento", se ve cómo la comunicación tenue entre ambos sistemas simbólicos depende de dos interpretaciones distintas de un mismo elemento clave del mundo natural — el viento. El Tlatoani lo asocia con toda una serie de procesos "respiratorios" que relacionan lo humano con lo más que humano:

> *¿Acaso no encierra un divino misterio*
> *quien puede ser suspiro*
> *o céfiro o soplo*
> *o brisa*
> *o aura o susurro*
> *y luego viento*
> *que silba en el chubasco*
> *ruge en el huracán*
> *o en la agitada tempestad*
> *que incita el trueno*
> *o enciende*
> *la envidia del rayo y del relámpago?*
> *(Aliento o Yulio llamamos los nahuas a la vida*
> *y la vida acaba al cesar su aliento!)*
> (Cuadra 1999a 81)

La última frase de este fragmento entre paréntesis que comienza y termina con el aliento vital como se concibe según el pensamiento indígena posee una bellísima forma circular que expresa un sistema cíclico natural al cual se integra el ser humano. Fray Miseria, en cambio, establece un vínculo metafórico entre el viento y el Espíritu Santo:

> *Cristo amó el viento. En su metáfora*
> *montó volador al Espíritu*
> *que sopla donde quiere*
> *y cuando quiere*
> (Cuadra 1999a 81)

Al final, con el tono de alguien innegablemente resignado, distante, gastado y nostálgico, el cacique va despidiéndose de sus dioses para poder encontrarse con el Dios cristiano:

Tlatoani

Desde sus verdes susurros
en el maizal florido
yo decía: Dios no es el relámpago
con su fátuo fuego que devoran las tinieblas.
Dios no es el rayo
que contamina de militar la paz celeste
ni es el agua que el viento seca
ni la estrella
— posada de quienes regresan del exilio —
ni es la tierra
sometida a la tiniebla cuotidiana...
La Luz de Dios no cesa...

Fray Miseria

Presentías que lo creado
no puede ser el Creador

Tlatoani

Y repasé la historia y vi
que la historia es un cementerio de dioses.
(Cuadra 1999a 82-83)

El resultado es un mundo despojado de sus dioses indígenas, desencantado ("Coatlicue desabrocha su cinturón de calaveras/ y huye a la noche de los mitos"), pero también re-animado, quizás, hasta cierto punto, por un nuevo sistema religioso. "El diálogo más hermoso de la historia humana" según el cacique en el poema que habla de su nueva vida como cristiano, "El Códice de la Ceniza (en la conversión de Nicaragua)", consiste en "un diálogo entre Cielo y Tierra", entre el ser humano y Dios. Pero el verbo "dialogar" en el sentido cristiano de evangelizar no ha significado para el cacique el libre intercambio de ideas. Dice una nota al final del poema que Fray Miseria "vino a Nicaragua y dialogó (convirtió) al Cacique" (Cuadra 1999a 86-87).

Algo persiste, sin embargo, a pesar de la violencia sistematizada y genocida de un sistema colonial que deja "una raya/ larga/ y roja/ en el polvo de la historia" (Cuadra 1999a 96) en la forma de la resistencia indígena. Surge una voz femenina, por ejemplo, en el penúltimo poema de *El nicán-náuat*, que propone una huelga de todas las relaciones sexuales entre los indígenas para que "no nazcan más esclavos de españoles" (Cuadra 1999a 91). Esta muchacha anónima, tal vez una de las figuras femeninas más conscientes de la obra de Cuadra, dice:

> *He visto*
> *a mis hermanos pasar cargados de cadenas*
> *indios de paz acusados de ser indios de guerra*
> *para su venta en el lejano Sur*
> (Cuadra 1999a 91)

El cacique, ya anciano, reconociendo la sabiduría de las palabras de ella, dice que "Dios ha hablado con labios de mujer" (Cuadra 1999a 91). Quiere decir, entonces, que el sentido cristiano de justicia se ha enraizado en suelo americano y que habrá espacio y necesidad para las ideas libertarias lascasianas.

Persiste también todo un paisaje visible e invisible, esculpido por los cantos, los mitos y las manos de los indígenas, entendido por las narrativas que irradian de lugares sagrados. En "Lo que dijo el Tlatoani a Andrés de Cereceda", por ejemplo, el cacique habla de Ometepe en términos que no se pueden borrar:

No somos naturales sino peregrinos
Todo este largo mundo, de norte a sur, es tierra de advenidizos:
Somos fundadores de horizontes.

Somos antiguos.
Somos los descubridores de América
y sólo nos precedió la profecía.
Debíamos detenernos frente a una isla de dos volcanes
uno dormido: para conquistar el dominio del sueño
otro activo: para soñar el dominio de la realidad
(Cuadra 1999a 89)

Perfectamente se puede usar esta imagen de la isla de Ometepe como emblema ecocéntrico de la obra poética de Pablo Antonio Cuadra.

El indio y el violín comienza con otra forma de concebir la reciprocidad con el mundo más que humano que son las transformaciones chamánicas, un fenómeno que analizamos en el capítulo sobre *El jaguar y la luna* en relación con el arte aborigen y las esculturas que demuestran el concepto del *alter ego*. Hablando de la psicología del nicaragüense, Eduardo Zepeda-Henríquez ha señalado el vínculo entre los apodos y un espíritu animal que oculta cada persona:

> *Pareciera que la índole poética de aquel pueblo no se conformase con los nombres recibidos y necesitara, por tanto, inventar sobrenombres. Porque muchos de esos motes resultan puras creaciones léxicas. Ello implica, a la vez, una técnica de "transformismo", una especie de ocultación de la personalidad, como que allí tales apodos proceden comúnmente de las propias familias de quienes los llevan. Suelen, por lo demás, estar asociados a fisonomías de animales, lo cual no es nada extraño, dado el antecedente de los "texoxes", que eran aquellos indios que tomaban la figura de cualquier animal; contagiosas imágenes que, aún hoy, aletean en nuestra fe campesina* (Zepeda-Henríquez 1987 187-188).

El primer poema de *El indio y el violín* que se llama precisamente "El texoxe" narra la historia de cómo el Cacique Caltónal pierde a su hijo a un *texoxe*, o brujo, transformado en una fiera peligrosa que deja sólo "sus huesecitos.../ y un sartalito de piedrecillas verdes/ que el niño usaba al cuello" (Cuadra 2000 6). Se nota de inmediato en el poema de Cuadra, tal como en cualquier novela del peruano José María Arguedas, la presencia de una lengua indígena (en este caso el Náhuatl) que influye en la sintaxis y la fonología del castellano con el cual mantiene una relación simbiótica. Al final del poema, la madre adolorida del niño muerto responde en Náhuatl con un lamento poético que demuestra a la perfección este diálogo indígena persistente con el mundo más que humano:

> — *Nopiltzé! nocosqué! noquetzalé!*
> Hijito mío! Collarcito mío! Plumaje mío!
> (Cuadra 2000 6)

"Fábula secreta" trata el tema del texoxe con un sentido irónico y politizado. Por cierto, el poema se dedica a Monimbó que forma parte de la ciudad de Masaya y cuya población mantiene muchas tradiciones indígenas y una actitud rebelde ante la injusticia hasta el día de hoy:

Gobernando
don José de Portal
la Provincia de Nicaragua
cautivó en Monimbó a un indio
que decían "texoxe"
que es tanto como brujo. Y lo ató
a una cadena. Y acaeció
que al cabo de la noche
encontró al cabo
de la cadena
no un indio
sino un puma.
(Y se mandó guardar secreto del hechizo
para que no se divulgara
que el indio vuélvese león, encadenado).
(Cuadra 2000 7)

La preocupación de Cuadra con las metamorfosis en los primeros poemas de *El indio y el violín* se explica porque, para el poeta, estas transformaciones se asemejan al proceso del mestizaje. Se nota, sin embargo, que la influencia del cristianismo ha reducido lo chamánico (eje cultural de las sociedades indígenas) a un fenómeno diabólico que supuestamente hay que eliminar por el bienestar espiritual de la nueva comunidad mestiza. O sea, hay todo un conocido proceso institucionalizado de silenciar y de prohibir. Cuadra quiere establecer un vínculo con su "Elegía al gozque mudo o perrillo de indias" entre la extinción de esta especie silenciosa y la tristeza inefable del indio que es el resultado de la violencia sistemática y las enfermedades devastadoras:

Es también el indio inclinado al silencio
por dar posada mejor al pensamiento,
pero llegaron gentes
de climas excitados o locuaces
como algunos abuelos incansables
y amontonaron sonoras

voces en el alto
tono del español hablante
— voces sobre voces —
y el perrillo, invadido de palabras
triste
fuése perdiendo.
(Cuadra 2000 8)

A pesar de su título, "Licantropías" describe la transformación del ser humano no en lobo sino jaguar, lo cual se relaciona con "la aventura nocturna del lenguaje" de Mondoy, el poeta, que viaja en sus sueños hacia los orígenes míticos de la cultura indígena donde la palabra o se transforma "en un verbo lácteo de agazapada inocencia" o "estalla su furia" como Norome, el guerrero herido por una espada española (Cuadra 2000 9). "Esclavitudes" sigue el tema de la resistencia cultural indígena que aparece en "Licantropías" y también "La huelga del amor" al destacar la transformación como una estrategia de fortalecer los valores antiguos a través de los cuales se alcanza una libertad parcial:

Ya te cubres el rostro con la máscara ritual
Tu danza es la cautela
Ya te despojas de tu andar callejero
Tu paso es el tigre
Ya dispara flechas tu arco
como silbos de serpiente.
Valiente es tu lucha. Y ganas
tu libertad.
Ahora
a tus ojos eres un dios erguido.
Tu frente en alto
un sol de orgullosa lumbre.
¿Quién podrá con la flor de tu ira?
¿Quién se atreverá a detener el paso del tigre?
Tus órdenes son tajantes como cuchillos.
Has vencido.
Pero otras frentes se inclinan
al peso de tu libertad.
¡Esclavitudes!
(Cuadra 2000 11)

"Elegía a la muerte de un zenzontle", a pesar de su ubicación hacia el final de *El indio y el violín*, también es una especie de transformación al intentar unir analógicamente el zenzontle, un pájaro cuyo nombre en lengua Náhuatl significa 400 (o multitud) de voces con el gran poeta brasileño contempóraneo Carlos Drummond de Andrade. Tal como esta ave genial con su enorme capacidad imitativa y creativa, Drummond ha sabido utilizar su talento proteico para crear distintas voces para sus personajes-poemas. Hemos visto cómo la voz poética de Cuadra también se multiplica y cómo se transparenta a veces, como aquí, dejando sonar y relucir las palabras de Netzahualcoyotl. En todo caso, Cuadra habla del canto del zenzontle en términos lingüísticos, recuperando la perspectiva indígena en su poema:

> *400 voces*
> *sostuvieron su ramo*
> *de trinos. Día a día.*
> *Con gorjeos en náhuatl*
> nic mati/ nic itoa/ nic ilnamiqui
> *cuando pienso/ cuando digo/ cuando recuerdo*
> *¿morirán conmigo mis palabras?*
> (Cuadra 2000 23)

Esta pregunta inquietante encuentra una resolución provisional en "El indio y el violín" y "En Tikal", dos poemas en que figura Mondoy, el poeta y músico, que utiliza su arte para entrar en una especie de trance ritual que le permite alcanzar una máxima reciprocidad con el mundo en la forma de una conciencia cósmica:

> *Cuando Mondoy toca el violín las nubes de diciembre se desmenuzan*
> *en plumas*
> *y al Este cruzan seres celestes en bandos de Calandrias, de Paujiles,*
> *[de Jilgueros, de Zorzales.*
> *Mondoy cierra los ojos y ladea la cabeza como los ciegos*
> *porque la música es una ceguera dulce,*
> *una laguna de aguas azules.*
> (Cuadra 2000 21)

Más adelante, Mondoy consigue unir el cielo y la tierra al recoger en la red de su música el lucero matutino y el lucero vespertino que Tonantzin — Virgen y Madre — utiliza para iluminar el alba y tomar en sus brazos como un recién nacido Quetzalcóatl-Cristo. Es un mundo de transformaciones contínuas de todo tipo, manifestaciones del poder analógico (y, por cierto, místico-religioso) del arte para crear una Unidad general:

El aliento de Tonantzin es el país ilimitado
donde aletea el violín de Mondoy y gira
volátil con un plumaje de palabras secretas.
(Cuadra 2000 21)

Según José Emilio Balladares, "'El indio y el violín' sintetiza en sus versos tanto la dualidad cultural del mestizaje, como la cabal integración de la esperanza humanista y de la fe cristiana del poeta" (Balladares 1987 107).

"En Tikal" describe cómo Mondoy decide identificarse con su legado Maya para utilizar las constelaciones como una manera de enterarse de la naturaleza del cosmos y de su propio destino como ser humano. Mondoy imita a los grandes astrónomos de la cultura Maya que "suben a sus altas pirámides" para observar cómo el cielo refleja la tierra e "invierte en astros y estrellas/ el dolor del hombre" (Cuadra 2000 25). Sin embargo, crece la inquietud de Mondoy de conocer el más allá:

Pero invocó Mondoy a Xamán
— señor del sueño —
y fue transportado al centelleante
camino de la galaxia. Allí los dioses
su inverso destino consultaban
en las lejanas pupilas de los hombres.
(Cuadra 2000 25)

La relación entre los dioses antiguos y los seres humanos (cómo se complementan y se completan) que el poema expresa en este fragmento tan hermoso es un reflejo de la reciprocidad que debe existir entre la humanidad y un paisaje panteísta. Al final, como dijo Cuadra en "El indio y el violín", "en el aire hemos sembrado nuestras estrellas" (Cuadra 2000 22). Descender a la tierra para Mondoy significa exactamente lo mismo que subir al cielo:

Y bajó entonces
la inclinada gradería
-¿subo o desciendo?, preguntó
mirando las Pléyades

la Osa, Aldeberán
la Luna, las infinitas
arenas estelares,
el cielo inmenso
Y, abajo, sólo un lecho
El otro cielo.
(Cuadra 2000 26)

Es ésta, precisamente, la conciencia que propicia el encuentro que ocurre en “Letanía náhuatl” entre el yo, y dos manifestaciones de la misma entidad divina: “El Cielo de la tierra” y “El Dador de lo Verde” (Cuadra 2000 27) en un mundo más que humano que habitamos por medio de la conciencia ecocrítica que se manifiesta en la poesía de Pablo Antonio Cuadra.

TRES ENTREVISTAS CON PABLO ANTONIO CUADRA:

EN EL OJO DEL HURACÁN

(julio, 1982)

Steven F. White: ¿Cómo era Granada en los años treinta? Allí nació Ud. ¿verdad?

Pablo Antonio Cuadra: Propiamente no, porque mi papá cuando yo iba a nacer estuvo empleado en el gobierno y vivía aquí. Por eso, nací en Managua en la calle Candelaria. Viví cuatro años aquí. Cuando yo tenía cuatro años mi padre volvió a Granada. Él era de Granada y allá ha vivido mi familia durante siglos. Yo mismo viví siempre allí, hasta que el trabajo de *La Prensa* me obligó a trasladarme a Managua. De tal modo que, por mucho tiempo, yo trabajé en *La Prensa* y me iba y volvía todos los días en automóvil a Granada. No me gustaba dejar la ciudad. Una ciudad muy bonita.

SFW: ¿Ha cambiado mucho, ¿no es cierto?

PAC: En cierto modo sí, pero para mejorar. Ha mejorado mucho. Ha habido una especie de corriente de emulación: aún en los barrios fueron haciendo sus casitas con un cierto sello comunal, con un cierto estilo. En los barrios las casas son mucho más bellas y cuidadas que cuando yo estaba joven. Lo mismo las calles. Las calles antes eran de arena, ésa era una de las cosas que distinguían a Granada. Usaban coches de caballos y los caballos mismos. Todavía cuando yo era niño mucho se acostumbraba salir a pasear a caballo en las tardes. Después, con la llegada de los automóviles, se perdió la costumbre del caballo pero no de los coches. Casi en todas las casas de cierta condición tenían caballerizas en la misma casa y había siempre un sirviente que cuidaba los caballos. Por las tardes se salía a pasear al lago, a la costa del lago. Me estás haciendo recordar cosas que ya se me habían olvidado un poco — esa vida de cuando yo era niño.

SFW: ¿Qué efecto tenía la presencia del lago en su poesía?

PAC: Yo creo que es uno de los musos principales de mi poesía. Te voy a decir algo: El terremoto, que yo viví en esta casa en Managua, me causó una conmoción tremenda. Ví y recorrí toda la ciudad caída. Y ví y sufrí al mismo tiempo las cosas sucias del gobierno de Somoza y de la Guardia Nacional: los robos organizados, el comercio con el dolor y con la muerte y esto me golpeó mucho. Yo entonces tenía un pequeño terrenito a la orilla del lago. Construí allí una casa y creo que volver al lago me dio una especie de saneamiento: me destraumatizó, me quitó esa angustia tremenda que me había dejado el terremoto. Fíjate, la mayor parte de los que sufrimos el terremoto sufrimos esa misma conmoción. Pero se dio en grados o en formas distintas. Yo recuerdo que se burlaban de mí porque algunos amigos me veían muy cabizbajo y triste. Pero después, como a los cuatro o cinco meses, fueron ellos los que cayeron en esa misma melancolía. Rosario Murillo, por ejemplo. Seis meses después del terremoto la encontraba llorando sobre la máquina de escribir y le preguntaba, "¿qué te pasa?". Ella perdió un hijito en el terremoto. Se le mató cuando cayó parte de su casa. Pero el efecto emocional le estalló hasta meses después. No hubo quien no sintiera de algún modo el golpe. Es difícil comprender si no se ha vivido lo que significa el acabóse de pronto de toda la ciudad, la dispersión de pronto de las amistades ya establecidas. Y me di cuenta de cuánto influye en la organización emocional de uno la amistad y el vecindario.

La vida parece tejida por todo lo que nos rodea. Saber que una persona vive en un lugar, que otras se reúnen en un café son hilos vitales, y si todo eso se acaba de pronto, entonces es una especie de muerte! Aunque uno no muera, algo se nos muere dentro y fuera. Hablo un poco de ello en el poema sobre el árbol de la ceiba. Estábamos con el lago, ¿verdad? Te decía que a mí me destraumatizó del golpe del terremoto quedarme allí, oir su oleaje como un canto materno. Me sacó del cautiverio de la mente. Tengo corazón y ojo porteños. Siempre me ha pasado que cuando llego a una ciudad que no tiene horizonte, sino que está encerrada, me deprimo. Estoy acostumbrado al horizonte amplio de ciudad-puerto, soy vecino de un lago.

SFW: ¿Cuándo empezó a escribir?

PAC: Realmente empecé muy niño. Cuando estaba en cuarto grado en la primaria tenía un profesor, un joven jesuita llamado Miguel Pro y éste probablemente se fijó que yo era un poco imaginativo. Se propuso hacerme escribir. Me dispensaba clases para que escribiera. Y yo le escribía lo que hacía con mis amigos en las vacaciones y le dibujaba. ¿Cómo serían esos primeros manuscritos? Lo cierto es que eso despertó la vocación de expresarme escribiendo. Recuerdo que ese padre me decía, "hoy queda castigado Pablo Cuadra". Y yo me ponía furioso porque me hacía perder mis recreos o mis tardes de vacación. Luego me decía, "vamos a pasear". Me llevaba a las fincas vecinas al colegio o al monte con otros muchachos, íbamos de cacería o a cortar frutas o a meternos en los caminos. Al día siguiente me decía, "vos no vas a hacer composición de gramática. Vas a contarme lo que hiciste". Y me obligaba a escribir. Así sucede. Ese fue el toque inicial.

SFW: ¿Había otros escritores en su familia?

PAC: Pues sí. Es una familia realmente de, tal vez no es escritores, pero sí de intelectuales. Mi padre era orador y escritor también. Por lo menos escritor de historia, no literato pero buen escritor. En los antecesores hubo un poeta, un padre, Desiderio Cuadra, que escribió en verso una serie de cosas con un estilo diezochoesco retórico pero suelto, y en la familia lateral, Manolo Cuadra era poeta también. Toda la familia de Manolo ha escrito: José Cuadra Vega, Manolo Cuadra. Luciano es traductor. Así que ha sido una familia que ha producido muchos intelectuales, sobre todo escritores. Y ni un general, gracias a Dios.

SFW:. En los años veinte y treinta, al principio del Movimiento de Vanguardia, ¿cuáles eran los escritores que tenían mayor influencia en su poesía y en la de la vanguardia?

PAC: ¿De aquí de Nicaragua?

SFW: Pues sí, o de otros países.

PAC: De Nicaragua, pocos. A excepción de Rubén. Rubén a todos nos tocó de un modo u de otro. Pero de los modernistas conocí a algunos, a otros los leí pero pocos me impresionaron. Hablo de yo niño. Porque ya después fue distinto. Ramón Saenz Morales visitaba la casa de mi padre. Y, por lo mismo que lo conocía, leía en los periódicos y en las revistas cosas de él. Y Lino Argüello, que era pariente por el lado de mi madre: ése era un personaje vitalmente romántico. Un tipo aristócrata y borracho, muy delicado, fino, con unas manos como de príncipe, pero con el vestido todo sucio, roto, y los puños deshilados. Cuando yo llegaba a León, como él sabía que a mí me gustaba, me recitaba sus poemas. Lino de Luna se firmaba. Era pálido, débil y tímido Lino Argüello. Después leí y conocí bastante a Azarías Pallais. De tal modo que me volví muy amigo suyo. Pero eso fue más tarde cuando comencé yo a escribir en tiempos del grupo de vanguardia. Antes de que yo tuviera la idea de que iba a ser escritor, leía mucho, pero más que todo aventuras. De escritores nicaragüenses recuerdo a esos dos: Lino y Saenz Morales. Y a Rubén, por supuesto. Mi padre conoció a Rubén, lo leía mucho y hablaba de él, con conocimiento personal porque cuando vino a morir aquí mi papá fue el encargado por el gobierno de atenderle y de darle dinero para pagarle unas cuentas que se le debían del régimen anterior. ¿Y qué otro? Algunos malos escritores sonaban mucho en Nicaragua pero no creo que tuvieran ninguna atracción para mí. Al comenzar a estudiar literatura en el colegio, leí mucha poesía romántica y modernista, por ejemplo leí muchísimo a Amado Nervo. Creo que era la influencia mayor en el momento de mi edad en que comencé a andar enamorado. Amado Nervo, el inevitable Bécquer, Lugones, Herrera y Reissig, y, por obra de los jesuitas: Virgilio que leía en latín. Pero luego, vino el momento en que uno se encuentra con su tiempo y que quiere marcar su propia personalidad. Hubo entonces una reacción contra Darío y contra todas mis anteriores lecturas. Empezamos a buscar "lo nuevo". Lo nuevo tuvo un valor inmenso en la generación nuestra. Creo que en todo el mundo pasó. La generación de vanguardia nació con un culto a "lo nuevo": a veces exagerado.

SFW: ¿En qué sentido exagerado?

PAC: En que había un rechazo excesivo de todo lo que no era nuevo. Queríamos a todo trance marcar una novedad. Yo conocí mi extremismo juvenil por comparación, cuando vi crecer la generación siguiente de Carlos Martínez y de Ernesto Cardenal. Estos no tuvieron ese desasosiego, esa quisquillosidad que nos marcó a nosotros. Yo recuerdo haber comulgado en ese sentimiento con José Coronel, con Joaquín Pasos, con Octavio Rocha, con todos los que iniciamos el movimiento de Vanguardia. Los de la siguiente generación entraron sin hostilidad a su tiempo; más bien recibieron y siguieron la corriente. Nosotros no. En nosotros hubo una ruptura y una búsqueda de lo nuevo. Y fue entonces que influyó mucho en mí la poesía francesa, primero porque era una lengua que más o menos dominaba y segundo, porque con Apollinaire y compañía me abría puertas insospechadas a lo inaudito. Yo nunca aprendí inglés, desgraciadamente. Y comencé a buscar libros y a conocer a través de referencias los escritores nuevos franceses. Me ayudó mucho la amistad de José Coronel y de Luis Alberto Cabrales que acababa de llegar de Francia. Y empezamos en grupo a leerlos y a traducirlos. En mí la influencia más marcada fue la francesa. En Coronel fue mucho más la norteamericana. En Joaquín Pasos también influyó bastante la poesía en lengua inglesa. Yo la recibí un poco por las lecturas que nosotros hacíamos. Tuvimos esa ventaja sobre otros escritores: habíamos formado un grupo de amigos, un equipo. El que no sabía una lengua el compañero se la daba, porque nos reuníamos a leer y a traducir. De esa manera conocí bastante de la poesía norteamericana. Mucho más de lo que yo mismo creía. Pero en la lectura directa del texto, en el estudio de la lengua misma poética, penetré mucho más en el francés.

El francés y el inglés también nos permitieron conocer, por traducciones, otras literaturas. Estábamos muy bien informados. Creo que en la percepción de nuestro tiempo fue muy rico el Movimiento de Vanguardia: y también en el acopio de maestros que nos iban a guiar en la invención de nuestra propia literatura. Y eso indudablemente — aunque no lo reconocimos al comienzo — se lo debemos a Rubén Darío: él nos inyectó este instinto universalista desde el comienzo. No nos sumergimos en una jugarreta de provincianos, nos negamos a jugar una poesía de campanario, sino que queríamos mundializar lo nativo, ver lo que estaba sucediendo en el mundo y asimilarlo. Y crear nuestra propia poesía. Eso lo hicimos instintivamente desde muy jóvenes. Porque yo conocí muchos movimientos paralelos al de nosotros, (porque también eso tuvimos: nos contactamos con grupos de toda Hispanoamérica, argentinos, colombianos, chilenos, uruguayos, etc.). Yo viajé desde muy joven, y a través de mi primer viaje por América del Sur hice algunos contactos con elementos que después fueron escritores notables. Y me fijé que algunos grupos caían en un cerrado provincianismo, en una especie de encierro vernáculo empobrecedor. En Uruguay, por ejemplo, encontré en algunos sectores un nativismo demasiado regionalista. Y a nosotros eso nos parecía asfixiante. En el fondo éramos Rubenianos. Era su herencia en el subconsciente. Queríamos unir lo cosmopolita y lo nacional.

SFW: Entonces, en realidad, el Movimiento de Vanguardia no estaba en contra de Darío sino en contra de sus falsificadores.

PAC: Realmente sí. Al principio nosotros lo atacamos, pero fue una cuestión muy momentánea. En aquello que nosotros consideramos que Rubén era evanescente y peligroso. Atacábamos aquella su poesía demasiado preciosista y demasiado exótica. Nosotros queríamos una cosa más directa, y además creíamos que esa orfebrería ya estaba superada y que podíamos buscar otra clase de poesía. Después nos dimos cuenta que el mismo Rubén nos lanzaba. Porque Rubén es una asamblea. Es esa clase de genio que tiene una variedad insondable de edades interiores y de estilos germinales que uno muy lentamente va descubriendo. Los Modernistas descubrieron un Darío. Lorca descubrió otro y otro descubrió Vallejo, y después todos se declararon hijos de Rubén. Y lo fueron como también fueron en algún aspecto antidarianos.

SFW: Y los miembros de la vanguardia nunca estaban muy lejos del terreno político ¿no es cierto?

PAC: Al principio no. Después sí, y ésa fue una obra que tendrá que cargarla, para mal o para bien, Coronel Urtecho quien nos metió en una aventura política que a mí me parece ahora un desvarío. El poeta Coronel, como padrino literario, para mí fue excepcional. Pero como padrino y consejero político... Nunca, nunca dio en el clavo. En ese aspecto fue una influencia nefastísima como fue estupendo su magisterio cultural.

Cuando el Movimiento de Vanguardia nosotros íbamos poco a poco descubriendo nuestras propias raíces literarias, estudiando e investigando las expresiones y formas populares, nuestro folklore, nuestra lengua y buscando las características propiamente nicaragüenses para conocer a fondo y afirmar nuestra identidad. Entonces, Coronel empezó a estudiar historia de Nicaragua. Como vivíamos en tertulias y trabajábamos en equipo, él nos decía, "estudiemos historia. Les conviene a Uds. Leéte este libro y me vas a subrayar tales y tales cosas". Entonces nos metimos a la historia en forma polémica y beligerante. Contra esto y aquello. De ahí le nació a él la idea de meternos en política.

Claro, vivíamos en un ambiente muy politizado y contra ese ambiente reaccionamos. Y en nuestro culto a lo nuevo, también quisimos una política nueva. Queríamos hacer una política que fuera contra todo lo anterior. Queríamos inventar una forma nueva. En unos influyó más el fascismo, en otros influyó más, como en Coronel, la doctrina de Charles Maurras de la Acción Francesa. Nos alucinó un nacionalismo, que nosotros queríamos ultraoriginal. Y, naturalmente, repelíamos el comunismo, porque nuestro movimiento quería afirmar lo nacional. Eramos un movimiento paralelo a Sandino, y los comunistas en ese momento eran profundamente internacionalistas. Incluso en Nicaragua, en las primeras manifestaciones comunistas, quemaban la bandera nacional y cantaban "La Internacional".

Y eso a nosotros nos repelía. Tuvimos una especie de asco inicial por la Rusia de Stalin. Y eso nos lanzó a simpatizar con los movimientos anticomunistas, aunque no dejaba de atraernos la receta socialista y el comunalismo cristiano. No sé a qué fórmula hubiéramos llegado, pero pienso que esos años en que estuve con Coronel en esta aventura política, fueron años perdidos para la poesía — y eso no me lo perdono a mí mismo — pero provechosos, porque los pecados y errores de juventud, cómo los fracasos, son la mejor base de experiencia para madurar y equilibrar la inteligencia.

Era difícil que en el ambiente nicaragüense, tan politizado, no nos metiéramos en política. Rubén, mientras vivió en Centro América, también nadó en las corrientes de su tiempo y sufrió no pocas contrariedades. Pero en el caso nuestro, lo malo no fue el habernos metido a inventar una nueva política y a querer formular una ideología con un *cocktail* de influencias — algunas muy malas — y de concepciones originales — algunas muy buenas — sino en que, en un momento dado, Coronel Urtecho nos convenció que firmáramos un manifiesto apoyando al entonces joven jefe del Ejército Anastasio Somoza para coger el poder con él y realizar nuestras ideas políticas. La tesis maquiavélica de Coronel era que resultaba más fácil conquistar a un hombre que conquistar un pueblo. Somoza dijo que haría suyas nuestras ideas. En realidad lo que hizo fue deformarlas y aprovecharse de nuestro idealismo. Muy pronto sacó las uñas. A los pocos meses me mandó a echar preso, acusándome de pegar papeletas en honor a Sandino. Fue una dicha para mí porque aprendí la lección y desde entonces me coloqué frente y contra él. Coronel consideró que en la táctica política no debían influir los sentimientos y se quedó de por vida adscrito al somocismo. Toda esa aventura, como te digo, me costó un largo período de esterilidad poética.

Desde *Poemas nicaragüenses* (que corregí mucho el año 35) hasta *Canto temporal* casi no tengo producción literaria. Tengo un librito, que escribí y nunca lo he publicado, de poemas del viaje que hice a América del Sur. Me pareció que esos poemas estaban muy influidos por la poesía francesa viajera de entonces. Después los he leído, incluso he llegado, no sé si me voy a contradecir luego, a pensar que si hago una antología de mi obra completa los incluyo. Se llama *Cuaderno del sur*: se compone de unos diez poemas sobre ese primer viaje por los países de América.

SFW: ¿De 1934 hasta 1944?

PAC: Sí. No, menos. Entre 34 y 35, más o menos. Unos cuantos poemas que hice. Nunca los publiqué. Siempre dejé aparte ese poemario; tal vez también por respeto a Joaquín Pasos que era nuestro gran poeta viajero que no viajó nunca.

SFW: ¿Cómo era Joaquín Pasos y por qué murió tan joven?

PAC: Joaquín era, yo creo, lo más grande que hemos tenido después de Rubén Darío. Era de una frescura, de una capacidad creadora extraordinaria. Quizás el que más se la parezca en esa capacidad, en ese don, es Carlos Martínez Rivas. Pero Joaquín tiene mucha más frescura y jovialidad. Incluso su carácter era muy extrovertido, muy alegre. Carlos es un poco metido en sí mismo. Joaquín no. Tampoco tenía una valorización de sí mismo que lo hiciera pesado. Era muy campechano, muy simpático. Conmigo fue el que fue más compañero, de tal modo que era la única persona con quien yo he podido trabajar en poemas colaborando. Y, además, como éramos parientes (mi padre era Cuadra Pasos y él Joaquín Pasos, hijo de un primo hermano de mi papá) nos veíamos muy de cerca. Llegaba a mi casa constantemente. Yo tenía un cuarto en alto — ese cuarto donde estoy retratado en esta foto, en la etapa de la vanguardia. Lo habíamos decorado con un gran muñeco: Un muso enorme con ojos de huacal y por la boca la ventana.

SFW: Parece una gran máscara.

PAC: Sí. Allí a ese cuartito llegaba él constantemente. El Movimiento de Vanguardia lo hicimos los dos con el papá de Luis Rocha: Octavio. Y con otras personas que se agregaron. Ellos nos llevaban cosas, poemas, prosas, artículos, pero los que nos manteníamos con el movimiento a cuestas — porque Coronel se iba — éramos Rocha, Joaquín y yo. Coronel se iba al río y de allá nos mandaba cartas y manifiestos y colaboraciones. De vez en cuando volvía a Granada.

A Joaquín, muy muchacho, le dio una tifoidea que le lesionó un poco el corazón. Parece que quedó con ese malestar. Solapado ¿no? y Joaquín, joven, fue muy parrandero. Un bohemio chispeante e imaginativo. Y bebedor que se desvelaba y que andaba de arriba abajo. Dios guarde: una parranda con Joaquín Pasos era cosa seria! Había que correrse o arañar el amanecer. Derrochó vida, se sobregiró. Cuando yo me iba para México en el año 45, acabábamos de estar haciendo la edición de su obra, *Breve suma*. Yo se la prologué y además estuve con él haciendo la selección. Esta obra quedó en Nuevos Horizontes a medio editar cuando yo me fui. En esos días, en que él estuvo trabajando conmigo, ya lo veía bastante afectado. Se le inflamaban los tobillos y se cansaba con facilidad. Parece que él, después que yo me fui, viajó a Costa Rica a ver a un médico especialista. Joaquín le preguntó, "Doctor, y puedo tomar mis traguitos?". "Sí" le dice, sin saber que él nunca tomaba un "traguito". Entonces se desmandó, rompió en serio con sus largos meses de abstemio. Y eso le causó la muerte. Murió con una gran serenidad. Yo estaba en México cuando murió. Entonces me mandaron allá a que terminara el prólogo, pues habían perdido las últimas páginas. Así se publicó *Breve suma*.

SFW: ¿En qué sentido es una "cristiana defensa de la dignidad del hombre" el poema de Joaquín Pasos "Canto de guerra de las cosas"?

PAC: Yo creo que en el sentido en que asume el dolor del hombre, exalta la nobleza de ese dolor, y levanta el valor de lo humano contra la guerra y contra todo lo que lo destruye y degrada; dándole además lenguaje al sentimiento de compasión y de solidaridad. Este poema nació en Nicaragua después de que se había dado *The Waste Land* de Eliot y viene a rectificar su desolación con un estremecedor humanismo. Pero no se le ha dado en América el valor que tiene. Es uno de los grandes poemas que se hicieron en ese tiempo. Si hubiera sido Joaquín Pasos mexicano o argentino andaría en todas las antologías. Ahora ha venido Joaquín, su nombre mismo, a ocupar una cierta categoría dentro de las historias de las literaturas, pero ha sido un poco gracias al esfuerzo nuestro de insistir sobre su valor, de no olvidarnos de él, de mandarlo a las antologías, de rescatar su memoria. Porque al principio él pasó desapercibido, excepto para nosotros. Y es nuestro "Adonai": el joven, el siempre joven.

SFW: Y Carlos Martínez Rivas tiene su poema, "Canto fúnebre a la muerte de Joaquín Pasos" también.

PAC: Sí. Fue uno de los cantos con que Carlos se dio a conocer en España. Yo recuerdo que a Luis Rosales y a Leopoldo Panero les impresionó mucho ese poema cuando Carlos se lo leyó la primera vez. También Ernesto Cardenal trabajó mucho sobre y por la obra de Joaquín Pasos. El prologó la edición de Fondo de Cultura Económica de México.

SFW: Reflexionando sobre su propia obra poética, ¿qué ha hecho con "el lodo de la historia"— esa imagen que Ud. utiliza en "Poema del momento extranjero en la selva"?

PAC: Creo que aportar, cuanto he podido, los valores poéticos de esa otra historia secreta de nuestro pueblo, la que se descubre en los mitos que ha ido creando o la que nos ha dejado en su folklore, en su lengua, en sus costumbres: El poeta recoge y encarna en el lenguaje esa vida marginada. La dota de una nueva significación, la "consagra" y la defiende con la ironía y la esperanza. Yo no soy mensajero sino intérprete. Lucho por apoderarme de los ojos del pueblo para "ver" con ellos lo que el pueblo ve, sus realidades y sus visiones. Mi profecía sólo es esperanza. No conduzco. Comulgo.

SFW: Ud. dijo en el período del *Canto temporal* lo siguiente: "Yo tenía fe en la Fe pero este encuentro decisivo con Cristo me reveló la fe en el Amor". Mi pregunta es, ¿cómo es diferente este encuentro con Cristo y el encuentro con Cristo de Ernesto Cardenal?

PAC: El encuentro de Cardenal fue más generoso que el mío. El se entregó, lo dejó todo, incluso su poesía, por Cristo y se metió en la trapa, que es cosa seria. Lo que se puede llamar "el problema Cardenal" es muy posterior. Cuando va a Cuba, se entusiasma con el Comunismo y entra a un proceso acelerado de marxistización que lo lleva — según mi opinión — a una peligrosa politización de su fe religiosa. Y la califico de "peligrosa" porque politizar la religión produce, inmediatamente, el fanatismo. Sin embargo, volviendo a tu pregunta y reflexionando sobre ella, creo que no soy yo quien puede hacer comparaciones y valoraciones sobre los dos encuentros. Dejémosle ese juicio a Cristo. Pero sí puedo darte mi opinión sobre el Ernesto humano. Lo que yo he sufrido de él es su deshumanización. Del dulce hombre de la trapa se ha desplazado al duro dogmatismo de un "ayatollah": otra vez la cruz con la espada. Yo cometí ese pecado joven. Por lo mismo no lo quiero cometer viejo.

Te voy a decir esto: Cardenal puso su mano y está cogido por esa corriente de alta tensión (con la que hay que tener mucho cuidado) que es la profecía. Se sintió Profeta y lo hizo bien en un primer momento; pero luego se "creyó" profeta y cayó en una seguridad en sí mismo que lo ha llevado a alzarse como juez de los demás. Ernesto ya no es mi amigo sino mi juez.

Hace poco tiempo, conversando en Alemania con un escritor que me demostraba su desconcierto por el proceso de Ernesto, yo le decía que, en estos momentos había dos grandes escritores que han sido arrebatados fuera de sí por la Profecía: Solyenitzin y Cardenal. Que el nicaragüense está obsedido por el Comunismo ("el Comunismo es el reino de los cielos" escribió en un poema). Ve en el comunismo la solución de todo, el reino milenario de la justicia en la tierra, el Paraíso al alcance de la mano. Solyenitzin se sale de la experiencia comunista para anunciarle al mundo el Apocalipsis. El ruso viene de regreso de la utopía a donde Cardenal se encamina y "ve" lo contrario: una Rusia y un Occidente locos y suicidas que se encaminan a la misma destrucción: tecnología esclavizante, despersonalización, Estados-monstruos, tortura y homicidio, polución, destrucción de la naturaleza y de las últimas libertades humanas.

Cardenal es la Esperanza con los ojos cerrados. Solyenitzin el Desengaño con los ojos abiertos. Pero lo interesante es que los dos son producto del mismo fenómeno. El Paraíso y el Infierno están en el mismo lugar.

SFW: Ud. dijo una vez que Alfonso Cortés era un discípulo del centauro Quirón en "Coloquio de los Centauros"de Rubén Darío. ¿Es porque hay algunos rasgos de la poesía metafísica en Darío?

PAC: En ese diálogo de los centauros, las preguntas, las inquietudes y preocupaciones metafísicas que tiene el centauro Quirón son los temas básicos de la poesía de Alfonso. El las prosigue, las continúa, las convierte en su filosofía vital y poética. No se queda en eso nada más, pero allí está la raíz de su salto metafísico. Es interesantísimo cómo una sugerencia de inquietud por un tema, que un poema como "Coloquio de los centauros" pueda haber formado toda una mentalidad en otro poeta, que por otra parte, fue realmente hijo de Rubén Darío. Todos somos hijos de Darío, pero Alfonso Cortés es el más parecido o cercano hijo que tuvo Rubén. Un hijo que se le volvió loco.

SFW: Me gustaría oír hablar un poco sobre esa etapa tan distinta en su obra, la poesía de *Canto temporal*. ¿A qué se debe ese lenguaje tan distinto?

PAC: *Canto temporal* me exigió un cambio de lenguaje poético porque es un poema de introspección, de confesión autobiográfica. Pero también se trata del arribo a la playa de la poesía después de un naufragio. En ese sentido, aunque ya con un mayor dominio de la expresión, el poema "El Hijo del Hombre" es una continuación del mismo estado de ánimo y del mismo lenguaje que, indudablemente, es un lenguaje distinto a mi obra anterior como a la posterior.

SFW: Porque en esa época también José Coronel escribía un poema como "Retrato de la mujer de tu prójimo" que tiene esos rasgos surrealistas.

PAC: Posiblemente tuvimos ambos, por ese tiempo, una serie de lecturas y conversaciones que crearon alguna atmósfera especial provocando esos dos tipos tan distintos de acercamiento al surrealismo como son mi poema y el de Coronel. No recuerdo qué lecturas tuvimos entonces. Sí recuerdo que Coronel estaba en Granada y que yo llegaba por las tardes y le iba leyendo por partes, a medida que avanzaba, mi poema. Coronel me hacía comentarios. Yo necesitaba esa clase de diálogos (que nunca los he usado cuando escribo) porque era un poema largo, de largo aliento. Te advierto, sin embargo, que *Canto temporal* tuvo una "inspiración" torrencial, se cargó la nube después de un período de sequía y lo escribí sin descanso. No he vuelto nunca a ser solicitado por esa necesidad de revisar mi vida y de confesarla como una liberación.

SFW: Se habla de una crisis espiritual.

PAC: Sí. El poema revisa con melancolía juvenil, con melancolía todavía dinámica y optimista, los sueños perdidos, las derrotas; pero, entre los restos del naufragio, el poeta descubre que ha salvado lo más importante: el Amor.

Otro compañero a quien leí *Canto temporal* fue a Joaquín Pasos; se lo leí de una sola vez cuando lo terminé. Fui a Managua sólo a eso. Le impresionó, y mucho, sobre todo la parte final cristiana. Tal vez Joaquín también estaba en un momento crítico pues ya sentía acercarse en puntillas la muerte. Me hizo volver a leerle la parte final, los cantos del "hombre-Cristo" que resucita de sus derrotas, donde digo que "la cruz es una puerta rota", metáfora que me citó luego en una de sus últimas cartas.

SFW: Saltando a otro tema, ¿hay algo chocante entre las dos profesiones de usted, una como periodista y otra como poeta? ¿Cuál ha sido la influencia del periodismo en su poesía?

PAC: En realidad (y esto lo he dicho muchas veces) la influencia del periodismo en mi poesía no existe salvo en forma negativa, pues más bien ha servido para colocar al poeta a la defensiva. Yo no quería ser periodista y tal vez me dejé atrapar porque tenía aptitudes, destreza, gusto de editor. Me encantaba el arte tipográfico. Siempre estuve fundando y dirigiendo revistas, diagramando libros. Desde niño —cuando estaba en el colegio— hice periódicos o revistas de poesía o de lo que fuera, a mano. Pero yo sabía que eso no era "periodismo". Que había una frontera bien delineada, incluso en el concepto del tiempo, y a esa línea el escritor le tenía miedo. Don Pedro Joaquín, el padre de Pedro Joaquín Chamorro, me ofreció varias veces trabajar con él. Me ofrecieron también la dirección de otro diario *La Estrella de Nicaragua*. Pero prefería la vida un poco en pobreza del agricultor o de "pastor de ganados" como yo decía entonces. En 1952 me metí en la aventura de sembrar algodón y me fue mal. Eso decidió mi suerte. Don Pedro me volvió a llamar para que fuera Director de *La Prensa* junto con su hijo. Y acepté. Providencialmente, cuando yo vivía en México, Pedro Joaquín hijo estudiaba abogacía en esa ciudad y me pidió que le ayudara a hacer un estudio práctico del periodismo en México. —"Quiero, me dijo, estudiar los periódicos de México en relación con los de Nicaragua. Compararlos y ver qué puedo introducir yo de nuevo al tomar *La Prensa* a mi cargo cuando regrese". Y nos trazamos un curso de periodismo inventado por nosotros mismos: reuníamos los periódicos de México, los estudiábamos, analizábamos su contenido textual, gráfico, rotulación, secciones, etc., y luego, comparándolos con los nicaragüenses, apuntábamos lo que se podía introducir allá. Nunca pensé con que esto me iba a servir a mí. Yo escribía como columnista en el diario *Novedades* y en otros periódicos y revistas de México. Con eso me ganaba la vida, mientras montaba una empresa editorial. Entonces lo llevé a Pedro Joaquín Chamorro al periódico donde yo trabajaba y allí estuvimos viendo en la práctica el funcionamiento de un gran diario, la parte física, administrativa, etc. Cuando me llamó a *La Prensa*, los primeros meses fueron terribles, porque yo veía que me devoraba el trabajo y que no me dejaba realizar mi otro trabajo, el literario, que era el único que me importaba. Empezó una especie de defensa consciente y subconsciente para terminar con el periodista, para desdoblarme y al llegar a mi casa, meterme a trabajar en mis libros. Me costó bastante. Desde entonces estoy siempre a la defensiva con el periodista. Siempre. Lo cual no significa que siempre haya salido victorioso. Con mucha frecuencia el trabajo me cansa y vengo aquí sin ganas de escribir. A veces ni de leer. Como dice el refrán: "No hay peor cuña que la del mismo palo". La letra allá y la letra aquí, el escribir unas cosas allá y el escribir otras aquí. Pero los fines de semana generalmente cortaba tajante. Pedro instituyó el periódico dominical y yo le dije: "conmigo no contés, porque yo tengo que defender mi otro trabajo". Nunca trabajé en domingo. "Nunca en Domingo". Hay que darle un largo espacio a la imaginación. Al vagar y divagar.

SFW: ¿Tienen el poeta y el periodista diferentes responsabilidades en cuanto al balance entre la verdad y la imaginación?

PAC: Pasa una cosa: Mi trabajo nunca fue de reportero, sino de editorialista y de Director. Yo entré directamente a director. Yo estoy seguro que si he pasado por esa escuela o experiencia hubiera tenido otra clase de choques o de conflictos. Pero el pensar en plan editorialista, analizar hechos e ideas, decir tus propios pensamientos sobre una situación, no molesta, no choca con la función imaginativa del poeta. Poco a poco fui desviando mis escritos editoriales hacia un tipo de columna, de editorial mío, que era más bien una mezcla del pensamiento filosófico y poético, creador de historia, motivador, humanista. No era propiamente el editorial político corriente — aunque tuve que hacerlo a veces, tuve que hacerlo porque a Pedro lo echaban preso y entonces me tocaba a mí la carga — pero cuando Pedro salía yo le entregaba plenamente ese aspecto editorial.

En 1964, por sugerencia de Pedro, comencé a escribir un tipo de columna editorial que llamé "Escrito a Máquina". Lo hacía todos los sábados. Lo hice por años. Abordaba temas de tipo cultural, de filosofía política, de comentario histórico, etc. Este trabajo semanal me sirvió de mucho porque me hizo estudiar a fondo la problemática de mi tiempo. Leí mucho, y estas lecturas me sirvieron para mis poemas. Nuestra historia, nuestras culturas indias, las estudié muchísimo. Las estudié tanto que formé una biblioteca, posiblemente la más rica que hay en Nicaragua, sobre etnografía, arqueología y demás tratados sobre culturas indias americanas. De esos estudios nació el poemario *El jaguar y la luna*. Aprendí mucho. Incluso fundé en la Universidad Centroamericana durante varios años la cátedra de Historia de la Cultura que la daba la mitad del curso sobre historia de las culturas indígenas y la otra mitad sobre las culturas antiguas del mundo. Eso también me llevó a estudiar a los mitólogos, antropólogos y luego la lingüística, en fin todo lo que ha enriquecido mi poesía se debe a esos estudios. Me ha apasionado la empresa de recuperar desde sus raíces e incorporar al indio a nuestra poesía. Pero sí, hay una contradicción entre periodista y poeta. A muchos escritores jóvenes que llegan a decirme que quieren ser periodistas les digo, "si podés ser cualquier otra cosa, mejor". Y a cuantos poetas llevé a *La Prensa* me fracasaron, con toda razón. Tal vez es que no llegaron a inventar un género informativo que tuviera sus nexos con la poesía. Falta de imaginación en ellos o de comprensión de los jefes de redacción. No sé. Hay también más que una contradicción, una hostilidad entre el tiempo periodístico y el tiempo poético.

SFW: En 1956 Ud. cayó preso después de la muerte de Somoza García por el solo hecho de trabajar en el diario opositor. Y sin duda *La Prensa* ejerció una influencia muy grande como una fuerza de la oposición durante la dictadura de Somoza Debayle. ¿Cuál ha sido el papel de *La Prensa* a partir de 1979?

PAC: Nosotros colaboramos con la Revolución. Participamos en ella. Hicimos toda la propaganda que se podía hacer en las formas más sutiles, pero constantes, al movimiento revolucionario para acabar con Somoza. Y por lo tanto, fuimos aliados del Frente Sandinista. Casi todos los comandantes eran conocidos nuestros. Con algunos, incluso, yo tuve relaciones en la clandestinidad como con Tomás Borge. Esta fue una revolución nuestra; hecha por todos, en la cual nosotros pusimos lo que pusimos, hasta el final: la zozobra, la vida bajo amenaza de muerte, la destrucción de *La Prensa* y la muerte de Pedro. Cuando llegamos al triunfo de la revolución, todas esas fuerzas pluralistas convinieron en un compromiso constitucional, en un "Estatuto Fundamental" que sentó las bases para la creación de la nueva vida económica, social, política, etc., que realizaría la Revolución en Nicaragua. Nuestra labor en *La Prensa* ha sido ser fieles a esas bases y defenderlas contra los desvíos posteriores. Debo decirte que desde el principio ellos, los comandantes del Frente Sandinista, empezaron a ver la crítica con desagrado. No querían que se hiciera ninguna crítica. Es decir, les estorbaba la libertad; les estorbaba. ¿No derrotamos, al derrotar a Somoza, el tipo de gobierno que "manda", que dicta, para dar lugar a un gobierno que dialoga?

Es una mentalidad que contradice la raíz y esencia de la revolución que ellos mismos realizaron, que fue contra la dictadura y por la libertad. Otro tema de choque de *La Prensa* con los comandantes es nuestro reclamo del compromiso de promover un proceso de democratización, de autodeterminación. Si hay un sistema que sólo puede funcionar democráticamente es el Socialista. Nosotros estamos completamente abiertos a un proceso no demagógico sino técnico y gradual de socialización y a la reforma agraria. Nunca nos opusimos. A lo que nos oponemos es a un estatismo que se nos crezca como un monstruo. No queremos otra vez gigantes, así se llamen Stalin, Mao o Fidel. Hemos luchado por el "hombre": por la dimensión humana. La historia del siglo XX es demasiado aleccionadora para que volvamos a edificar esos Poderes absolutos que acaban aplastando todas las libertades del hombre. Y para impedir el crecimiento monstruoso del Estado o del Poder sólo conocemos un antídoto: la Democracia. Y luchamos por ella no sólo porque es la única forma de gobierno y de organización socio-política que le da al hombre poderes contra el Poder; sino también porque es el único sistema por el cual una Revolución — es decir, un proceso de cambio — puede estructurar una relación de paridad entre Gobierno y Pueblo (una relación de participación real, libre, vigilante y crítica del pueblo en las decisiones que atañen a su destino). Sólo dentro de una democracia, que elige sus autoridades y que respeta el pluralismo y la libertad de expresión puede el Gobierno conocer, sin engaño, sus realidades, saber las reacciones de su pueblo y crear así, respuestas originales.

Queremos que nuestra revolución responda al reto de nuestra historia con una respuesta nicaragüense e hispanoamericana. Por eso también hemos divergido con el F.S.L.N. en su política exterior. Tanto Pedro como yo en toda mi obra, exaltamos el pensamiento y la actitud de Sandino en defensa de nuestra soberanía, contra la injerencia extranjera y contra el imperialismo. Al formarse la Junta de Gobierno, se comprometió, con todas las fuerzas revolucionarias, a "una política exterior independiente y de no-alineamiento". Esa fue la decisión nacional. No-alineamiento! Pero pronto la influencia cubana banderizó esta posición. *La Prensa* comenzó a ser hostilizada porque condenaba, aplicando por igual el pensamiento anti-imperialista de Sandino, tanto a una super-potencia como a otra, y apoyaba a Panamá en sus demandas a Estados Unidos, sobre el Canal, como a Afganistán y a Polonia contra la intervención soviética rusa. Nos hostilizaron y censuraron también porque señalábamos el peligro de entregarnos al juego de un imperialismo para defendernos del otro. La independencia de un país pequeño advertí en *La Prensa* — consiste en no dejarse convertir en pieza del ajedrez de otras potencias.

Esta ha sido mi posición en *La Prensa*. ¿Es discutible en algunos puntos? ¡Muy bien! Hagamos posible la discusión. Si por algo lucho es por una Revolución dialogante y no dogmática.

SFW: ¿Ha sido positivo el papel que está jugando el Ministerio de Cultura en Nicaragua?

PAC: En unos aspectos. En otros no. En unos aspectos, sí, porque ha ampliado las posibilidades culturales del pueblo. Ha impulsado, con resultados no muy brillantes, la democratización de la cultura. Pero al mismo tiempo que hace eso, ha desarrollado, con prepotencia, una especie de imposición, de "dirigismo" cultural que exige a las artes y letras ponerse al servicio de la revolución. ¿De cuál? De la que los Comandantes definan. Y allí está el problema. Han hecho, por ejemplo, talleres populares de poesía. Ahorita, hace poco, dieron una película en la televisión sobre ellos. Y allí ves tú y oyes — no estoy imaginando cosas — lo que dice un muchacho poeta. "Yo no sabía, dice, pero ahora lo sé, que mis poemas no servían porque no tenían mensaje". ¿Qué significa no tener mensaje en el lenguaje de los adoctrinadores de los talleres? No estar politizado. Si esto se le está metiendo como "ars poética" a una serie de muchachos jovencitos, ¿qué aberraciones se producirán? Tal vez las capacidades y la facultad poética de ese muchacho es la de escribir una gran poesía metafísica como la de Alfonso Cortés. Y si le pides que tenga mensaje político a un poeta metafísico lo arruinás. Creerá que es falso o errado todo lo que realmente viene de sus entrañas, con autenticidad. Si cae en la trampa, el pequeño poeta tratará de decir lo revolucionario que no siente en una forma que no es suya, y apelará a las recetas o a imitar a otros. Otro, tal vez, es un gran poeta del amor: un primer Neruda de los *Veinte poemas de amor*. Y si le decís que eso no sirve, porque no tiene mensaje político, impediste que se produjeran los *Veinte poemas de amor y una canción desesperada*. Ese tipo de dirigismo es muy peligroso. Además, después de la experiencia rusa y cubana, resulta infantil y anacrónica. Por otra parte, un pueblo como el nicaragüense, con una literatura en proceso de una gran creación original, nueva, americana, ¿no es ridículo que caiga, por obra de sus dirigentes culturales, en un complejo de inferioridad imitativo de lo ruso y lo cubano?

Para mí es tremendo el daño que le pueden hacer a un pueblo con esa "devoción", inculcada desde arriba, a las culturas sovietizadas. Y si no, yo te pregunto: en esos países ¿ha habido un gran renacimiento cultural?

¿Dónde están los grandes escritores rusos? Lo mismo pregunto de Cuba. Sus grandes poetas siguen siendo los que estaban cuando llegó la revolución. Cítame una gran obra nueva, de altura continental. Allí acaban de salir a torrentes jóvenes poetas y novelistas al exilio. En Nueva York, tienen hasta una revista de exilados. Buena revista, por cierto. ¿Es eso lo que vamos a hacer nosotros cuando pudiéramos haber hecho una maravilla? ¿Repetir el "ejemplar" caso cubano con sus Hebertos Padilla y sus Reinaldos Arena? Esto me inquieta y me duele profundamente.

Me inquieta y me duele que constantemente me vengan a *La Prensa* muchachos poetas que me dicen, "me gustaría traerle mis cosas pero nos han prohibido publicar en *La Prensa Literaria*". "Me gustaría que me publicara, pero pierdo mi chamba". Crear ese ambiente es fatal. Es la Inquisición. La cultura negativa de la prohibición. Lucho contra eso. Recién pasado el triunfo, como a los tres meses, se hizo aquí una mesa redonda de intelectuales. Estaba Julio Cortázar. Lo invitamos y fuimos a la mesa redonda un representante de cada generación: Yo, Mario Cajina Vega, Lizandro Chávez Alfaro, Luis Rocha, Xavier Argüello y Ernesto Cardenal presidiendo, pues era el Ministro de Cultura. Y fue estupenda la mesa redonda. Todos, incluso el mismo Ernesto, concordamos en proclamar como base cultural de nuestra Revolución la libertad creadora. Los mismos cubanos esperaban eso de nosotros. Yo quedé contentísimo, palabra. Estoy claro que una persona que no es creadora, que no es poeta, que no es artista, no le importa este problema fundamental. El que es un escribiente, escribe lo que le dicten. O usa la receta, y ya está. Saliste de tu cosa. Te la publican, te la alaban. Pero el que lleva el fuego sagrado como un tormento adentro, sabe el daño que le hacen. El único lector (el único crítico) válido para el poeta es su mismo "yo" creador. Toda interferencia, más si es política; toda crítica ajena a la demanda de la propia obra, es castradora.

SFW: ¿Cambiamos el tema?

PAC: Sí.

SFW: Hay muchos escritores latinoamericanos que, en su búsqueda de lo universal, crean personajes que son una especie de collage. Es decir, hacen un solo personaje de las características de muchas personas. ¿Utiliza Ud. la misma técnica literaria en su poesía? Me refiero específicamente a personajes como Juana Fonseca y Cifar.

PAC: En Juana Fonseca prevalece un personaje real al que le agrego un poco, en las anécdotas del poema, situaciones imaginativas que no corresponden a ella. Pero es creado sobre un personaje real. Cifar, lo mismo. Pero Cifar yo apenas lo conocí. Quien me dio, más que nadie, los recuerdos y vivencias de él, fue Juan de Dios Mora. De él hablo en los *Cantos de Cifar*. También escuché historias de Cifar de otros marineros que conocí en el lago. En sustancia y en sus líneas esenciales, el personaje es mío. Pero es real también. Yo creo que esa forma de crear el personaje es universal; que nunca el escritor, salvo si se lo propone, es fiel a una persona real. (Uno no puede ser fiel siendo otro). Pero sí. El escritor no puede menos que meter algo de sí mismo, su propia alma o sus imaginaciones que van envolviendo la figura ajena y haciéndola otra.

SFW: Parece que Cifar es una figura más literaria/mitológica que una figura literaria/histórica como un dictador de García Márquez o de Carpentier, por ejemplo.

PAC: Sí. Eso que pone el autor sobre la persona del Cifar que conoció es más de tipo mitológico. Tratàba precisamente de crear un tipo mítico. En el sentido que resumiera, como anti-héroe, o como pre-héroe, al hombre del lago. En todas partes el *sailor* es un tipo así, de muchos amores, de muchas mujeres, osado, aventurero. Eso lo da la vida navegante, es indudable. El constante enfrentamiento al peligro. Las aguas dan eso, el desasosiego de Cifar, el desenraizamiento, la llamada del "azul".

Pero trato de crear, a través de él, o con él, un elemento más humilde y marginado, una épica "naif", primitiva, con las características del marinero con que conviví durante mi juventud. No sé si ha cambiado mucho. Puede ser porque ha cambiado la forma de navegación. La navegación a vela era mucho más poética, en el sentido en que le daba una mayor creatividad al marinero. La máquina siempre despersonaliza un poco y el bote a motor ya no es lo mismo. Es distinto, por ejemplo, recorrer el río San Juan en un bote a remo que en una de esas lanchas motorizadas en que uno va como embriagado de velocidad. En cambio, navegando a remo, uno va paso a paso, uno anda sobre las aguas y ve la flor aquí, el pájaro allí, la cinta de la orilla, los reflejos... Eso le da una vivencia totalmente distinta de la naturaleza a la persona. Sobre ese tipo de marinero reflexivo, por ejemplo, crié el personaje del Maestro de Tarca. Me basé en un "carpintero de ribera" que vivía en nuestra finca. Componía los barcos y lo contrataban para hacer lanchas y botes. Era un tipo que encajaba sus refranes con mucha filosofía.

Un creador de máximas y de lenguaje. No era un Sancho sino un pensador elemental, una mentalidad reflexiva. Pero, al hombre real yo le añadí una función poética: lo hice palabra, forma lingüística del contador de mitos.

En el proceso de los *Cantos de Cifar*, muchos poemas los rompí, trabajé mucho en equilibrar símbolos y realidades. Lo mismo me pasó con la forma. En la forma estudié y trabajé mucho, porque quería dar con un verso corto, que tuviera una cierta reminiscencia rítmica de las formas populares, pero sin encajonarme en metros y cánones fijos. Quería dar con la medida de lo épico, pero sin solemnidad.

SFW: En su último libro, *Siete árboles contra el atardecer*, que son poemas escritos en los últimos años de la dictadura de Somoza, ¿cómo explica Ud. la mitología greco-romana e indígena que predomina?

PAC: Cuando escribí el *Libro de horas* comenzó en mí esa preocupación, que me persigue a través de casi toda mi obra: la de incorporar a mi poesía las dos tradiciones: la indígena y la greco-romana española. Claro, al principio con menos conocimiento y menos oficio, porque uno va aprendiendo, profundizando, asimilando, este mestizaje, esta fusión. Pero me parece que son dos tradiciones muy ricas que no tenemos por qué cortarlas, sino más bien absorberlas y darlas en unidad porque somos, como mestizos, su síntesis. La una ofrece una mayor facilidad para apropiarnos de ella — la occidental —porque tiene lenguaje. Al hablar español seguimos hablando griego y latín. La otra es más difícil porque apenas tiene lenguaje y es, además, un reto. Pero un reto, creo yo, que incita la creatividad y nos abre las zonas misteriosas del pensar y del sentir humanos que el Occidente ha olvidado por su exceso de racionalismo. Todos esos mitos que están apenas expresados en esculturas, en cerámica; todos esos poemas en embrión que uno descubre en un glifo, en una pintura rupestre, en el dibujo de una olla, son como palabras de misterioso contenido que no están todavía formuladas. Uno puede tener más libertad en creación con ellas. En un estudio literario que hice, llamaba a Tikal "La Atenas Muda". Tiene toda la fuerza de Atenas pero es mutis, es callada. Entonces allí puede hablar más el poeta; ampliar su yo con imaginación; pero ayuda muchísimo a esta operación el aprendizaje del gran don creador de mitos que tuvo Grecia. América es Atenas y es Tikal dialogando los mitos del hombre futuro. A mí siempre me ha fascinado ese reto del mestizo. Además, el mestizo sigue haciendo lengua. Debajo del español subyacen sintaxis y estructuras lingüísticas indias que, por simbiosis, agilizan y renuevan el español. Y también hay una gran cantidad de palabras indígenas que son mitos en sí mismos. Palabras-mitos, como algunas palabras del griego. El nahual, sobre todo, es muy rico. Contiene muchas palabras que son como una bala: explotan una enorme carga de creación poética.

SFW: Por ejemplo, ¿cuáles palabras?

PAC: Bueno, te voy a citar una de la lengua Náhuatl: "Quetzalcóatl". Quetzalcóatl une dos palabras (como en el griego), realidad y sueño, pájaro y serpiente. Es decir, toda una filosofía y toda una mítica; el más alto logro humanista de América en la cápsula de una palabra. Es como si fusionáramos, en un solo símbolo dual al Quijote y Sancho: la realidad y la sobrerrealidad. Hay otras que son palabras-poemas. Por ejemplo, la palabra *Malacatoya* contiene toda una descripción. Malacate es el aparato que gira para subir un balde de un pozo. Malacatoya es el río que da vuelta como un malacate. Fíjate qué maravilla de descripción geográfica en una sola palabra.

Por otra parte, observa esto: hay un fenómeno en el proceso cultural de Hispanoamérica, que poco lo han estudiado. Y es que la literatura hispanoamericana, sobre todo en aquellos países que han recibido una fuerte tradición indígena, entre más se ha alejado del indio como origen, más se acerca a él como originalidad. Es decir, vamos descubriendo el indio a medida que nos vamos alejando de él. Es un proceso contradictorio pero muy interesante de nuestra literatura. Al principio casi no veíamos al indio. El ojo no lo distinguía. Estaba en nuestro exilio interior mudo. El mestizo se avergonzaba de él. Ahora, (y ésta es obra de Rubén Darío) el indio ya tomó la palabra.

Se tuvo que pasar por una etapa de superación del gran prejuicio contra el mestizaje, que fue tan fuerte en los siglos pasados y que influyó indudablemente en la mentalidad latinoamericana. Se creía que el mestizaje era una degradación de las culturas y de la raza. Rubén, padre y maestro, también lo fue en esta materia. El proclamó la gloria de ser mestizo. Por él recuperamos la conciencia de orgullo de los dos aportes. Y desde ese momento se enriqueció inmensamente la literatura hispanoamericana. Enormemente. La revolución que vino después de Rubén fue un despertar creativo en todos los géneros: fue la conquista de la universalidad. Yo creo que una de las chispas que produjeron ese incendio fue ese saltar sobre el prejuicio y sobre el complejo de inferioridad que había contra el mestizaje. Cada uno descubrió su propio indio y su propio español, formando un ser nuevo, tan lleno de antigüedad como de futuro. Esta conciencia de "mundo nuevo" se dio también en la lengua. Dejamos de ser "castizos" para ser inventivos y aventureros del lenguaje.

SFW: Ud. me dijo una vez que *El Pez y la Serpiente* es inmortal. ¿Cuándo va a aparecer el próximo número?

PAC: Está en prensa el próximo número. Es inmortal, digo, porque representa y es el fruto de una trayectoria de la literatura nuestra que no ha terminado ni mucho menos. Es nuestra "otra" revolución: la de la palabra. Además, en Nicaragua, donde el movimiento de libros es poco, es una de las formas de dar a conocer nuestra producción nacional a través de una revista exigente, seria, bien seleccionada.

No he querido por eso dejar que se politice ni pierda su tradición de independencia. Si alguien escribe un poema político, perfecto. Pero allí no hay más norma que la calidad. Poesía libre. Hombre libre, Sueño libre.

SFW: Así se titula el folleto que publica el Ministerio de Cultura: *Poesía Libre*.

PAC: ¿Y sabés por qué le pusieron así? Porque nosotros sacábamos en *La Prensa Literaria* una sección de poesía y le poníamos "Poesía Libre". Mi deseo es que ese título acabe por prevalecer sobre las obsecaciones y fanatismos actuales.

SFW: La última pregunta que tengo, Pablo Antonio, es ¿podría Ud. describir la cara de Nicaragua actualmente?

PAC: Es difícil porque se está formando. Lo que ahora veo yo, más bien, es como Jano, un doble rostro. Un doble rostro de fuerzas que quieren llevarnos hacia una tendencia y de fuerzas que quieren llevarnos hacia otra. Me parece que se ha producido una lucha entre una ideología y una cultura. Pero, incluso, dentro de la fisonomía de los que quieren llevarnos hacia un rumbo de copia de esquemas ideológicos, que no arrancan de la autenticidad nicaragüense ni de su historia, tengo la casi seguridad (desgraciadamente tal vez no voy a estar vivo para verificarlo) de que se impondrá la originalidad del nicaragüense. Una vez que pase este sarampión falsamente revolucionario, creo que vencerá el nicaragüense. Creo que vencerá la creación sobre el plagio.

Ya nos hemos visto en nuestra historia en situaciones muy graves. Ojalá que mi optimismo no sea insensato; porque sería imperdonable que un pueblo que iba manifestándose con tantas capacidades de crear, tal vez no una cultura completa pero sí elementos culturales cada vez más poderosos y personales sea obligado por la fuerza a encasillarse dentro de un sistema totalitario importado, que impone desde el pensamiento hasta el traje uniforme; desde el grito que se debe gritar hasta el mensaje que el poema debe tener.

Nosotros dimos un Sandino, por ejemplo, y en la guerrilla, Sandino fue un creador. Por algo tuvo una atracción mundial su figura. Dimos un Rubén Darío, y hemos dado otras figuras menores, poderosas y originales también, y una poesía valiosa por su originalidad. No creo yo que esa veta ya esté gastada y que vayamos a entrar a una decadente imitación de lo realizado por otros países, culturalmente grises, y cuyos resultados socio-económicos están muy lejos de ser un modelo de éxito.

Pero por el momento todavía estamos en el ojo del huracán. Es difícil toda predicción. Piensa lo que va del principio al hoy de la Revolución Mexicana. Piensa qué será de Cuba cuando desaparezca Fidel Castro. (Viendo lo que sucedió con Mao en China el interrogante sobre Castro es inmenso). Una revolución no es lo que predican desde los micrófonos nueve Comandantes, sino el largo proceso de cambio de un pueblo entero que tiene historia, personalidad, y una profunda conciencia de la dignidad y libertad humanas. Mi compromiso con esta Revolución es estar siempre al lado del Hombre Nicaragüense, de su constante liberación, de sus derechos fundamentales, de sus esperanzas. No al lado del Poder, no al lado de las fórmulas ni las "grandes palabras", sino del Hombre. Creo que es mi obligación de Poeta y de Cristiano.

AQUÍ ESTUVO PRESO UN HOMBRE LIBRE

(mayo, 1987)

INTRODUCCIÓN

Esta entrevista de mayo de 1987 es la primera y única vez que Pablo Antonio Cuadra habló sobre su experiencia como preso político a raíz del ajusticiamiento del dictador Anastasio Somoza García en León, Nicaragua por el poeta Rigoberto López Pérez en 1956. Este acto heroico que inició el espíritu insurreccional contra la próxima etapa de la dinastía somocista, desató una ola de represión y detenciones masivas que incluían al personal del diario opositor *La Prensa* donde trabajaba Cuadra con su colega Pedro Joaquín Chamorro.

La entrevista se realizó en Eugene, Oregon, donde llegó el poeta para ofrecer un recital de su poesía en la Universidad de Oregon después de la publicación de la antología bilingüe que hice para Unicorn Press *The Birth of the Sun: Selected Poetry (1935-1985)*. En ese momento, yo había defendido mi tesis doctoral sobre la poesía nicaragüense y tenía que entregar la versión final con las últimas correcciones. Más que una entrevista con preguntas preparadas (como fue el caso en 1982 y 2000), la conversación de unas cuatro horas a lo largo de los tres días de la visita de Cuadra era bastante informal, un monólogo relajado, abierto y brutalmente honesto. El poeta venía de Austin, Texas donde gozaba de una beca Guggenheim y una afiliación con la Universidad de Texas. Andaba con el manuscrito definitivo y escrito a mano de su gran poemario *La ronda del año*.

Las cintas con la grabación de la entrevista que yo pretendía incorporar, quizás, en la versión final de mi disertación se perdieron por más de 20 años. Agradezco la ayuda de Esthela Calderón con la transcripción de las cintas, un trabajo que realizamos juntos cuidadosamente en León, Nicaragua en febrero de 2009.

SFW: Poeta, cuénteme de cuando estuvo preso a raíz del asesinato de Somoza García en 1956.

PAC: En la cárcel, como psicosis, la gente te cuenta cien veces cómo fue que lo agarraron preso, por qué cree que lo tiene preso y qué cree que le va a pasar. Y están con eso, dándole vuelta y vuelta. Es una de las cosas que a mí me indisponía psicológicamente. Me ponía enfermo. Se me acercaba uno y me decía, luego se me acercaba otro y me decía también. Y como yo era un poco mayor de los que estaban allí, era como el confesor. Y me ponían al corriente. Estuve preso dos meses y pico. Al principio estuve muy mal porque me metieron en la celda en que sacaron la mayor parte de los atormentados como, por ejemplo, los muchachos Narváez. O sea, los que andaban cerca de los que mataron o que eran amigos. Todos los días teníamos gente que volvía de la tortura y eso era espantoso, porque era como si nos torturaran a nosotros. Un muchachito Narváez de 10 o 12 años que estaba allí en la cárcel le metieron la cara en una pana de cal. Llegó con toda la cara pelada, incluso los mismos párpados. Todo esto era tremendo.

Y después que me había costado un mundo conseguir una almohada y un petate por las pulgas para estar un poco más aislado de las tablas que eran los camarotes, llega el teniente y me dice en el lenguaje de la cárcel, "Sale con todo y más a matate." Matate significa todas las pertenencias de uno y esas palabras significaban que ya uno iba libre. Entonces llega él con una sonrisita y dice, "Pablo Antonio Cuadra, con todo y matate." "Ah," decían mis compañeros. "Ya salió Pablo Antonio". Y todos me felicitaban con grandes abrazos. Entonces yo empiezo a repartir mi herencia: mi almohada, mi comida, todo lo que tenía yo allí. Llegó el mediodía, salgo y el teniente me dice, "Te voy a pasar a una celda mejor". "Ya te paseaste en mí", le digo. "Regalé mi almohada y regalé mi comida, y, además, me quitás a mis amigos. Si yo tengo 15 días de estar con ellos. No quiero caras nuevas". Bueno, me pasaron a otra celda que ni estaba mejor ni peor. Era una celda que estaba partida en dos con una reja de hierro. A un lado estaban Flores Ortiz, Fonseca Amador y otros, y al otro lado estaban los muchachos Solórzano.

SFW: ¿Por qué estaba preso Carlos Fonseca en ese momento?

PAC: Porque echaban presa a toda la oposición e iban seleccionando conforme iban cogiendo hilo. Entonces allí vino ya la segunda parte que empezaron a planificar meter a Pedro [Joaquín Chamorro] en la muerte de

Somoza. Todos los de *La Prensa* estaban presos. Entonces la guardia nos iba estudiando para saber quién de nosotros era el más nervioso para apretarlo con tortura y hacer que hundiera a Pedro con algún falso testimonio. Entonces, después de estudiarnos a todos, resolvieron que Horacio Ruiz era el más nervioso, el más flojo. Una noche yo estaba con Horacio, platicando de casualidad, pues teníamos bastantes prisioneros en la celda ésa. Entonces, lo llaman: "¡Horacio Ruiz!". Lo llevaron y nos quedamos todos expectantes. Parecía que nunca iba a volver. No volvió ese día y no fue hasta el tercer día que llegó. Y llegó despedazado completamente. Yo me acuerdo que yo estaba dormido en el tapesco como a las tres de la mañana cuando vino. Y se me fue a ahincar al lado a llorarme. "¡Idiay! ¿Qué te pasó?" le digo, despertándome con esa zozobra. "Es que me torturaron y traicioné a Pedro", me dijo: "¿Y cómo?" le pregunto. "Me obligaron a decir, pues, si yo había oído decir que estaba metido en el crimen". Y era una llorata inconsolable. Pedro había sido como su padre. Había metido a Horacio desde pequeño en *La Prensa*. Ya es el *Via Crucis* traicionar al amigo, pero lo obligaron con tortura. Entonces, yo le dije de consuelo sin saber ni lo que les había dicho, "Pedíle a Dios, hombre, que te dé fuerza. Nadie puede acusarte porque con una tortura hayas hundido a un amigo". Nadie sabe la resistencia que uno tiene. En un momento dado, el dolor es tan tremendo que vos hacés lo que te dicen. Horacio pasó unos días espantosos. Pasó el tiempo. Echaron a Pedro al Consejo de Guerra con la declaración de Horacio. Llegó el Consejo de Guerra; también llegó *Time*, llegó *Life*, llegaron periodistas de los Estados Unidos y del mundo. Estaba aquello lleno. Entonces van a juzgar a Pedro. Llaman al testigo Horacio Ruiz. Se para Horacio y dice: "Señores, yo quiero declarar una cosa que me lo manda mi conciencia. Todo lo que declaré fue porque me torturaron. Pedro es completamente inocente". Y eso lo dice ante el mundo entero porque están las cámaras de televisión. Entonces les desbarató todo el plan de viaje. Tuvo la fuerza en ese momento, sabiendo que le podía venir hasta incluso la muerte por volverse para atrás. Yo, por eso, a Horacio le tengo tanta estima porque no cualquiera sería capaz de dar esa vuelta para atrás. Les arruinó el plan. Sin embargo, dijeron que Pedro era sospechoso y lo condenaron no a lo que ellos querían pero sí lo condenaron. Fue una de las cosas tremendas que viví yo, eso de Horacio y de los Narváez.

SFW: ¿Pero el niño no murió?

PAC: No. No murió. A uno de ellos lo mataron después. Cuando hicieron aquella matanza en la cárcel. Y el otro caso que ví así doloroso tremendo fue con Chema Zavala. Ya empezábamos a salir libres. Empezaban a sacar al mes y medio a los que veían que no tenían nada, incluso a gente muy metida en la política. Los iban sacando. Ellos llevaban su hilo bien cogido. Entonces a Chema Zavala que era muy español, muy de esos que reaccionan con efervescencia, lo llama el jefe de la cárcel y le dice: "Vas a salir pero vas a firmar aquí que no te vas a meter en política". Y Chema le responde, "¿De dónde eso? ¿Dónde está? ¿Qué constitución hay que ponga eso?" le dice Chema y empieza a llegar, entonces, el jefe dijo: "Ah, pues, volvélo a la cárcel. A vos te voy a enseñar en la noche los derechos y las libertades a las que tenés derecho". Después le dije a Chema: "Pero ¿por qué sos tan animal? ¿Qué perdés vos firmarles a estos *high* criminales? Firmáles ya. Que ya no te volvás a meter en política. Y te metés apenas llegués a la primera esquina". Pues a las doce de la noche, lo llamaron: "¡Zavalita!" Desde la celda se veía cuando salían los jeep. Ya desde que Chema bajó las gradas para el jeep, vi que lo agarraron dos soldados y lo colgaron boca arriba de esos hierros que tiene el jeep y le metieron una caja de fósforos en la boca para que se la comiera. ¡Fijate, qué salvajada! Se lo llevaron. Lo tuvieron toda la noche, haciendo sentadillas. Si se caía le daban golpes con la culata. A las cincuenta veces te caés. Ya no aguantás. Entonces lo llevaron entre dos guardias y lo tiraron en la celda a las 3:00 de la mañana. Buscamos entre todos los presos quién sabía sobar porque no lo podías tocar ni con la punta de los dedos. Tenía inflamado los músculos. Si lo tocábamos pegaba unos alaridos como una mujer a la hora del parto. En la mañana le amanecieron en la espalda los morados de las culatas que le daban cuando caía y lo levantaban a golpe.

Yo viví dos meses y pico en esa tensión. Siempre hay su parte graciosa, siempre hay su parte de humor. Estábamos en la cárcel en esa primera celda. Todos allí nos habíamos hecho un equipo. Nos ayudábamos y de repente vemos que entra la guardia con un tipo rubio que venía hablando. Abrieron la puerta y lo volaron así como quien vuela un toro. Venía furioso, y lo quedo viendo, y le digo, "Ranucci, ¿qué andás haciendo aquí?" Era un italiano que había contratado el gobierno para que diera clases de piano en la Escuela de Bellas Artes. Ya teníamos quince días o un mes de estar presos. Ya el asesinato de Somoza había pasado. Pero pasa lo siguiente: la policía de seguridad, o la inteligencia como decían, averigua que este hombre ponía una obra de teatro que se llamaba *Tavarich*, que significa camarada en ruso. Entonces en las paredes de Managua mandó a pintar "Tavarich" el 21 de septiembre, o sea, el mismo día que Rigoberto López Pérez le disparó a Somoza. Entonces, le dicen a Ranucci: "Usted sabe, eso era propaganda para el crimen". "¿Y qué crimen?" les preguntó el italiano. Ranucci me contó que lo agarró la Guardia cuando él estaba con Rodrigo Peñalba, haciéndole una visita. Llegó la Guardia y preguntaron, "¿Este señor es un señor italiano de apellido Ranucci?" "Sí" — dijo Rodrigo —. "Quiere hablar con él el jefe de policía". "¿Conmigo?" — preguntó Ranucci —. "Sí. Quiere hablar con usted". "Andá, hombre", le dice Rodrigo. Entonces se monta en el jeep con la Guardia. Y cuando llega al Hormiguero le dice un guardia: "Éste es. Metélo en aquella celda". Entonces Ranucci dice: "¿Cómo celda? ¿No quiere hablar conmigo el jefe de la policía?" "Ahí te van a explicar, gringuito. No estés jodiendo". Y lo meten tras las rejas. Entonces pasaba un guardia. "¡Señor!" le decía Ranucci. "El director de la policía quiere hablar conmigo. Parece que se han equivocado porque me han traído aquí". "Sí, hombre. ¡Ya! ¡Callate! Allí vas a ver". Y lo tuvieron así toda la noche. A las seis de la mañana, oscurito todavía, lo sacan y ya va a hablar con el director de policía, y lo sacan hasta el portal del Hormiguero donde hay una zaranda de las que llevan presos, y lo agarran y lo meten en la zaranda. "¡Están equivocados!" dijo Ranucci. "Si yo soy empleado del gobierno. Me han traído aquí. Me han contratado en Guatemala". Entonces, llegan a la cárcel donde estamos nosotros, y el italiano cree todavía que va a entrar a ver al señor director de policía y se encuentra conmigo su amigo, con Chepe Chico Borge, con León Cabrales, y con todos los que estábamos allí. "¿Y qué está pasando aquí?" pregunta Ranucci. "¿Por qué estoy con ustedes si ustedes están presos? ¿Por qué me echan preso?" No le cabía en la cabeza. Esos quince días fueron para nosotros una comedia, porque, cada vez que entraba un guardia, él tenía que interrogar al guardia y decirle: "Señor, aquí hay una equivocación grave. Yo soy un empleado del gobierno". Y le contestaron, "Tené paciencia, gringuito. Estamos muy ocupados con esta enorme cosa que ha pasado". Por último, el italiano va averiguando que era *Tavarich* lo que lo había hundido. Su mujer llegaba y estaba gestionando con Rodrigo Peñalba. Hombre, fijáte como es. La policía lo sacó a la frontera de Costa Rica en un automóvil cuando ya era evidente que no había razón para mantenerlo preso. Pues se metió hasta el embajador de Italia y era un contrato oficial. No creás que lo pusieron libre. Lo agarraron y lo expulsaron de Nicaragua. Les quedó que *Tavarich* era el anuncio de la muerte porque eso en ruso era de los comunistas. Es de novela. Y con eso fue que escribí "Aquí estuvo preso un hombre libre". Con él porque él se ponía a hacer muñecos y cosas en la pared. Entonces yo hice una especie de mural con cabitos de lápiz que nos llevaban para escribir nuestros papelitos. Y al mismo tiempo organizábamos con el italiano óperas sobre la muerte de Somoza. Esa era una de las partes gozosas de la cárcel porque como el italiano cantaba y estaba arrecho ya entonces todos cantábamos e improvisábamos cosas sobre la Yoya [Salvadora Debayle, la esposa de Somoza García] y hasta el mismo Somoza. Pierde el miedo uno.

El miedo horrible para nosotros fue cuando murió Somoza el 29 de septiembre. Porque nosotros entramos presos cuatro días o más, antes. Uno de esos días en la mañana hablábamos de si llegaba ese día (que se muriera Somoza), porque los guardias nos decían: "Se muere el hombre y se van todos". Ésa era la amenaza que recibimos. Nosotros estábamos pendientes de aquella muerte. El mismo Somoza había dicho que si él moría, morirían por lo menos dos mil. Fijáte vos qué cosa más tremenda. En la mañana se asomó Leo Cabrales al patio por la ventana y dijo, "Ya murió el hombre". "¿Por qué?" le preguntamos. "Porque ya la bandera está a media asta con cinta negra". En eso vemos que se mueve toda la guardia, todos con lazos negros, y nos ponen una inmensa ametralladora de esas con banda enfrente de la puerta. "¡Hijueputa! Aquí va a ser la masacre ya", me dije. Cabrales, que tenía un humor negro me dijo: "Mirá, poeta, aquí al primer balazo nos tiramos a la pileta y que Chepe Chico se meta en el excusado". Porque había una pileta en media celda y el excusado se mantenía siempre lleno de mierda. Y nos hemos estado aguantando esa presión todo el día. Yo me acuerdo, para mayor humor negro, que mi mujer me llevó unas manzanas que no existen en Nicaragua. Quién sabe quién se las dio ese día con la comida. Y el que estaba con la ametralladora era un Miskito con una cara de perro que jamás me lo pude ganar. Y ese día le dije yo: "¿Querés una manzana?" Entonces agarró la ametralladora como si me iba a apretar ya. Yo para darle un poco de amistad a aquel diálogo espantoso de una ametralladora enfrente tuyo todo el día. No quiso la manzana el hijueputa. Y estábamos todo el día con esa cuestión. Ya al día siguiente amanecimos un poquito más calmados porque no nos habían matado el primer día. Al tercer día, empezaron a llegar periodistas. Entonces quitaron la ametralladora. A nosotros nos sirvió mucho esa presión de la información extranjera porque llegaban a sacar informes.

Ese día fue horrible. Pues ese día, Chalo Solórzano, uno de los que nos ayudaba en la ópera, cogió una escoba y se puso a cantar: "¡Ya se murió, ya se murió!"... cantando el rejodido. Y le dije: "¡Hijueputa! Andá a sentarte. Nos van a tirar por vos." En los nervios hay gente que le cogen por eso, por hacer insensateces. Bailando con una escoba. Qué día.

Y la cosa humana. La cárcel me mantenía aburrido como una ostra. Ya llevaba como quince días. Y un pasamano me dijo: "Don Pablo, ¿está muy aburrido?" "¡Claro! Estoy horriblemente aburrido". "Quiere leer?" "¡Jodido! Me salvás la vida". "Ya le voy a traer un libro". ¿Y qué creés que me lleva? ¡Las obras completas de Miguel de Cervantes en la edición de Aguilar! Nuestra obra de tristeza y pesadumbre como dice Rubén Darío. Yo leí con Chepe Chico Borge, alternándonos, todo *El Quijote* en la cárcel. Yo ya lo había leído muchas veces, pero lo leí allí y era nuestra alegría. Jodido, en la mañana, "¡*El Quijote, El Quijote*!" Y nos sentábamos. Todo era ritual. Leimos un capítulo o dos según como estuviéramos con el pasamano que en nuestro caso era un reo de confianza que hacía versitos. Me llevó unos poemas de amor para una muchacha llenos de rimas al estilo como quien hace un tango. Después me llevó la vida de San Francisco de Asís. Y un día se apareció cuando me cambiaron de celda. Me dijo: "Don Pablo, me encontré una huaca". Y me llevó como quince números de la revista *Selecciones*. Parece que las tenía en una gaveta el director de policía y el pasamano se las halló y me las llevó. Me acuerdo que había una prueba de ésas de inteligencia que hacía *Selecciones*. Ése era uno de los juegos de la cárcel entre las tres celdas cercanas, porque de la celda de nosotros preguntábamos algo de esa prueba de la revista y las otras celdas que sabían las respuestas contestaban. Era un juego cultural gracias a *Selecciones*.

El pasamano era una maravilla, una persona caritativa y buena. Lo contrario de los espías que te meten dentro que son sucios de alma porque les pagan para estar metidos en una cárcel. Y lo que hacen cuando se te acercan es empezar a hablarte mal de los Somoza para ver qué les decís. Pero son tan estúpidos. Se supone que un hombre que se va a meter en la cárcel como espía tiene que ser de una inteligencia superior. Pero no te han hecho la primera pregunta cuando ya te das cuenta que es un pobre diablo, que está vendido y que te quiere sacar cosas. Yo tenía dos que me hostigaban. Eran como moscas. Todo el tiempo me estaban diciendo: "Hay que acabar con los Somoza. Y apenas salgamos de aquí, tenemos que pedir armas y hacer un golpe de Estado. ¿Con quién cree usted que podemos contar?" Y te dicen chocheras de esa especie. Entonces creen que vos le vas a decir: "Pues, hombre, tal vez nos pueden ayudar tal y cual". Como si uno fuera idiota. Eran cosas que me molestaban, porque te hacían vivir una tensión de miedo. Y yo me decía: "Este jodido cualquier cosa puede inventarme". Yo lo que hacía era regalarles comida para mantenerlos suaves.

LA POESÍA ES LA PLENITUD DE LA PALABRA DEL HOMBRE

(enero, 2000)

Steven F. White: Ud. ha dicho que "el movimiento de la historia es la esperanza". Hemos llegado al año 2.000, poeta. ¿Tiene algunas observaciones al respecto?

Pablo Antonio Cuadra: Todo hombre es Adán en el momento de salir del Paraíso. El "paraíso" es la misteriosa apetencia de felicidad que mueve su vida. Cada quien concibe en su mente el boceto de camino para alcanzarla. Y desde ese momento enciende el motor de la Esperanza y se lanza hacia la meta. El llegar al año 2.000 solo aporta una especie de presión — por la magia de las cifras con que el hombre escalona su historia — para detenerse a reflexionar. Y, en la reflexión, la Esperanza casi siempre tiembla temerosa porque las interrogaciones que se abren son más, muchas más, que las respuestas.

SFW: ¿Cómo se distingue nuestra obsesión temporal contemporánea de la manera de concebir el tiempo de las antiguas culturas indígenas mesoamericanas? ¿Estas diferencias tienen que ver en parte con una relación distinta con el mundo natural y el cosmos?

PAC: La prisa, la velocidad ("¡ay qué cansado/he quedado/por la velocidad!" decía en un poema José Coronel Urtecho), el tiempo con motor fuera de borda que caracteriza al Tiempo del Occidente actual superficializa la relación Hombre-Natureleza y, por lo tanto, desnutre al hombre moderno, lo debilita, lo erosiona en una relación básica para su consistencia humana. Una de las reservas del hombre moderno para poder crear una nueva Civilización de potencia humanista es Hispanoamérica porque todavía vive mayoritariamente esa vinculación fecundante Hombre-Naturaleza.

SFW: ¿Podría explicar el significado del título de su nuevo poemario *El nicán-náuat* y la importancia de la figura del cacique? ¿Cómo se caracteriza el diálogo entre los indígenas y los españoles que aparece en algunos de estos poemas recientes?

PAC: El título revive una forma de titular algunos de sus textos del hombre *náhuat*. Nica-náua ("hasta aquí los nahuas") es el nombre de nuestra Patria, que, con el tiempo y el mestizaje, se convirtió en Nicaragua. Mi poemario se propone la resurrección del cacique (de su tiempo y de su hábitat) porque es, para mí, el hombre que inicia por el diálogo — por su famoso diálogo con Gil González Dávila — un puente de comprensión (e incluso de admirable simpatía: "Nunca indio alguno habló así a nuestros españoles" dice Oviedo) entre dos civilizaciones, entre dos culturas cuya fusión será la esencia radical de nuestra identidad nicaragüense.

SFW: Ud. ha hablado de la "apetencia del hombre por la historia (para combatir la limitación del recuerdo) y por la religión (para levantar siquiera un poco el gran velo del futuro)". En este momento de su vida ¿le preocupa más la historia o la religión?

PAC: La Religión complementa con la Fe lo que la historia no puede porque es solo experiencia. El pueblo llama a esa "continuación" (que es un salto en el misterio) "el más allá". Y en este tema la creencia en la inmortalidad y en una resurrección tiene en Nicaragua raíces profundas porque nuestros antepasados indios también creían en otra vida después de la muerte. En mi poema "Interioridad de dos estrellas que arden" le doy un valor metafísico a la hermosa filosofía humanista de los Nahuas sobre este tema.

SFW: La última vez que hablamos largamente, don Pablo Antonio, fue en julio de 1982 aquí en su casa en Managua. ¿Se puede concebir la historia de Nicaragua que Ud. ha vivido en términos de la lucha entre Quetzalcóatl y Tezcatlipoca? ¿Cuál de los dos ha predominado en este siglo? ¿El remordimiento forma una parte importante de la identidad nicaragüense del s. XX?

PAC: Claro que sí. Y con frecuencia quien ha predominado es Tezcatlipoca, aunque en general, la mayoría del pueblo nuestro sigue esperando — y ha luchado con heroísmo por esa esperanza — el retorno del reino de Quetzalcóatl aunque ahora son los ángeles los que lo anuncian a los pastores y les indican que el verdadero salvador donde reclina su maravillosa y divina humildad es en un pesebre. En cuanto al Remordimiento Histórico, me tocas una tesis que siempre me ha apasionado porque, por coincidencia, tanto la fe en Quetzalcóatl como después la fe en Cristo fueron movimientos de conciencia de mucha fuerza para presionar rectificaciones y revoluciones en nuestros pueblos. Y creo que este fuego no se ha apagado¡Dichosamente! Se tiene remordimiento cuando se conserva encendida la luz de la conciencia.

SFW: ¿Cree Ud. que la poesía ayuda a evitar la cosificación de la humanidad? ¿La poesía hace más que consolar y hacer soñar?

PAC: La poesía es la plenitud de la Palabra del Hombre. Por tanto, es la manifestación plènaria del hombre.

SFW: El otro día vi que el nuevo anexo de su biblioteca personal lleva el nombre de su esposa doña Adilia Bendaña. Uds. acaban de celebrar el 65 aniversario de su casamiento. ¿Tiene algunas reflexiones sobre el matrimonio y su relación con la vida de un creador? ¿Es cierto que durante su luna de miel Uds. fueron atacados por un tiburón en el Gran Lago?

PAC: Mi esposa tenía y tiene aún vocación de arquitecta. Ella ha ampliado mi casa y ella proyectó y dirigió, entre otros anexos, el de mi biblioteca al que yo, agradecido, le dí su nombre. He sido muy feliz con ella. Somos novios casi desde niños y quizás por eso el tiburón que nos atacó cuando nos bañábamos en nuestro Gran Lago en la luna de miel rectificó sus intenciones a mis gritos y pataleos en el agua, regresándose no sin dejarme ver su ojo frío, su terrible ojo que simboliza a todas las tiranías y a las miradas de todos los torturadores que han ensombrecido — con sus miradas criminales — la lucha política de América. Pero el regreso del tiburón no tiene otra explicación que un favor de Dios.

SFW: Siempre me ha interesado cómo los poetas revisan y corrigen sus poemas y la visión autocrítica que este proceso implica. Cuando Ud. preparó su antología *Poesía* que apareció en España en 1964, revisó extensamente "Poema del momento extranjero en la selva" y *Canto temporal*. ¿Cuáles fueron los problemas de estos dos textos originales?

PAC: El problema principal era que el *Canto temporal* (no sé por qué lectura o por qué influencia) está escrito en un estilo distinto a toda mi literatura posterior. Yo en ese momento iba a dar o estaba dando un salto a lo desconocido en mi experiencia de poeta. En cuanto al "Poema del momento extranjero en la selva" de los *Poemas nicaragüenses*, es, precisamente, el que más me costó realizar. Lo hice muchas veces, lo engaveté, lo volví a hacer hasta que encontré mi propio nuevo estilo porque yo estaba muy atado a mis descubrimientos formales anteriores. Creo que es la única vez que me pasó: de dar un salto de un modo de expresarme que me tenía agarrado a otro que yo creía más libre, más capaz de ser la forma del poema narrativo que era lo que perseguía en ese momento. Por eso me costó mucho darle la expresión apropiada; fue la lucha que Rubén refiere, la angustia del poeta que persigue una forma. Muchas veces uno pasa años buscándola. Como en el caso de mi libro *Cantos de Cifar* que concebí en mi mente como una parte de mi canto al campesino, al navegante, a los dos, pero no me gustaba lo que realizaba. Yo quería que estos poemas tuvieran otro estilo del que exigía mi canto campesino. Entonces se me quedaron inéditos, es decir, inexpresados, hasta que un día, yendo, navegando hacia donde Ernesto Cardenal en Solentiname, me brotó uno de los cantos de Cifar y ése fue el principio de un torrente de poemas. Fue el libro más grueso que hice y más rápido pero había tenido una retención de dique. Curiosamente, me publicaron esos poemas por primera vez como parte de la Colección "El Toro de Granito" en Ávila: el lago tan abierto editado entre las grandes murallas medievales de Ávila, pero murallas que tenían como una copa el licor de lo universal.

SFW: En el ensayo "PAC y su mitificación de Sandino", Jorge Eduardo Arellano habla del corporativismo como una característica importante de *Hacia la cruz del sur* y *Breviario imperial*. ¿Cómo se manifiesta el espíritu corporativista en estas obras? ¿Podría describir su experiencia de escuchar un discurso de Mussolini en aquellos años?

PAC: Es una pregunta que abarca uno de los nudos más difíciles de mi vida en el mundo ideológico porque durante la primera juventud mía nosotros estábamos viviendo los finales de una guerra civil en Nicaragua. Incluso yo estuve sirviendo en un hospital, como joven, atendiendo allí a los heridos de la guerra civil y recuerdo lo que me impresionó un general que era amigo de mi casa que tenía perforado el pulmón y los gritos de dolor que daba. Todo eso me hizo repeler la guerra civil y un poco equivocadamente le repudiábamos el hecho de la guerra civil a la existencia de partidos políticos porque en realidad la guerra civil era entre los Liberales y los Conservadores. Esos dos partidos se habían formado sobre la base de dos tribus rivales: León y Granada, Chorotegas y Nahuas. Y entonces la lucha de los partidos se había hecho una lucha tribal. Nos tirábamos flechas por cualquier cosa. Entonces el repudio nuestro era a los dos partidos. Y, claro, por esa hendidura se nos filtró mucho la influencia fascista en nuestra juventud. Se agravó cuando el gran maestro nuestro Ezra Pound también respondió a esa influencia. Entonces yo hice un viaje por invitación que me hicieron los monárquicos españoles a España. Y, como mi padrino era italiano, me dice, "Ya que va para España, yo lo invito a que pase conociendo la Italia de Mussolini". Eso fue mi primer viaje a España en 1938. Claro, tuve la suerte como periodista de que venía camino a la Plaza de Venecia y de repente vi que todo el pueblo corría, gritando "¡Duce, Duce, Duce!" Yo seguí la carrera y cuando desemboqué estaba frente al Palacio de Venecia en una plaza llena de jóvenes. Al rato de estar las masas gritando "¡Duce, Duce, Duce!", salió Mussolini al balcón. Salió y se quedó oyendo la multitud y hubo un silencio electrizante. A mí me impresionó porque yo estaba en medio de las masas. Entonces me acuerdo incluso que agarró un libro que tenía detrás del balcón y un rifle: "¡Libro y mosqueto, fascista perfeto!" Hubo una enorme ovación y él cerró la puerta y desapareció. Ese fue el discurso. Claro, él estaba preparando el ataque a Abisinia y quería que la juventud fuera a la guerra. "¡Libro y mosqueto, fascista perfeto!" Yo por supuesto quedé electrizado por aquel hombre que te llenaba una plaza de gente, solo para decir cinco palabras, cerraba la puerta, y se iba. Después fui conociendo incluso con los mismos italianos (porque el italiano es tremendamente emotivo) el arrebato. Me acuerdo una señora que había estado en Nicaragua, muy amiga de mi casa, que me hablaba en éxtasis de Mussolini. En cambio, otros ya estaban molestos con la dictadura. Pero todo aquello me impresionó vivamente porque yo iba con una historia de mi patria que me llevaba a percibir cualquier indicación que fuera un camino distinto del que veía que habíamos seguido en Nicaragua, camino lleno de sangre y lucha fratricida. Entonces por esa hendidura entró la influencia fascista. Nosotros habíamos tenido con Coronel una preparación histórica buena. Habíamos estudiado bastante la historia de Nicaragua. Quisimos hacer *nuestro* fascismo, es decir, una cosa distinta con nuestra tradición. Y eso nos salvó de caer como los argentinos y otros grupos amigos que se entregaron completamente a una invitación al fascismo. Pronto empezamos a ver, con el ejemplo de Somoza, cómo se nos iba creciendo también el peligro de la autoridad personal y volvíamos otra vez a ver qué inventábamos. Pero realmente a un joven como yo le cuesta mucho decir *Me equivoqué* porque hay una especie de orgullo en mantener ciertas posiciones y algunos de nosotros las mantuvieron hasta que ya fueron evidentes y repulsivos los crímenes de la dictadura. Dichosamente, para mí, al mes de estar Somoza en el poder, se pegaron unas papeletas sandinistas en Granada y el Director de Policía me encarceló como su autor. Resulta que yo era Diputado. El policía estaba cometiendo dos injusticias: primero, que yo no era y, segundo, que aunque fuera, tenía inmunidad. Me echó preso, costó un mundo que me sacaran, pero ya quedé yo escamado con la autoridad somocista. Después seguí hasta convertirme en un elemento ingrato al régimen de tal modo que en poco tiempo me tuve que exiliar. Me fui para México porque vi que se me hacía la vida imposible. Supe que estaba en la lista negra del dictador, inscrito como enemigo de Somoza. Eso me sirvió mucho a mí porque Coronel se quedó incluso de Ministro de Educación durante un buen tiempo hasta que el mismo Somoza lo quitó. Pero él no rectificó. Es decir, nosotros tardamos varios años y yo me exilié para crear un nuevo esquema de caminos de salvación. Empezamos a rectificar con los mismos partidos, comprendimos que la lucha armada fratricida no era fruto de los partidos sino de otra cosa. Comprendimos que debajo de eso estaba la democracia que era lo que empezábamos a ver como única salvación. Pero para todo eso, como te digo, nos costó un sacrificio porque a un joven le cuesta la rectificación.

SFW: ¿Es cierto que Ud. volvió de ese viaje a España en un barco con Pablo Neruda?

PAC: Cuando yo volví de mi viaje a España ya había estallado la guerra. Por eso me tuve que venir a toda prisa. El barco en que yo venía era italiano, y lo tomé en Barcelona. Nos revisaron minuciosamente los ingleses en Gibraltar. Todavía no entraba Mussolini a la guerra. Cuando llegué aquí a América, en Maracaibo, estábamos en la varanda y yo oí que gritaban, "¡Pablo Neruda, Pablo Neruda!" Me había atravesado todo el mar en un barco con Neruda y no me había dado cuenta de que iba allí. La razón por la cual yo no me vi con Neruda en el barco es porque yo, a última hora, con la guerra prendida, tuve que pagar un camarote de lujo porque era lo único que había, y Neruda venía en segunda. Fue hasta que llegamos a tierra y escuché los gritos que tuve la oportunidad de saludarlo. Entonces él salió y lo saludé. Yo ya le había mandado *Poemas nicaragüenses* y él ya me conocía y me había mandado sus libros con una dedicatoria: "De un Pablo a otro Pablo, de una trinchera a otra trinchera". Y nos conocimos y nos dimos un abrazo allí. El se bajó y yo me quedaba porque todavía iba a atravesar el canal para seguir a Nicaragua. Después la amistad con Neruda se reafirmó de modo que le mandé con Rafael Alberti, cuando pasó por aquí, una botella de guaro para su botellateca.

Al llegar aquí, tuvimos un problemón grande porque Somoza mandó a encauzar tanto a José Coronel como a Diego Manuel Chamorro y a mí, que éramos los diputados de nuestro grupo en el Congreso acusados de anti-demócratas y antipatriotas para que nos expulsaran del Congreso y nos echaran presos. Entonces Diego Manuel Chamorro, José Coronel Urtecho y yo pasamos a ser acusados por el voto de los diputados. La Cámara de Diputados acusaba y el Senado se convertía en juez. Tuvimos el proceso y le ganamos la partida. Los Senadores juzgaron antidemocrático condenar a un diputado por sus opiniones. Incluso el ex-Presidente Moncada dio un discurso muy bueno, diciendo "¿Qué es esto? Estos muchachos tienen el derecho de mostrar sus nuevos ideales. Nicaragua no es sólo de los viejos". Total que nos hizo ganar la partida y salimos de allí triunfantes. Pero eso nos puso peor con Somoza. Y de allí fue que al poco rato salí al exilio.

SFW: Cuando Ud. estuvo en España en 1938-39 visitó las cuevas de Altamira. ¿Cómo fue esa experiencia y cuál es la relación entre el arte rupestre y el arte indígena precolombino?

PAC: Fue una experiencia interesante porque Ricardo Gullón era de Santillana del Mar; allí tenía una casa y estuvimos hablando y fuimos con varias personas jóvenes, poetas y pintores a las Cuevas. De esas amistades surgió la idea de fundar la Escuela de Altamira como una escuela de arte primitivista. Nosotros ya habíamos realizado en el movimiento de Vanguardia en Nicaragua el experimento de darle la palabra al indio que llevábamos en la sangre y en nuestra cultura mestiza. Hicimos un manifiesto (que, por cierto, debe de existir entre mis papeles), el Manifiesto de Altamira. Lo firmaba gente interesante, pintores y escultores, entre ellos Artigas que era el ceramista más famoso de Europa. Llegué a tener amistad con él y le prologué un libro. Lo presenté (a Artigas) y el libro se lo publicó Mathías Goeritz el cual era otro que estaba allí, y otra gente importante en la cultura de Europa. Hicimos el Movimiento de Altamira que no duró nada por causa de la guerra y de la inmensa destrucción que causó. A mí me hizo mucho bien porque vi que era la misma meta que yo buscaba. La que encontramos en Rubén Darío: en Tutecotzimí, en *Prosas profanas* que fue para nosotros como un lema. La frase dice: "Si hay en nuestra América poesía, ella está en... Palenke y Utatlán, en el indio legendario..." Y así, robustecidos por el respaldo de Rubén, empezamos un movimiento más que de manifiestos, de realizaciones y experimentos creadores. Realmente el libro donde ya desarrollo ese ambicioso injerto es *El jaguar y la luna* que tuvo un éxito inmediato. Es el libro mío que ha tenido más éxito fuera de Nicaragua. Me acuerdo que en Argentina, por ejemplo, Borges y Molinari me escribieron. Pero lo más valioso es el silencioso beneplácito de la misma poesía.

SFW: ¿Cuáles son los rasgos estructurales que relacionan la cerámica y la poesía náhuatl con, precisamente, *El jaguar y la luna*?

PAC: Donde más claro lo puedes ver es en el poema "Mitología del Jaguar". Es decir, si tomo una pintura del jaguar hecha por el indio en una olla, resulta que la pintura es una estilización reducida a sus líneas esenciales. Vemos un triángulo, y el triángulo encierra el ojo del jaguar (que es como el ojo del tiburón) y una especie de garra. Veo que el indio busca la esencia del animal y todo lo demás lo aparta en su pintura. Se vuelve como un símbolo o como una metáfora. En el poema hablo por último del ojo, de los hombres que rieron de todos esos mitos y del astro que los dioses colocan y encienden en las cuencas vacías del jaguar. Me refiero a la "atroz proximidad" de ese astro porque también el ojo del tigre es un ojo peligroso, lleno de odio. Son de esos animales que ya supieron lo que es el odio. Y el indio lo capta y con esa fiereza define al jaguar.

SFW: Pero volviendo el tema de esas relaciones específicas entre lo que Ud. vio y la transformación de lo visual, de lo pictórico a lo lingüístico, a la palabra poética, ¿cómo es este proceso?

PAC: Me propuse una pregunta: ¿Qué consiguió el indio, qué estilo expresivo comunal está expresando al hacer esa reducción de la potencia de todo animal a su esencia en un solo símbolo o en dos? Me refiero a las dos identificaciones principales del jaguar: el ojo y la zarpa. El indio hace una síntesis. Eso busqué yo: la cosa más reducida precisa y certera que se podría expresar. Y la receta estaba en los dibujos indígenas. Eso nos fue guiando para crear. Yo me volví lector tremendo de libros arqueológicos. En ese año salió la obra de Lothrop que está muy ilustrada y es una maravilla como fuente de inspiración con los dibujos indígenas que trae. Y después fui viendo una diferencia fundamental: el Maya era todo lo contrario del Náhuatl. Mientras el Náhuatl iba desnudando hasta dejar la esencia, el Maya ponía esa esencia pero la iba recubriendo. Es como si el Maya cultivara, a lo Zurbarán, las telas del traje, mientras que el náhuatl cultivaba la desnudez.

SFW: ¿De qué año es su poema "La casa de Sísifo", publicado como texto inédito en un número-homenaje de la revista *Decenio*?

PAC: Es del '73, el año siguiente del terremoto. Yo tenía mi casa en esa esquina de la calle Candelaria en Managua y ahí, ya viviendo en Granada, monté una pre-universidad que fue el fundamento de la UCA. La alquilamos para Casa de Cultura y me acuerdo que hicimos un homenaje a Alfonso Cortés, otro también para el Padre Pallais, y que doña Agustina Urtecho daba clases para muchachas que llegaban y que fueron después colegialas de la Asunción. Todo eso se derrumbó en esa noche trágica del Terremoto, tema triste del poema:

> *"Hablo de la vieja casa donde yo nací.*
> *Quedaba en la calle Candelaria y ya no queda*
> *piedra sobre piedra. Fuego, tierra negra...*
> *Eso es todo lo que quedará de ti".*

SFW: ¿Por qué eligió Ud. los árboles que aparecen en *Siete árboles contra el atardecer* y no otros? ¿Estos árboles le sirven de reposo?

PAC: Eran árboles que tenían para mí un nexo. La Madre Ceiba es el árbol tutelar de Nicaragua. Aquí desde Las Colinas, donde vivo hasta la rotonda de entrada a Managua es el paraíso de la Ceiba. ¿No te has fijado en ésas enormes? Han brotado cantidades al borde de la carretera. Me decía Yepes Boscán, el crítico venezolano que hizo el prólogo a la edición de *Siete árboles*...que salió en Venezuela, "¡Hombre, qué hermoso! ¡Los árboles de ustedes son enormes!" Lo que quiero decir es que cada árbol tuvo su razón de ser en mi vida. El jocote, por ejemplo, es una especie de alcahuete, porque fue ahí donde besé a mi mujer por primera vez. (Lo digo en el poema). Hay una leyenda antigua, una metáfora sensual en torno a ese árbol que bota sus hojas para dar el fruto como la mujer se desnuda para darse. Es el árbol del amor. El Panamá es un árbol lindísimo que tenía en mi casa del lago, y la República de Panamá, mi amistad con Gloria Guardia que escribió sobre mi obra, y el inmenso árbol como un arcángel custodio, resistiendo vientos y huracanes influyeron para hacer el poema. Era también árbol casero para mí que lo tenía ahí a la orilla de mi casa en el Gran Lago. El cacao era el árbol de Nicaragua por el cual se apoderaron los Nahuatl de esa zona, porque los Nicaraguas dominaron y tuvieron el poder del Cacao, dólar vegetal, de tal modo que cuando vinieron los españoles, ellos eran dueños, culturalmente superiores a los demás. El idioma de ellos era la *lingua franca*, de modo que los españoles con los primeros que cogieron allí se entendían con todas las otras culturas. En cuanto al mango, yo tuve una conversación con Armando Morales el pintor y después él me escribió una carta en la cual me decía que me fijara que el mango lo habían traído de la India. De ahí seguí la pista y efectivamente: lo habían traído del extranjero aunque habían quedado en Nicaragua como nacionales por su inmensa reproducción en nuestra tierra y ésa fue la razón por la cual escribí el poema. Hasta hace poco existía un Jenísero cerca de la casa que tengo en el lago. Ya se secó. Hay otros jeníseros pero ése me revivía un recuerdo de infancia. Mi padre tuvo una hacienda que se llamaba "La Punta"un poco delante de donde yo tengo la casa de recreo y allí digo en el poema que venía con el General Mena y pasábamos por ese jenísero que más o menos quedaba donde yo estaba todavía cuando escribí el poema. En el poema hablo de eso, que venía el General Mena hablando con mi padre y yo venía tras ellos en un caballito que me había regalado un señor de Granada, un caballito en el cual yo aprendí a ser jinete. "El jícaro" canta la muerte de Pedro Joaquín Chamorro asesinado durante la dictadura de los Somoza.

SFW: ¿Cuál es la importancia del lenguaje botánico/científico en muchos de esos poemas sobre los árboles?

PAC: A mí me gustaba mucho la botánica y leía mucho. Buscaba su precisión lingüística. La precisión es poesía.

SFW: En *La ronda del año*, ¿cuál fue el mes más difícil de elaborar y por qué?

PAC: "Abril" me costó bastante y es el más logrado en cuanto a originalidad y correspondencia entre fondo y forma como decían los clásicos. Yo había hecho un esquema del poema y no me salía con esa unidad de fondo y forma. Me acuerdo mucho de ese combate conmigo mismo, porque yo, desde el primer momento, quise expresar abril por las quemas que se hacían en el verano de Nicaragua como una "primavera de fuego". Después, con la primera lluvia de mayo, de las cenizas y lo negro salía la vida. Es muy impactante ese cambio. Era también un símbolo de la identidad del nicaragüense. Pero me costó. La resistencia, en su lucha con lo mediocre, levanta la calidad. ¡Cuántas perezas rebajan la calidad del poema y luego ya es tarde el arrepentimiento! ¡Dicen que son necesarios diez poemas buenos para borrar la impresión de uno malo!

SFW: ¿Cree Ud. que su obra poética, para usar una imagen de *El nicán-náuat*, es una especie de isla con dos volcanes "uno dormido: para conquistar el dominio del sueño/otro activo: para soñar el dominio de la realidad"?

PAC: Lo que va a pasar es que voy a usar esa pregunta tuya como emblema de mi poesía. Fíjate cómo el crítico nos completa y prolonga. Así va uno aprendiendo que sus propias cosas tienen territorios mayores imprevistos. También recuerdo haber escrito:

> "por muchos años mi numeroso corazón
> se llenó de rostros y palabras
> y yo llené, a mi vez, mi canto
> de pueblo. Corrí el riesgo
> de no ser oído
> porque la poesía es también un pedazo de pobreza."

Tengo un libro en el tapete que todavía no se ha publicado completo, se titula *El indio y el violín*, que cronológicamente es de los años ochenta. Yo lo que quería hacer era publicar *El nicán-náuat* e incluir *El indio y el violín* como segunda parte o como un anexo que en cierta manera expande el territorio expresivo de *El nícan-náuat*. Tal vez ésa sea mi próxima obra. ¡Dios dirá!

BIBLIOGRAFÍA

Abram, David. (1997) *The Spell of the Sensuous: Perception and Language in a More-Than-Human World*, New York, Vintage.

Achugar, Hugo. (1992) "Historias paralelas/historias ejemplares: la historia y la voz del otro" en John Beverley y Hugo Achugar, eds., *La voz del otro: testimonio,subalternidad y verdad narrativa*, Lima/ Pittsburgh, Latinoamericana Editores: 49-71.

Aeschylus. (1973) *Seven Against Thebes*, Translated by Anthony Hecht and Helen H.Bacon, New York and London, Oxford University Press.

Alarcón, Francisco X. (1992) *Snake Poems: An Aztec Invocation*, San Francisco, Chronicle Books.

Alcina Franch, José. (1989a) *Mitos y literatura azteca*, Madrid, Alianza.

_. (1989b) *Mitos y literatura maya*, Madrid, Alianza.

Anderson, Benedict. (1991) *Imagined Communities: Reflections on the Origin and Spread of Nationalism*, London, Verso.

Arellano, Jorge Eduardo. (1982) "El primer libro de Pablo Antonio Cuadra" *Revista delPensamiento Centroamericano* 177 (octubre-diciembre): 135-137.

_. (1985) "Los *Poemas nicaragüenses* de Pablo Antonio Cuadra", *La Prensa Literaria* (20 de julio): 6.

_. (1991a) *Pablo Antonio Cuadra: Aproximaciones a su vida y obra*, Managua, Instituto Nicaragüense de Cultura.

_. ed. (1991b) "Prólogo" en Pablo Antonio Cuadra, *Poesía selecta*, Caracas, Biblioteca Ayacucho.

_. (1992) *Entre la tradición y la modernidad: el movimiento nicaragüense devanguardia*, San José, Libro Libre.

_. ed. (1994) *Pablo Antonio Cuadra: valoración múltiple*, Managua, UNICA.

_. (1997a) *Literatura nicaragüense* (6a edición), Managua, Distribuidora Cultural.

_. (1997b) "La "Colección Squier-Zapatera"" en *Granada, aldea señorial en el tiempo*, Managua, Dirección General de Patrimonio y Museos, Instituto Nicaragüense de Cultura: 99-103.

Balladares, José Emilio. (1980) "Un Homero a la escala del lago", *El Pez y la Serpiente* 21 (Verano 1978): 123-151.

_. (1986) *Pablo Antonio Cuadra: La palabra y el tiempo (secuencia y estructura de su creación poética)*, San José, Costa Rica, Libro Libre.

_. (1999) "Pablo Antonio Cuadra: peregrino de la esperanza" *Lengua*, 2ª época, 20 (septiembre): 9-26.

Ballester, César. (1989) "La aparición de la nueva racionalidad", *Letra* (Madrid) 13 (primavera): 29-32.

Bate, Jonathan. (2000) *The Song of the Earth*, Cambridge, Harvard University Press.

Benson, Elizabeth P. (1997) *Birds and Beasts of Ancient Latin America*, Gainesville, University Press of Florida.

Berdiaeff, Nicolás. (1933) *Una nueva Edad Media: reflexiones acerca de los destinos de Rusia y de Europa*, traducido por José Renom, Barcelona, Editorial Apolo.

Berman, Paul. (2002) "The Epic of Pablo Antonio Cuadra: A Child of His Century" *The New Republic* (February 25): 26-33.

Beverley, John y Hugo Achugar, eds. (1992) *La voz del otro: testimonio, subalternidad y verdad narrativa*, Lima/Pittsburgh, Latinomaericana Editores.

Bravo, Carlos A. (1997) "Los isleteños" *Lengua*, 2ª época, 15 (junio): 20-25.

Buell, Lawrence. (1995) *The Environmental Imagination: Thoreau, Nature Writing and the Formation of American Culture*, Cambridge, Harvard University Press.

_. (2001) *Writing for an Endangered World: Literature, Culture and Environment in the U.S. and Beyond*, Cambridge, Harvard University Press.

Byerly, Alison. (1996) "The Uses of Landscape", en Cheryll Glotfelty y Harold Fromm, eds. *The Ecocriticism Reader: Landmarks in Literary Ecology*, Athens and London, University of Georgia Press: 52-68.

Caillaux Zazzali, Jorge y Manuel Ruiz Müller, eds. (1998) *Acceso a recursos genéticos: propuestas e instrumentos jurídicos*, Lima, Sociedad Peruana de Derecho Ambiental.

Coloma González, Fidel. (1994) "Incursión en los *Poemas nicaragüenses*", en *PabloAntonio Cuadra: Valoración múltiple.* Jorge Eduardo Arellano, ed. Managua, UNICA, págs. 167-171.

Coronel Urtecho, José. (1974) *Tres conferencias a la empresa privada*, Managua, Ediciones El Pez y la Serpiente.

_. (1976) "Historia de Nicaragua: descubrimientos, exploraciones y fundaciones" *Revista del Pensamiento Centroamericano* 150 (enero-marzo 1976): 122-152. Publicado originalmente en *Revista de la Academia de Geografía e Historia de Nicaragua* 1.2 (diciembre 1936).

Crosby, Alfred W. (1972) *The Columbian Exchange: Biological and Cultural Consequences of 1492*, Westport, Conn., Greenwood Press.

_. (1986) *Ecological Imperialism: The Biological Expansion of Europe, 900-1900*, Cambridge, Cambridge University Press.

Cuadra, Manolo. (1992) *Tres amores*, Managua, Editorial Nueva Nicaragua.
Cuadra, Pablo Antonio. (1934) *Poemas nicaragüenses*, Santiago, Chile, Nascimento; edición revisada, *Obra poética completa*, v. 1. San José, Costa Rica, Libro Libre, 1983; edición revisada, Managua,Hispamer, 1994.
_. (1936) *Hacia la cruz del sur*, Madrid, Cultura Española; rpt. Buenos Aires, Comisión Argentina de Publicaciones e Intercambio, 1938.
_. (1940) *Breviario imperial*, Madrid, Cultura Española.
_. (1945) *Promisión de México y otros ensayos*, México, Editorial Jus.
_. (1946) *Entre la cruz y la espada (mapa de ensayos para el redescubrimiento de América* , Madrid, Instituto de Estudios Políticos.
_. (1952) *La tierra prometida*, Managua, El Hilo Azul.
_. (1964) *Poesía: selección 1929-1962*, Madrid, Cultura Hispánica.
_. (1969) *El nicaragüense*, Madrid, Cultura Hispánica.
_. (1971) *Cantos de Cifar*, Ávila, Editorial "El Toro de Granito".
_. (1974) *Tierra que habla*, San José, Costa Rica, EDUCA.
_. (1979) *Cantos de Cifar y del mar dulce*, Managua, Ediciones Academia de la Lengua (tercera edición, aumentada, con fotografías del Gran Lago de Nicaragua).
_. (1983) *Canciones de pájaro y señora. Poemas nicaragüenses. Obra poética completa*, v. 1. San José, Costa Rica, Libro Libre.
_. (1984a) *Cuaderno del sur. Canto temporal. Libro de horas. Obra poética completa,* v. 2. San José, Costa Rica, Libro Libre.
_. (1984b) *Poemas con un crepúsculo a cuestas. Epigramas. El jaguar y la luna. Obra poética completa,* v. 3. San José, Costa Rica, Libro Libre.
_. (1985a) *Cantos de Cifar y del mar dulce. Obra poética completa.* v. 4. San José, Costa Rica, Libro Libre.
_. (1985b) *Esos rostros que asoman en la multitud. Homenajes. Obra poética completa,* v. 5. San José, Costa Rica, Libro Libre.
_. (1986) *Torres de Dios. Obra en prosa*, v. 1. San José, Costa Rica, Libro Libre.
_. (1987a) *Siete árboles contra el atardecer. Obra poética completa*, v. 6. San José, Costa Rica, Libro Libre.
_. (1987b) *El nicaragüense. Obra en prosa*, v. 3. San José, Costa Rica, Libro Libre.
_. (1988a) *La ronda del año: poemas para un calendario.Obra poética completa*, v. 7. San José, Costa Rica,Libro Libre.
_. (1988b) *Aventura literaria del mestizaje y otros ensayos. Obra en prosa*, v. 2. San José, Costa Rica, Libro Libre.
_. (1991a) "América o el tercer hombre", *La Prensa Literaria* (12 de octubre): 1,4-6.
_. (1991b) *El hombre: un dios en el exilio*, Managua, Fundación Internacional Rubén Darío.
_. (1997a) *Libro de horas*, Caracas, FUNDARTE (Alcaldía de Caracas).
_. (1997b) "Pájaros y poetas" *Lengua*, 2ª época, 15 (junio): 115-117.

_. (1998) "Mito y realidad: nuestro cacique filósofo y Virgilio" *Lengua*, 2ª época, 17 (mayo): 10-14. (publicado originalmente en *La Prensa Literaria*, 14 de mayo, 1972).
_. (1999a) "El Nicán-Náuat", *El Pez y la Serpiente* 30 (julio-agosto): 41-96.
_. (1999b) *Exilios*, Managua, Academia Nicaragüense de la Lengua.
_. (1999c) "Las culturas indias de Centroamérica" *Lengua*, 2ª época, 21 (diciembre): 11-26.
_. (1999d) "La casa de Sísifo" *Decenio* 4.14-15 (noviembre-diciembre): 2.
_. (2000) "El indio y el violín" *El Pez y la Serpiente* 36 (julio-agosto): 3-30.
_. (2001a) "Poemas/Memorias" *El Pez y la Serpiente* 41 (mayo-junio): 77-108.
_. (2001b) *D. Pablo Antonio Cuadra: Doctorado Honoris Causa*, Managua, Universidad Americana.
_. (2001c) "Crítica de arte" *El Pez y la Serpiente* 43 (septiembre-octubre): 9-67.
_. (2002a) "Con el oído a tierra" *El Pez y la Serpiente* 45 (enero-febrero): 15-48.
_. (2002b) "Cabeza a pájaros (poesía dispersa)" *El Pez y la Serpiente* 45 (enero-febrero): 77-100.
Cuadra, Pablo Antonio y Francisco Pérez Estrada. (1997) *Muestrario del folklore nicaragüense*, Managua, Hispamer.
Darío, Rubén. (1977) *Poesía*, Caracas, Biblioteca Ayacucho.
Deimel, Claus y Elke Ruhnau, eds. (2000) *Jaguar and Serpent: The Cosmos of Indians in Mexico, Central and South America*, Berlin, Dietrich Reimer Verlag GmbH.
Dougherty, Carol. (2001) *The Raft of Odysseus: The Ethnographic Imagination of Homer's* Odyssey, Oxford, Oxford University Press.
Easby, Elizabeth Kennedy y John F. Scott, eds. (1970) *Before Cortés: Sculpture of Middle America*, New York, Metropolitan Museum of Art.
Eco, Umberto. (1986) *Art and Beauty in the Middle Ages*, New Haven/London, Yale University Press.
Elder, John. (1985) *Imagining the Earth: Poetry and the Vision of Nature*, Urbana, University of Illinois Press.
Eliade, Mircea. (1954) *The Myth of the Eternal Return Or, Cosmos and History*, Princeton, Princeton University Press.
Elorrieta Salazar, Fernando E. y Edgar Elorrieta Salazar. (2001) *Cusco y el valle sagrado de los Incas*, Cusco, Tanpu.
Felz, Jean Louis. (1982) "La obra de Pablo Antonio Cuadra: expresión mítica de una cultura del mestizaje" *Revista del Pensamiento Centroamericano* 177 (octubre-diciembre): 80-106.
Fisher, Peter K. (1973) "The Trials of the Epic Hero in *Beowulf*" en Anthony C. Yu, ed. *Parnassus Revisited: Modern Critical Essays on the Epic Tradition*, Chicago, American Library Association: 155-173.
Florescano, Enrique. (1995) *El mito de Quetzalcoatl*, México, Fondo de Cultura Económica.

Fowler, Jr., William R. (1989) *The Cultural Evolution of Ancient Nahua Civilizations: The Pipil-Nicarao of Central America*, Norman y London, University of Oklahoma Press.

Fry, Northrop. (1957) *Anatomy of Criticism*, Princeton, Princeton University Press.

Fukuyama, Francis. (2002) *Our Posthuman Future: Consequences of the Biotechnology Revolution*, New York, Farrar, Straus & Giroux.

Garibay K., Ángel María. (1992) *Historia de la Literatura Náhuatl*, México, Editorial Porrúa.

Gifford Terry. (1995) *Green Voices: Understanding Contemporary Nature Poetry*, Manchester, Manchester University Press.

Glotfelty, Cheryll y Harold Fromm. (eds.) (1996) *The Ecocriticism Reader: Landmarks in Literary Ecology*, Athens y London, University of Georgia Press.

González, Cristina, ed. (1998) *Libro del Caballero Zifar*, Madrid, Cátedra.

Greenblatt, Stephen. (1991) *Marvelous Possessions: The Wonders of the New World*, Chicago, University of Chicago Press.

Guardia de Alfaro, Gloria. (1971) *Estudio sobre el pensamiento poético de Pablo Antonio Cuadra*, Madrid, Gredos.

Guido Martínez, Clemente. (2002) "¿Quiénes fueron los creadores de los petroglifos de Chichihualtepe y de la Cueva de los Negros?" *El Pez y la Serpiente* 46 (marzo-abril): 83-93.

Gutiérrez Estévez, Manuel, ed. (1997) *Identidades étnicas*, Madrid, Casa de América.

Harrison, John. (1967) *The Reactionaries (Yeats, Lewis, Pound, Eliot, Lawrence): A Study of the Anti-Democratic Intelligentsia*, New York, Schocken.

Hill, Jonathan D. (ed.) (1988) *Rethinking History and Myth: Indigenous South American Perspectives on the Past*, Urbana/Chicago, University of Illinois Press.

_. (ed.) (1996) *History, Power, and Identity: Ethnogenesis in the Americas 1492-1992*, Iowa City, University of Iowa Press.

Hulme, T. E. (1994) "A Notebook" en *Collected Writings of T. E. Hulme*, ed. Karen Csengeri, Oxford, Oxford University Press.

Johns, Timothy. (2000) "Foods and Medicines: Introduction" en Paul E. Minnis, ed. *Ethnobotany: A Reader*, Norman, University of Oklahoma Press: 143-147.

Kelemen, Pál. (1946) *Medieval American Art: A Survey in Two Volumes*, New York, MacMillan.

Kellert, Stephen R. and Edward O. Wilson. (eds.) (1993) *The Biophilia Hypothesis*, Washington, DC, Island Press.

Kerridge, Richard and Neil Sammells. (eds.) (1998) *Writing the Environment: Ecocriticism and Literature*, London, Zed.

Kicza, John E. (2000) *The Indian in Latin American History: Resistance,*

Resilience, and Acculturation, Wilmington, Delaware, Scholarly Resources.

Krappe, Alexander H. (1933) "Le lac enchanté dans le *Chevalier Cifar*", *Bulletin Hispanique* XXXV.2: 107-125.

Krech III, Shepard. (1999) *The Ecological Indian: Myth and History*, New York, Norton.

Laiou, Angeliki E. (1998) "The Many Faces of Medieval Colonization" en Elizabeth Hill Boone y Tom Cummins, eds., *Native Traditions in the Postconquest World*, Washington, D.C., Dunbarton Oaks Research Library and Collection: 13-30.

Lentz, D. y C. R. Ramírez-Sosa. (2002) "Cerén Plant Resources: Abundance and Diversity" en Payson Sheets, ed. *Before the Volcano Erupted: The Ancient Cerén Village in Central America*, Austin, University of Texas Press: 33-42.

León-Portilla, Miguel. (1967) *Trece poetas del mundo azteca*, México, UNAM.

_. (1972) *Religión de los nicaraos: análisis y comparación de tradiciones culturales nahuas*, México, UNAM.

Lopez, Barry. (1988) *Crossing Open Ground*, New York, Scribner´s.

López Estrada, Francisco. (1971) *Rubén Darío y la Edad Media: una perspectiva poco conocida sobre la vida y obra del escritor*, Barcelona, Planeta.

Lothrop, Samuel K. (1926) *Pottery of Costa Rica and Nicaragua*, 2 vols., New York, Museum of the American Indians, Heye Foundation.

_. (1961) "Peruvian Stylistic Impact on Lower Central America" en Samuel K. Lothrop, ed. *Essays in Pre-Columbian Art and Archaeology*, Cambridge, Harvard University Press: 258-265.

Luce, J. V. (1998) *Celebrating Homer's Landscapes: Troy and Ithaca Revisited*, New Haven, Yale University Press.

Luna, Luis Eduardo y Pablo Amaringo. (1991) *Ayahuasca Visions: The Religious Iconography of a Peruvian Shaman*, Berkeley, North Atlantic Books.

Luna, Luis Eduardo y Steven F. White, eds. (2000) *Ayahuasca Reader: Encounters with the Amazon's Sacred Vine*, Santa Fe, Synergetic Press.

MacCormack, Sabine. (1998) "Time, Space, and Ritual Action: The Inka and Christian Calendars in Early Colonial Peru" en Elizabeth Hill Boone y Tom Cummins, eds., *Native Traditions in the Postconquest World*, Washington, D.C., Dunbarton Oaks Research Library and Collection: 295-343.

Maeztu, Ramiro de. (1933) "La actualidad de los gremios" *ABC* (Madrid) (2 de septiembre), reproducido en *El nuevo tradicionalismo y la revolución social*, Madrid: Nacional, 1959.

_. (1934) *Defensa de la hispanidad*, Madrid, Gráfica Universal.

Mann, Charles C. (2002) "1491", *The Atlantic Monthly* (March): 41-53.

Manuel, Frank E. y Fritzie P. Manuel. (1979) *Utopian Thought in the Western World*, Cambridge, Mass., Harvard University Press.

Martínez Rivas, Carlos. (1996) *La insurrección solitaria y varia*, Madrid, Visor.
McDowell, John Holmes. (1994) *''So Wise Were Our Elders'': Mythic Narratives of the Kamsá*. Lexington, Kentucky, The University Press of Kentucky.
McGee, R. Jon and F. Kent Reilly (1997) "Ancient Maya Astronomy and Cosmology in Lacandon Maya Life", *Journal of Latin American Lore* 20.1: 125-142.
Mendieta, Rosa María y Silvia del Amo. (1981) *Plantas medicinales del estado de Yucatán*, México, UCECSA.
Merchant, Carolyn. (1982) *The Death of Nature: Women, Ecology and the Scientific Revolution*, San Francisco, Harper & Row.
_. (1995) *Earthcare: Women and the Environment*, New York, Routledge.
Minnis, Paul E. (ed.) (2000) *Ethnobotany: A Reader*, Norman, University of Oklahoma Press.
Molina Argüello, Carlos. (1999) "La última carta de un historiador", *El Pez y la Serpiente* 30 (julio-agosto): 9-40.
Mondragón, Amelia. (1997) "Las figuras congregativas en la poesía de Pablo Antonio Cuadra" *Lengua*, 2ª época, 15 (junio): 29-49.
Mundkur, Balaji. (1983) *The Cult of the Serpent: An Interdisciplinary Survey of Its Manifestations and Origins*, Albany, State University of New York Press.
Murphy, Patrick D. (2000) *Farther Afield in the Study of Nature-Oriented Literature*, Charlottesville, University Press of Virginia.
Murray, David. (1991) *Forked Tongues: Speech, Writing and Representation in North American Indian Texts*, Bloomington and Indianapolis, Indiana University Press.
Nabhan, Gary Paul y Sara St. Antoine. (1993) "The Loss of Floral and Faunal Story" en Stephen R. Kellert and Edward O. Wilson, eds. *The Biophilia Hypothesis*, Washington, D.C., Island Press: 229-250.
Nagler, Michael N. (1996) "Dread Goddess Revisited", en Seth L. Schein, ed. *Reading the* Odyssey*: Selected Interpretive Essays*, Princeton, New Jersey, Princeton University Press: 141-161.
Napier, A. David. (1986) *Masks, Transformations, and Paradox*, Berkeley, University of California Press.
Nelson, Jr., Lowry. (1992) *Poetic Configurations: Essays in Literary History and Criticism*, University Park, Pennsylvania, Pennsylvania State University Press.
Ordóñez Argüello, Alberto. (1994) "La gallarda bandera de la nueva poesía nacional", en *Pablo Antonio Cuadra: valoración múltiple*, Jorge Eduardo Arellano, ed. Managua, UNICA: 165-166.
Orr, David W. (1992) *Ecological Literacy: Education and the Transition to a Postmodern World*, Albany, State University of New York Press.
Ortiz de Montellano, Bernard R. (1990) *Aztec Medicine, Health and Nutrition*, New Brunswick, Rutgers University Press.

Ott, Jonathan. (1996) *Pharmacotheon: Entheogenic Drugs, Their Plant Sources and History*, Kennewick, Washington, Natural Products Company.

Palacios, Conny. (1996) *Pluralidad de máscaras en la lírica de Pablo Antonio Cuadra*, Managua, Academia Nicaragüense de la Lengua.

_. (1999) "*El Nicán-Náuat*: reconstrucción de la identidad nicaragüense" *Lengua*, 2ª época, 21 (diciembre, 1999): 200-204.

_. (2001) "*El indio y el violín*: reflexión sobre el devenir del hombre a través de la recreación del mundo indígena" *El Pez y la Serpiente* 41 (mayo-junio): 65-74.

Pendell, Dale. (1995) *Pharmako/Poeia: Plant Powers, Poisons and Herbcrafts*, San Francisco, Mercury House.

Pepper, David. (1996) *Modern Environmentalism: An Introduction*, London, Routledge.

Perl, Jeffrey M. (1984) *The Tradition of Return: The Implicit History of Modern Literature*, Princeton, Princeton University Press.

Rabasa, José. (1993) *Inventing America: Spanish Historiography and the Formation of Eurocentrism*, Norman, University of Oklahoma Press.

Recinos, Adrián, ed. and trans. (1979) *El Popol vuh: las antiguas historias del Quiché*. San José, Costa Rica, EDUCA.

Reinhardt, Karl. (1996) "The Adventures in the *Odyssey*", en Seth L. Schein, ed. *Reading the* Odyssey*: Selected Interpretive Essays*, Princeton, New Jersey, Princeton University Press: 63-132.

Reko, Blas Pablo. (1996) *On Aztec Botanical Names*, Berlin, Verlag für Wissenschaft und Bildung.

Robinson, Richard A. H. (1970) *The Origins of Franco's Spain: The Right, the Republic and Revolution, 1931-1936*, Pittsburgh, University of Pittsburgh Press.

Rolston, III, Holmes. (1988) *Environmental Ethics: Duties to and Values in the Natural World*, Philadelphia, Temple University Press.

Ryden, Kent C. (1993) *Mapping the Invisible Landscape: Folklore, Writing and the Sense of Place*, Iowa City, University of Iowa Press.

Sahagún, Fr. Bernardino de (y los informantes indígenas). (1981) *El méxico antiguo*, Caracas, Biblioteca Ayacucho.

Sale, Kirkpatrick. (1990) *The Conquest of Paradise: Christopher Columbus and the Columbian Legacy*, New York, Knopf.

Satz, Mario. (1992) *Arca de roca: ensayos para una sensibilidad ecológica*, Barcelona, Editorial Kairós.

Schaefer, Stacy B. y Peter T. Furst, eds. (1996) *People of the Peyote: Huichol Indian History, Religion & Survival*, Albuquerque, University of New Mexico Press.

Schein, Seth L. (1996) *Reading the* Odyssey*: Selected Interpretive Essays*, Princeton, New Jersey, Princeton University Press.

Schultes, Richard Evans y Albert Hofmann. (1979) *Plants of the Gods: Origins of Hallucinogenic Use*, New York, McGraw-Hill.

Schultes, Richard Evans y R. F. Rauffaf. (1992) *Vine of the Soul: Medicine Men, Their Plants and Rituals in the Colombian Amazon*, Oracle, Arizona, Synergetic Press.

Scigaj, Leonard M. (1999) *Sustainable Poetry: Four American Ecopoets*, Lexington, University Press of Kentucky.

Shepard, Paul. (1978) *Thinking Animals: Animals and the Development of Human Intelligence*, New York, Viking.

_. (1993) "On Animal Friends" en Stephen R. Kellert y Edward O. Wilson, eds., *The Biophilia Hypothesis*, Washington, D.C., Island Press: 275-300.

Shiva, Vandana. (1989) *Staying Alive: Women, Ecology and Development*, London, Zed.

_. (1993) *Monocultures of the Mind: Perspectives on Biodiversity and Biotechnology*, London, Zed.

Solís, Pedro Xavier. (1996) *Pablo Antonio Cuadra: Itinerario (Análisis y antología)*, Managua, Hispamer.

_. (2001) "Los mensajes de la Virgen María a Bernardo de Cuapa" *El Pez y la Serpiente* 40 (marzo-abril): 85-140.

Soper, Kate. (1995) *What Is Nature? Culture, Politics and the Non-Human*, Oxford / Cambridge, Blackwell.

Spotts, Peter N. (2002) "Catalog for Life on Earth" *The Christian Science Monitor* (June 20): 11& 14.

Stannard, David E. (1992) *American Holocaust: Columbus and the Conquest of the New World*, New York/Oxford, Oxford University Press.

Steiner, George. (1975) *After Babel: Aspects of Language and Translation*, New York, Oxford.

Stone, Doris. (1961) "The Stone Sculpture of Costa Rica" en Samuel K. Lothrop, ed. *Essays in Pre-Columbian Art and Archaeology*, Cambridge, Harvard University Press: 192-209.

Takacs, David. (1996) *The Idea of Biodiversity: Philosophies of Paradise*, Baltimore, Johns Hopkins University Press.

Tedlock, Dennis, ed. y trad. (1996) *Popol Vuh*, New York, Simon & Schuster.

Thalmann, William G. (1978) *Dramatic Art in Aeschylus's* Seven Against Thebes, New Haven/London, Yale University Press.

Tibón, Gutierre. (1981) *El ombligo como centro cósmico: una contribución a la historia de las religiones*, México, Fondo de Cultura Económica.

Tillyard, E. M. W. (1973) "The Nature of the Epic" en Anthony C. Yu, ed. *Parnassus Revisited: Modern Critical Essays on the Epic Tradition*, Chicago, American Library Association: 42-52.

Torres, Constantino Manuel. (1993) "Snuff Trails of Atacama: Psychedelics and Iconography in Prehispanic San Pedro de Atacama" *Integration* 4: 17-28.

Tuan, Yi-Fu. (1974) *Topophilia: A Study of Environmental Perception, Attitudes and Values*, Englewood Cliffs, New Jersey, Prentice-Hall.

Tünnerman Bernheim, Carlos. (1982) "La poesía nicaragüense y universal de Pablo Antonio Cuadra", *Revista del Pensamiento Centroamericano* 177 (octubre-diciembre 1982): 70-79.
Valle-Castillo, Julio. (1992) "Prólogo" en Manolo Cuadra, *Tres amores*, Managua, Editorial Nueva Nicaragua: 13-48.
Warner, Marina. (1976) *Alone of All Her Sex: The Myth and Cult of the Virgin Mary*, New York, Knopf.
Wasson, R. G. (1973) "The Role of 'Flowers' in Nahuatl Culture: A Suggested Interpretation" *Botanical Museum Leaflets* Harvard University 23 (8): 305-324.
Westheim, Paul. (1963) *The Sculpture of Ancient Mexico/La escultura del México antiguo*, Garden City, New York, Doubleday & Company.
_. (1965) *The Art of Ancient Mexico*, Garden City, New York, Doubleday & Company.
White, Steven F. (1992) *La poesía de Nicaragua y sus diálogos con Francia y los Estados Unidos*, México, Limusa.
_. (1993) *Modern Nicaraguan Poetry: Dialogues with France and the United States*, London/Toronto, Associated University Presses.
_. (1994) "Entrevista a Pablo Antonio Cuadra" (1982) en Jorge Eduardo Arellano, ed. *Pablo Antonio Cuadra: valoración múltiple*, Managua, UNICA: 95-112.
_. (2000) "Entrevista con Pablo Antonio Cuadra" *El Pez y la Serpiente* 35 (mayo-junio): 69-84.
Wieck, Roger S. (1988) *Time Sanctified: The Book of Hours in Medieval Art and Life*, New York, Braziller.
Wilbert, Johannes. (1987) *Tobacco and Shamanism in South America*, New Haven, Yale University Press.
Williams, Louise B. (1994) "British Modernism, History and Totalitarianism: The Case of T. E. Hulme", CLIO 23.3: 257-269.
Williams, Raymond. (1983) *Culture and Society: 1780-1950*, New York, Columbia University Press.
Wilson, David J. (1999) *Indigenous South Americans of the Past and Present: An Ecological Perspective*, Boulder, Westview Press.
Wilson, Edward O. (1992) *The Diversity of Life*, Cambridge, Harvard University Press.
Yepes Boscán, Guillermo. (1982) "Hacer el poema con el aliento del mito y el lodo de la historia", *Revista del Pensamiento Centroamericano* 177 (octubre-diciembre): 108-116.
_.(1996) "El ensayo de lo inefable: la poesía religiosa de Pablo Antonio Cuadra" en Pablo Antonio Cuadra, *Libro de horas*, Caracas, FUNDARTE.
Zepeda-Henríquez, Eduardo. (1987) *Mitología nicaragüense*, Managua, Editorial Manolo Morales.
_. (1996) *Linaje de la poesía nicaragüense*, Managua, Academia Nicaragüense de la Lengua.
Zimmerman, Michael E., (1994) *Contesting Earth's Future: Radical Ecology and Postmodernity*, Berkeley, University of California Press.